IM

Née en 1982, Imbolo Mbue a quitté Limbé, au Cameroun, en 1998 pour faire ses études aux États-Unis. Elle vit aujourd'hui à Manhattan. *Voici venir les rêveurs* est son premier roman, qui a paru en France aux éditions Belfond en 2016. Véritable phénomène avant même sa parution, encensé par la presse américaine, il remporte en 2017 le PEN/Faulkner Award et le Blue Metropolis Words to Change Award.

**Retrouvez toute l'actualité de l'auteur sur :
www.imbolombue.com**

VOICI VENIR
LES RÊVEURS

IMBOLO MBUE

VOICI VENIR
LES RÊVEURS

*Traduit de l'anglais (Cameroun)
par Sarah Tardy*

belfond

Titre original :
BEHOLD THE DREAMERS
publié par Random House, une marque et une division
de Penguin Random House LLC, New York

Voici venir les rêveurs est une œuvre de fiction. Les noms, les personnages, les lieux et les événements sont le fruit de l'imagination de l'auteur ou utilisés fictivement. Toute ressemblance avec des personnes réelles, vivantes ou mortes, des événements ou des lieux serait pure coïncidence.

MIXTE
Papier issu de
sources responsables
FSC® C003309
www.fsc.org

Pocket, une marque d'Univers Poche,
est un éditeur qui s'engage pour la préservation
de son environnement et qui utilise du papier fabriqué
à partir de bois provenant de forêts gérées
de manière responsable.

place
des
éditeurs

© Belfond, un département place des éditeurs, 2016
pour la traduction française.
ISBN 978-2-266-27612-2

Pour mon bel AMR
que je remercie avec gratitude
d'être entré dans le Mystère avec moi

« Car l'Éternel, ton Dieu, va te faire entrer dans un bon pays, pays de cours d'eau, de sources et de lacs, qui jaillissent dans les vallées et les montagnes ; pays de froment, d'orge, de vignes, de figuiers et de grenadiers, pays d'oliviers et de miel ; pays où tu mangeras du pain avec abondance, où tu ne manqueras de rien ; pays dont les pierres sont du fer et des montagnes duquel tu tailleras l'airain. »

Deutéronome 8 : 7-9

1

On ne lui avait jamais demandé de porter un costume pour un entretien d'embauche. Jamais dit d'apporter un curriculum vitae. Une semaine plus tôt, il ne possédait d'ailleurs pas de curriculum, quand il s'était rendu à la bibliothèque à l'angle de la 34e Rue et de Madison Avenue et qu'un bénévole lui en avait rédigé un, détaillant son parcours afin de montrer qu'il était un homme aux grandes qualités : fermier responsable du labourage des terres et de la bonne santé des récoltes ; cantonnier chargé de préserver la beauté et la rutilance de la ville de Limbé ; chargé de vaisselle dans un restaurant de Manhattan, veillant à ce que les clients mangent dans des assiettes sans traces ni microbes ; taximan officiel dans le Bronx, responsable du bon acheminement des passagers.

Il n'avait jamais eu à s'inquiéter de savoir si son profil correspondrait, si son anglais conviendrait, s'il passerait pour un homme suffisamment intelligent. Mais ce jour-là, vêtu de son costume croisé vert à fines rayures, celui-là même qu'il portait quand il avait débarqué aux États-Unis, une pensée l'obsédait : serait-il capable de faire impression sur un homme

11

qu'il n'avait jamais rencontré ? Malgré tous ses efforts, il ne pouvait penser à autre chose qu'aux questions qu'on lui poserait, aux réponses qu'il faudrait donner, à la manière dont il devrait marcher, s'exprimer, s'asseoir, aux moments où il faudrait parler, à ceux où il faudrait écouter et acquiescer, aux choses qu'il faudrait dire ou ne pas dire, à la réponse à donner si on l'interrogeait sur son statut dans le pays. Sa gorge devint sèche. Ses mains, moites. Incapable d'attraper son mouchoir dans le métro bondé qui le conduisait dans le centre de Manhattan, il les essuya sur son pantalon.

« Bonjour, s'il vous plaît, dit-il à l'agent de sécurité en entrant dans le hall du building Lehman Brothers. Mon nom est Jende Jonga. Je suis venu voir M. Edwards. M. Clark Edwards. »

L'agent, bouc et taches de rousseur, lui demanda une pièce d'identité que Jende s'empressa de sortir de son portefeuille marron deux volets. L'homme s'en empara, examina le recto puis le verso, leva les yeux vers lui, les baissa vers son costume, sourit et voulut savoir s'il se présentait en tant qu'agent de change ou quelque chose comme ça.

Jende secoua la tête.

« Non, répondit-il sans sourire en retour. Chauffeur.

— Ah, fit le vigile en lui tendant un passe de visiteur. Eh bien, bonne chance. »

Cette fois, Jende sourit.

« Merci, mon frère. Toute cette chance, je vais vraiment en avoir besoin aujourd'hui. »

Seul dans l'ascenseur qui montait vers le vingt-huitième étage, il inspecta ses ongles (aucune crasse, merci mon Dieu). Il ajusta sa cravate à clip dans le miroir de surveillance au-dessus de sa tête ; réexamina ses dents sans y trouver aucun morceau visible des bananes plantain frites et des haricots mangés le matin. Il s'éclaircit la gorge et vérifia qu'il n'avait pas de salive incrustée aux coins des lèvres. Quand les portes s'ouvrirent, il se redressa et se présenta à la réceptionniste qui, après avoir répondu par un hochement de tête et un déploiement de dents très blanches, passa un appel et lui demanda de la suivre. Ils traversèrent un espace ouvert où de jeunes hommes en chemise bleue étaient assis dans des box devant plusieurs écrans, puis un couloir, puis un nouvel espace rempli de box, avant d'arriver devant un bureau ensoleillé, vitré du sol au plafond, laissant entrevoir au-dehors les milliers d'arbres aux couleurs d'automne et les fières tours de Manhattan. Pendant une fraction de seconde, sa bouche s'ouvrit toute grande à la vue de ce panorama – il n'avait jamais rien admiré de semblable – et du raffinement de la décoration. Il y avait un coin détente à sa droite (canapé en cuir noir, deux chaises en cuir noir, une table basse vitrée), un grand bureau au centre (ovale, en merisier, siège principal en cuir noir, deux fauteuils en cuir vert pour les visiteurs) et une armoire à dossiers sur sa gauche (en merisier, portes en verre, avec des dossiers blancs bien alignés), devant laquelle Clark Edwards, en costume sombre, se tenait, occupé à passer des documents dans un broyeur à papier.

« S'il vous plaît, monsieur, bonjour, dit Jende en se tournant vers lui et en s'inclinant à moitié.

— Asseyez-vous », répondit Clark sans lever les yeux de la machine.

Jende s'empressa de prendre place dans le fauteuil de gauche. Il sortit de sa chemise un curriculum qu'il plaça en face du siège de Clark, veillant bien à ne pas déranger les piles de papier blanc et les exemplaires du *Wall Street Journal* éparpillés sur son bureau. L'une des pages du *Journal*, dépassant sous les graphiques et les feuilles couvertes de chiffres, titrait : LE GRAND ESPOIR DES BLANCS ? BARACK OBAMA, OU LE RÊVE D'UNE AMÉRIQUE DALTONIENNE. Jende se pencha pour lire l'article, fasciné par ce jeune sénateur plein d'ambition, mais se redressa aussitôt quand il se rappela où il était, pourquoi, et ce qui l'attendait.

« Avez-vous des contraventions impayées ? demanda Clark en s'asseyant.

— Non, monsieur, répondit Jende.

— Et vous n'avez jamais été impliqué dans un accident grave, c'est bien cela ?

— Non, monsieur Edwards. »

Clark ramassa le curriculum sur son bureau, moite et chiffonné, à l'image de l'homme dont il décrivait l'histoire. Ses yeux restèrent rivés dessus pendant plusieurs secondes tandis que ceux de Jende se posaient un peu partout, sur les cimes de Central Park qui se dressaient au loin derrière eux, sur les murs du bureau recouverts de tableaux abstraits et de portraits d'hommes blancs en nœud papillon. Il sentait des gouttes de sueur perler sur son front.

« Bien, Jende, dit Clark en reposant le curriculum avant de s'adosser à son fauteuil. Parlez-moi de vous. »

Jende se ranima tout à coup. C'était la question dont lui et sa femme, Neni, avaient discuté la veille au soir ; celle sur laquelle ils s'étaient renseignés en tapant dans Google : « La question qu'ils posent chaque fois lors d'un entretien d'embauche. » Ils avaient passé une heure, penchés sur leur vieux PC, à chercher la meilleure réponse, à lire les mêmes conseils sur les dix premiers sites répertoriés par Google, avant de conclure que le mieux restait sans doute que Jende insiste sur sa forte personnalité, sur sa fiabilité et sur le fait qu'il possédait, pour un directeur très occupé comme M. Edwards, toutes les qualités requises chez un chauffeur. Neni avait aussi émis l'idée qu'il souligne son incroyable sens de l'humour, pourquoi pas avec une petite blague. Après tout, avait-elle dit, quel directeur de Wall Street, après des heures passées à se creuser la cervelle pour savoir comment gagner plus d'argent, n'apprécierait pas de monter dans sa voiture en sachant que son chauffeur l'attendait avec une bonne blague ? Jende était d'accord et avait préparé une sortie, un rapide monologue qui s'achevait par une blague sur une vache dans un supermarché. « Ça, ça devrait bien fonctionner », avait dit Neni. Et Jende le pensait aussi. Mais lorsqu'il se mit à parler, il oublia la réplique qu'il avait préparée.

« D'accord, monsieur, dit-il à la place. J'habite à Harlem avec ma femme et notre fils de six ans. Et je viens du Cameroun, en Afrique centrale ou Afrique de l'Ouest. Cela dépend à qui vous le demandez, monsieur. Je viens d'une petite ville au bord de l'océan Atlantique appelée Limbé[1].

— Je vois.

— Merci, monsieur Edwards, répondit Jende d'une

---

1. Située dans le sud-ouest du Cameroun, Limbé compte parmi les villes placées sous mandat britannique de 1922 à 1961. L'anglais y est parlé par la majorité de la population. *(N.d.T.)*

voix chevrotante, sans trop savoir pourquoi il le remerciait.

— Et de quel type de papiers disposez-vous ?

— J'ai des papiers, monsieur, lâcha-t-il brusquement, penché en avant et secouant la tête, sa peau se hérissant d'une chair de poule comme autant de petits boulets de canon.

— J'ai dit, quel *type* de papiers ?

— Oh, je suis désolé, monsieur. J'ai l'EAD. L'EAD, monsieur... c'est ce que j'ai pour le moment.

— Qui est censé vouloir... » Le BlackBerry posé sur le bureau vibra. Clark le ramassa immédiatement. « Ce qui veut dire ? reprit-il en regardant son téléphone.

— Cela veut dire "document d'autorisation d'emploi", monsieur », répondit Jende en se tortillant sur son siège.

Clark n'eut pas la moindre réaction, ne fit pas le moindre geste. Il garda la tête baissée, les yeux sur l'appareil, ses doigts à la peau visiblement douce se promenant sur les touches avec agilité – haut, gauche, droite, bas.

« C'est un permis de travail, monsieur », ajouta Jende. Il jeta un coup d'œil aux doigts de Clark, puis à son front, et de nouveau à ses doigts, sans trop savoir comment, dans ces conditions, obéir à la règle qui dit de toujours regarder son interlocuteur dans les yeux. « Cela veut dire que j'ai le droit de travailler, monsieur. Jusqu'à ce que j'obtienne ma *green card*. »

Clark acquiesça à demi et continua à tapoter.

Jende regarda par la fenêtre, priant tout bas pour ne pas avoir transpiré trop abondamment.

« Et ça va vous prendre combien de temps pour l'obtenir, cette carte ? »

Clark reposa son BlackBerry.

« Je ne sais vraiment pas, monsieur. Les services de l'immigration sont lents, monsieur, et travaillent d'une manière très curieuse.

— Mais vous pouvez rester légalement dans ce pays sur le long terme, n'est-ce pas ?

— Oh, oui, monsieur », répondit Jende. À nouveau, il hocha vivement la tête, un douloureux sourire aux lèvres, les yeux écarquillés. « Je suis très bien en règle, monsieur. Simplement, j'attends toujours ma carte de résident. »

Pendant une longue seconde, Clark le regarda fixement, sans que ses yeux verts et vides ne trahissent la moindre pensée. Une sueur chaude ruisselait dans le dos de Jende, trempant la chemise blanche que Neni lui avait achetée chez un vendeur à la sauvette de la 125ᵉ Rue. Le téléphone du bureau se mit à sonner.

« Parfait, dans ce cas, dit Clark en décrochant. Du moment que vous êtes en règle. »

Jende Jonga poussa un soupir de soulagement.

La terreur qui l'avait étreint lorsque Clark Edwards avait prononcé le mot « papiers » s'apaisa lentement. Il ferma les yeux tout en offrant ses remerciements au Miséricordieux, soulagé qu'une demi-vérité ait pu suffire. Qu'aurait-il répondu si M. Edwards avait poussé plus loin ? Comment aurait-il expliqué que son permis de travail et son permis de conduire étaient valides *uniquement* le temps que sa demande d'asile soit traitée et acceptée, et qu'en cas de rejet aucun de ses papiers n'aurait plus la moindre valeur, et qu'il pourrait tirer un trait sur sa carte de résident ? Comment aurait-il bien pu justifier sa demande d'asile ? Y aurait-il eu un moyen de convaincre M. Edwards qu'il était un honnête homme, un très honnête homme, en toute vérité, mais qui racontait mille et un mensonges à l'Immigration simplement pour devenir un jour citoyen des États-Unis et passer le restant de sa vie dans cette grande nation ?

« Et vous êtes ici depuis combien de temps ? demanda Clark après avoir reposé le combiné.

— Trois ans, monsieur. Je suis arrivé en 2004, au mois de... »

Il s'interrompit, surpris par un éternuement retentissant de Clark.

« À vos souhaits, monsieur, dit-il alors que le directeur plaçait son poignet sous son nez en laissant échapper un nouvel éternuement, encore plus sonore que le premier. *Ashia*, monsieur, ajouta Jende. À vos amours. »

Clark se pencha et ramassa une bouteille d'eau à droite de son bureau. Derrière lui, loin au-delà de la vitre immaculée, un hélicoptère rouge volait au-dessus du parc, d'ouest en est, dans le ciel dégagé du matin. Jende tourna de nouveau son regard vers Clark, l'observa tandis qu'il buvait quelques gorgées au goulot. Il aurait donné n'importe quoi pour une gorgée d'eau, afin d'effacer la sécheresse de sa gorge, mais n'osa guère modifier le cours de l'entretien en en réclamant. Non, il ne pouvait pas oser. Certainement pas maintenant. Sa gorge pouvait être aussi sèche que le point le plus sec du Kalahari, cela n'avait aucune importance au moment présent – il se débrouillait bien. Enfin, peut-être pas si bien. Mais pas mal non plus.

« D'accord, lâcha Clark en posant sa bouteille. Je

vais vous dire ce que j'attends d'un chauffeur. » Jende déglutit et opina. « J'attends de la fidélité. J'attends de la fiabilité. J'attends de la ponctualité et qu'il fasse ce que je lui demande sans poser de questions. Ça va pour vous ?

— Oui, monsieur, bien sûr, monsieur Edwards.

— Vous allez signer un accord de confidentialité disant que vous ne répéterez jamais un mot de ce que vous m'entendrez dire ou de ce que vous me verrez faire. Jamais. À personne. Absolument personne. Vous comprenez ?

— Je comprends très clairement, monsieur.

— Bien. Je vous traiterai bien, mais à vous de me montrer le premier que vous me traiterez bien aussi. Je vais devenir votre priorité numéro un. Lorsque je n'aurai pas besoin de vous, vous vous chargerez de ma famille. Je suis un homme occupé, alors ne vous attendez pas à ce que je sois derrière vous. N'oubliez pas que vous m'avez été chaudement recommandé.

— Je vous donne ma parole, monsieur. Je le promets. Parole d'honneur.

— Très bien, Jende », dit Clark. Il sourit, hocha la tête, puis répéta : « Très bien. »

Jende sortit son mouchoir de la poche de son pantalon et se tamponna le front. Il prit une grande respiration et attendit que Clark passe en revue son curriculum une dernière fois.

« Des questions ? demanda ce dernier en posant le curriculum sur une pile de papiers, sur la gauche de son bureau.

— Non, monsieur Edwards. Vous m'avez très bien dit ce que je dois savoir, monsieur.

— Parfait. J'ai encore un entretien à faire passer

19

demain. Je prendrai ma décision ensuite. Vous aurez la réponse demain dans la journée, sans doute. Ma secrétaire vous appellera.

— Merci vraiment beaucoup, monsieur. Vous êtes très bon. »

Clark se leva.

Jende se hâta de l'imiter. Il lissa sa cravate qui, au cours de l'entretien, s'était tordue comme un arbre frêle sous une grande tempête.

« Un conseil, ajouta Clark en regardant la cravate. Si vous comptez faire ce métier, procurez-vous un vrai costume. Noir, bleu ou gris. Et une vraie cravate.

— Ce ne sera pas un problème du tout, monsieur, répondit Jende. Je vais trouver un nouveau costume, monsieur. Je vais trouver. »

Il hocha la tête et sourit maladroitement, révélant ses dents mal alignées qu'il s'empressa de cacher en fermant la bouche. Clark, sans lui rendre son sourire, lui tendit une main que Jende enveloppa entre les siennes et serra avec le plus grand soin, la tête courbée. Merci infiniment d'avance, monsieur, avait-il envie de répéter. Je serai le meilleur chauffeur du monde si vous me donnez ce travail, faillit-il ajouter.

Mais il n'ajouta rien ; la détresse qu'il avait contenue pendant tout l'entretien sous une fine couche de dignité ne devait pas jaillir maintenant. Clark sourit et lui donna une tape sur le bras.

2

« Un an et demi aujourd'hui, dit Neni à Fatou tandis qu'elles se promenaient dans Chinatown à la recherche d'un faux sac Gucci ou Versace. Ça fait tout ce temps que je suis arrivée aux États-Unis.

— Un an et demi ? demanda Fatou en secouant la tête et en roulant des yeux. Tu comptes même les moitiés d'année ? Et tu le dis comme ça. » Elle éclata de rire. « Je te le dis, moi : quand tu seras en Amérique depuis *vingt-quatre ans*[1] et que tu seras toujours pauvre, tu ne vas plus compter. Tu ne vas plus rien dire. Non. Tu auras honte de le dire, crois-moi. »

Neni s'esclaffa puis ramassa un sac fourre-tout Gucci qui semblait clignoter tant il voulait passer pour un vrai.

« Tu as honte de dire aux gens que tu es ici depuis vingt-quatre ans ?

— Non, je n'ai pas honte. Pourquoi j'aurais honte ? Je dis juste aux gens que je suis arrivée, et voilà. Ils m'entendent parler et ils disent ah, elle ne sait

1. Les mots et expressions en italique suivis d'un astérisque sont en français dans le texte. (N.d.T.)

21

pas parler anglais, celle-là. Elle doit juste débarquer d'Afrique. »

Le marchand chinois accourut à leur rencontre.

« Le sac pour soixante dollars, lança-t-il à Neni.

— Eh quoi ? demanda Neni en grimaçant. Je vous donne vingt. »

L'homme secoua la tête. Neni et Fatou commencèrent à s'en aller.

« Quarante, quarante ! cria le marchand tandis qu'elles se frayaient un chemin à travers une horde de touristes. OK, d'accord pour trente », ajouta-t-il.

Elles revinrent sur leurs pas et prirent le sac pour vingt-cinq.

« Là, on dirait Angeli Joeli, dit Fatou à Neni en la regardant marcher, le sac pendu à son bras, ses mèches ondulées flottant dans son dos.

— Vraiment ? demanda Neni en secouant ses cheveux.

— Vraiment quoi ? Tu veux être comme Angeli Joeli, eh ? »

Neni rejeta la tête en arrière et se mit à rire.

Comme elle aimait New York ! Elle n'arrivait toujours pas à croire qu'elle était là. Qu'elle faisait son shopping, en quête d'un sac Gucci, qu'elle n'était plus une mère sans emploi, sans mari, enfermée dans la maison de son père à Limbé, de l'aube au crépuscule, de la saison sèche à la saison des pluies, à attendre que Jende vienne la délivrer.

Elle n'avait pas vu passer ces dix-huit mois, peut-être parce qu'elle se rappelait si bien le jour où elle et Liomi étaient arrivés à l'aéroport JFK. Elle revoyait encore Jende qui les attendait dans le hall à la sortie, avec sa cravate à clip bleue et sa chemise

22

rouge, un bouquet d'hortensias à la main. Elle revoyait leur étreinte, serrés l'un contre l'autre sans rien dire pendant presque une minute, les yeux fermés bien fort pour bannir à jamais la souffrance de ces deux dernières années, où Jende avait dû cumuler trois boulots afin de mettre de côté l'argent nécessaire pour leurs billets, son visa d'étudiante et celui de Liomi. Elle revoyait son fils se joindre à eux, enserrer leurs jambes avant que Jende ne s'écarte pour le soulever et le prendre dans ses bras. Elle revoyait leur appartement (que Jende venait de trouver, après deux ans passés dans le Bronx dans une chambre en sous-sol avec six Portoricains), rempli ce soir-là du rire de Jende écoutant les histoires du pays et des cris de Liomi qui se roulait par terre avec son père, sur le tapis. Elle revoyait le petit lit dans lequel ils avaient porté Liomi au milieu de la nuit, avant de s'étendre tous les deux, côte à côte, et de faire tout ce qu'ils s'étaient promis de se faire l'un à l'autre dans leurs e-mails, au téléphone et par SMS. Et elle se revoyait avec une grande clarté, après, allongée dans le lit aux côtés de Jende, écoutant les bruits de l'Amérique par la fenêtre, les voix étouffées et les rires des femmes et hommes afro-américains dans les rues de Harlem, se disant : Je suis en Amérique, vraiment, je suis en Amérique.

Jamais elle ne pourrait oublier ce jour.

Ni celui où, deux semaines après leur arrivée, ils s'étaient mariés à la mairie, avec Liomi en porteur d'alliances et Winston, le cousin de Jende, comme témoin. En ce jour de mai 2006, elle avait fini par devenir une femme respectable, une femme officiellement digne d'amour et de protection.

Limbé était devenue une ville lointaine, un endroit qu'elle avait de moins en moins aimé à mesure que passaient les jours où Jende n'était pas là. Sans lui pour aller se promener sur la plage, pour danser, pour prendre un verre dans un bar et savourer une Malta Guinness bien fraîche par un chaud dimanche après-midi, Limbé n'était plus sa ville natale bien-aimée, mais un coin désolé qu'elle avait hâte de quitter. Chaque fois qu'elle avait eu Jende au téléphone pendant qu'ils étaient séparés, c'était cela qu'elle lui avait rappelé – qu'elle ne cessait de rêver au jour où elle s'en irait de Limbé pour le retrouver en Amérique.

« Moi aussi, je rêve, *bébé**, lui disait-il toujours. Jour et nuit, je rêve de tout ça. »

Le jour où Liomi et elle avaient obtenu leurs visas, elle s'était couchée avec leurs passeports sous son oreiller. Le soir où ils avaient quitté le Cameroun, elle n'avait rien ressenti. Tandis que le bus que son père avait loué pour les emmener à l'aéroport – accompagnés par plus d'une vingtaine de personnes, membres de la famille et amis – démarrait devant leur maison pour entamer le trajet de deux heures jusqu'à l'aéroport international de Douala, elle avait souri et salué les voisins et les proches envieux restés sur la pelouse pour leur dire au revoir. Elle avait prié pour eux, pour que chacun de ceux qu'elle laisserait derrière elle connaisse le même bonheur qu'elle allait trouver là-bas.

Un an et demi après, New York était sa nouvelle maison, un endroit où coexistaient tous les plaisirs qu'elle désirait. Elle se réveillait chaque matin auprès de l'homme qu'elle aimait, tournait la tête, voyait leur enfant. Pour la première fois de sa vie, elle avait un travail, assistante dans une maison de santé privée, déniché par le biais d'une agence qui la payait en cash, puisqu'elle ne possédait pas de permis de travail. Elle était étudiante également, inscrite à la faculté pour la première fois depuis seize ans, étudiante en chimie au Borough of Manhattan Community College, et n'avait jamais à se préoccuper de ses frais de scolarité, sachant que Jende payait toujours sans rechigner les trois mille dollars par semestre demandés, contrairement à son père qui leur rappelait ses casse-tête financiers et que les francs CFA ne poussaient pas dans les manguiers chaque fois que l'un de ses huit enfants lui demandait de l'argent pour payer ses études ou un nouvel uniforme. Pour la première fois depuis bien trop longtemps, elle ne se levait pas le matin sans autre chose à faire que de ranger la maison, aller au marché, préparer à manger pour ses parents et frères et sœurs, s'occuper de Liomi, retrouver ses amies et les écouter déblatérer sur leur belle-maman, puis aller se coucher le soir sans avoir hâte du lendemain, puisque tous les jours se ressemblaient. Et pour la toute première fois de sa vie, elle caressait un rêve, en dehors de son mariage et de son rôle de mère : devenir pharmacienne, comme ces gens que tout le monde respectait à Limbé parce qu'ils vendaient bonheur et santé dans des tubes de pilules. Pour réaliser son rêve, elle devait être une bonne étudiante, et elle y parvenait – elle avait une moyenne de B+. Trois jours par semaine, elle allait à la faculté, et après les cours traversait les couloirs avec dans les bras ses gros manuels d'algèbre, de chimie, de biologie et de philosophie, rayonnante, car elle devenait une femme instruite.

Aussi souvent qu'elle le pouvait, elle allait également à la bibliothèque pour faire ses devoirs ou se rendait à la permanence des professeurs afin de recevoir des conseils sur la façon de décrocher de meilleures notes afin d'être ensuite acceptée dans une bonne école de pharmacie. Elle serait fière d'elle-même, Jende serait fier de sa femme et Liomi serait fier de sa mère. Elle avait attendu trop longtemps pour devenir quelqu'un et à présent, à trente-trois ans, elle avait finalement atteint, ou était tout près d'atteindre tout ce qu'elle avait toujours voulu dans la vie.

3

Il roulait sur White Plain Road quand l'appel arriva. Quatre minutes plus tard, il referma le clapet de son téléphone dans un éclat de rire. Riant de plus belle, il tapa sur son volant : fou de joie, ahuri, incrédule. Se serait-il trouvé à New Town, à Limbé, il aurait bondi hors de la voiture, pris le premier venu dans ses bras et crié devant tout le monde, *Bo*[1], tu ne vas jamais deviner ce qui vient de m'être dit. À New Town, il serait forcément tombé sur une connaissance avec qui partager la nouvelle ; pas comme ici, dans les rues du Bronx bordées de vieilles maisons en briques et de pelouses desséchées, où il ne pourrait jamais croiser le moindre ami à qui répéter ce que la secrétaire de M. Clark venait de lui annoncer. Il y avait bien un jeune Noir qui marchait avec des écouteurs sur les oreilles en bougeant la tête au rythme d'une bonne musique ; trois adolescentes asiatiques qui pouffaient, une main devant leur bouche, sans cartable sur le dos ; une femme pressée qui poussait un gros bébé dans son landau à parasol rose. Il y avait un Africain aussi,

---

1. *Bo* : mon ami. *(N.d.T.)*

mais vu sa peau noire, son visage anguleux et son *grand boubou**, cet Africain-là était très certainement un Sénégalais ou un Burkinabé, un francophone en tout cas. Jende ne pouvait pas lui tomber dans les bras sous prétexte qu'ils étaient tous les deux africains. Il voulait partager ça avec une personne qui connaissait son nom et son histoire.

« Oh, *Papa God*, Jends ! s'exclama Neni quand il l'appela pour lui annoncer la nouvelle. Je n'y crois pas ! C'est vrai ? »

Le sourire aux lèvres, il secoua la tête. Sa question n'appelait aucune réponse, Neni était simplement heureuse, aussi heureuse que lui. D'après les bruits qui lui parvenaient, il devina qu'elle dansait, sautait, gambadait dans tout l'appartement comme un enfant aux mains pleines de bonbons.

« Est-ce qu'elle t'a dit combien tu seras payé ?

— Trente-cinq mille.

— *Mamami*, eh ! *Papa God*, oh ! Je danse en ce moment, Jends ! Je fais ma gymnastique, là ! »

Neni aurait aimé rester au téléphone pour se réjouir de la nouvelle avec lui pendant au moins dix minutes encore, mais elle devait partir pour son cours de chimie organique. Il continua de sourire après qu'elle eut raccroché, amusé par sa joie, plus puissante encore que les chutes Victoria.

Il appela alors son cousin Winston.

« Félicitations, gars, lui dit Winston. Que le miracle dure toujours.

— Je te le dis, moi, répondit Jende.

— Hé quoi, c'est le petit villageois de Limbé qui va conduire le directeur de Wall Street, hein ! Dans une grosse Lexus au lieu de cette Hyundai *chakara* ? »

Jende eut un rire.

« Je ne sais pas comment te remercier, lui dit-il. Je n'arrive même pas à réaliser que... »

La voix du passager retentit sur la banquette arrière.

« Ne quitte pas, Bo », dit-il à Winston.

Il se retourna et s'aperçut que la femme à l'arrière était au téléphone, elle aussi. Elle parlait une langue que Jende n'avait jamais entendue. Lui-même s'exprimait en pidgin anglais, ponctué de mots français et bakweris. Il leur était impossible de se comprendre – la tour de Babel ou presque, dans un taxi new-yorkais.

« Tu leur as raconté quoi sur moi, là ? poursuivit-il. Le directeur a dit que j'avais été chaudement recommandé.

— Rien, répondit Winston. J'ai raconté à Frank que tu conduisais de temps en temps une belle voiture, et que tu avais déjà été le chauffeur d'une famille du New Jersey.

— Quoi ?

— Je mens, je meurs, fit Winston avec un rire moqueur. Tu crois que c'est en restant assis sur une chaise à dire toute la vérité à un Blanc qu'un homme noir va bosser, ici ? Ne me fais pas rire, ma parole. Si je ne te l'ai pas dit avant, c'est parce que je ne voulais pas t'inquiéter.

— Bo, tu es sérieux ? Je n'avais rien mis de tout ça dans mon curriculum ! Pourquoi le...

— Ah, toi et ton âme sensible. Ce monsieur, c'est un monsieur très occupé. Je savais bien qu'il n'allait pas te poser dix mille questions, là. Frank, c'est son meilleur ami. Quoi ? Tu n'es pas content que je lui aie dit ça ?

— Content ? cria presque Jende dans son téléphone en rejetant la tête en arrière. Je veux sauter de cette voiture sur-le-champ et te baiser les pieds !

— Non, ça va, répondit Winston. Je fais déjà passer des entretiens à des *ngahs* pour ça.

— Eh, ma parole ! s'esclaffa Jende. Mais je ne suis pas jaloux, sinon Neni me tuerait. »

Winston rit tellement fort qu'il s'étrangla.

« Bo, celle d'hier soir ! Laisse-moi te raconter…

— Mais cette histoire de vérification des antécédents, alors ? le coupa Jende. Qu'est-ce qu'on va faire pour ça ? La secrétaire m'a dit que je devais lui donner des trucs, là, des rév… révé… révérences ?

— Ne t'inquiète pas. Nous allons remplir les papiers ensemble la prochaine fois que je viendrai. Je connais les gens qu'il faut pour les références.

— Oh, Bo, je te revaudrai ça… Je ne sais même pas quoi faire pour te remercier.

— Eh, arrête juste de me faire de la lèche, le rabroua Winston. Tu es mon frère. Si je ne fais pas ça pour toi, alors pour qui je le ferais ? Va dire à Neni de préparer sa bonne soupe au piment, avec les pattes de bœuf et les gésiers, là. C'est tout. Je viendrai dîner demain.

— Tu n'as même pas besoin de demander, répondit Jende en souriant. La soupe t'attendra demain, avec du vin de palme glacé et du soja bien frais. »

Winston le félicita une dernière fois, puis dit qu'il devait à présent retourner à ses dossiers. Jende continua à rouler dans le Bronx. Les passagers montaient, descendaient ; l'autoradio était réglé sur Lite FM ; Jende ne cessait de sourire. Puis son téléphone sonna.

C'était un SMS de Neni. « Si tu obtiens tes papiers maintenant, avait-elle écrit, tout sera bon ! »

Ah, c'est bien vrai, pensa-t-il. D'abord, du travail. Puis des papiers. Le paradis, eh ?

Il soupira.

Trois ans : trois ans qu'il se battait pour obtenir des papiers en Amérique. Il n'était arrivé que depuis quatre semaines quand Winston l'avait emmené voir un avocat en droit de l'Immigration – ils devaient trouver un moyen de le faire rester après que son visa de touriste aurait expiré. Tel avait été leur plan depuis le départ, même si Jende avait raconté tout autre chose devant l'employé de l'ambassade des États-Unis, à Yaoundé, lorsqu'il avait déposé sa demande de visa.

« Combien de temps resterez-vous à New York ? lui avait-on demandé.

— Seulement trois mois, monsieur. Seulement trois mois, et je jure que je vais revenir. »

Et il avait avancé des preuves pour montrer sa bonne foi : une lettre de son supérieur le décrivant comme un employé zélé, si amoureux de son travail que jamais il ne le laisserait tomber pour aller vagabonder en Amérique ; le certificat de naissance de son fils pour prouver que rester là-bas reviendrait à l'abandonner ; son droit de propriété sur une parcelle de terrain que son père lui avait donnée, afin de montrer qu'il comptait bien revenir pour y faire bâtir quelque chose ; une autre lettre du service d'urbanisme de la mairie, obtenue en payant un lointain oncle qui travaillait là-bas, déclarant que Jende avait déposé un dossier de permis de construire pour une maison ; et une dernière d'un ami qui avait fait le serment que Jende ne resterait pas aux États-Unis, car tous deux comptaient ouvrir un débit de boissons lorsqu'il reviendrait.

L'employé de l'ambassade avait été convaincu.

Le lendemain, Jende était sorti du bureau des affaires consulaires avec son visa. Oui, il partait pour l'Amérique. Lui, Jende Dikaki Jonga, fils d'Ikola Jonga, petit-fils de Dikaki Manyaka ma Jonga, partait pour l'Amérique ! Tout frétillant, il parcourut les rues poussiéreuses de Yaoundé le poing levé, un si grand sourire aux lèvres qu'une femme, une Ewondo avec un panier de plantains sur la tête, s'arrêta tout net pour le regarder passer. *Quel est son problème* ?* l'entendit-il dire à la personne qui l'accompagnait. Il éclata de rire. Un problème ? Il n'avait aucun problème. Il partait dans un mois ! Et certainement pas pour revenir trois mois plus tard. Qui donc voyageait jusqu'aux États-Unis pour retourner au Cameroun et à un avenir bouché trois petits mois plus tard ? Pas les hommes jeunes comme lui, pas les gens qui, dans leur propre pays, n'avaient devant eux que pauvreté et désespoir. Non, les gens comme lui n'allaient pas aux États-Unis pour un séjour provisoire. Ils y allaient pour s'installer, pour y rester jusqu'à ce qu'ils puissent rentrer chez eux en conquérants – détenteurs d'une *green card* ou d'un passeport américain, les poches remplies de dollars et de photos de leur vie heureuse. Voilà qui expliquait pourquoi, le jour où il avait embarqué sur le vol Air France Douala-Newark avec correspondance à Paris, Jende était persuadé qu'il ne reverrait pas le Cameroun avant d'avoir gagné sa part du lait, du miel et de la liberté dont regorgeait cette Terre promise que l'on appelait Amérique.

« Le mieux pour avoir des *papiers** et rester, c'est

l'asile. Ça, ou épouser une vieille Blanche édentée du Mississippi. »

C'est ce que Winston avait dit à Jende qui, tout juste remis du décalage horaire, venait de passer une demi-journée à arpenter Times Square, émerveillé.

« Que Dieu nous préserve des malheurs, lui avait répondu Jende. Je préférerais avaler une bouteille de kérosène et mourir sur-le-champ. »

L'asile était donc la seule solution, avait-il conclu. Winston l'approuvait. Cela pouvait prendre des années, avait-il ajouté, mais ça en valait la peine.

Winston embaucha un avocat pour lui, un Nigérian du quartier de Flatbush, à Brooklyn, prénommé Boubacar, aussi petit qu'habile en paroles. D'après ce qu'avait entendu Winston, Boubacar n'était pas seulement un éminent avocat qui défendait des centaines de clients africains à travers tout le pays, mais aussi un grand inventeur d'histoires permettant d'obtenir l'asile.

« Vous croyez qu'ils font comment, tous, pour décrocher l'asile ? avait-il demandé aux deux cousins lors d'une consultation gratuite. Vous pensez vraiment qu'ils ont tous quelque chose à fuir dans leur pays ? Ha ! Laissez-moi vous dire : pas plus tard que le mois dernier, l'asile, je l'ai obtenu à la fille d'un Premier ministre d'Afrique de l'Est.

— Vraiment ? demanda Winston.

— Vraiment, ça oui, renchérit Boubacar. Pourquoi tu demandes ?

— Je suis étonné, c'est tout. Le Premier ministre de quel pays ?

— Je préfère le garder pour moi, d'accord ? Ce n'est pas ça qui compte, non. Ce qui compte, c'est que je vous parle de la fille d'un Premier ministre, eh ? Qui a trois domestiques pour lui essuyer les fesses et trois autres pour lui curer le nez. Et la voilà qui vient me voir en me disant qu'elle craint pour sa vie et qu'elle ne peut pas rentrer dans son pays ! Il faut bien faire ce qu'il faut pour devenir américain, *abi* ? »

Jende acquiesça.

Winston haussa les épaules ; Boubacar lui avait été recommandé par un ami d'Atlanta qui lui en avait dit le plus grand bien. À l'en croire, l'ami en question ne devait qu'à Boubacar d'être resté sur le sol américain, d'avoir obtenu sa *green card* et de n'être plus qu'à deux ans de l'admissibilité à la citoyenneté. Néanmoins, vu la moue dubitative de Winston, Jende comprenait bien que son cousin avait du mal à croire que cet homme minuscule, dont les narines perpétuellement dilatées révélaient des poils excessivement longs, puisse se targuer d'être expert en quoi que ce soit – et certainement pas en droit d'asile, domaine particulièrement complexe du droit de l'immigration. D'après le diplôme accroché au mur, Boubacar avait fréquenté une faculté de droit dans le Nebraska, mais pour Winston son attitude laissait plutôt penser qu'il avait tout appris sur Internet, où nombre d'aspirants à la nationalité américaine cherchaient sur des forums un moyen de déjouer le système de l'Immigration.

« Mon frère, dit Boubacar en s'adressant à Jende, derrière son bureau vide installé dans une pièce étonnamment propre et ordonnée. Pour commencer, pourquoi ne pas me dire ton histoire, pour que j'estime ce que je peux faire pour toi ? »

Alors, Jende se redressa sur sa chaise et, les mains croisées sur ses genoux, il commença à raconter. Il parla de son père, le fermier, de sa mère, la marchande et éleveuse de porcs, de ses quatre frères et de leur maison de trois pièces au sol en terre battue dans leur district de New Town, à Limbé. Il parla de l'école qu'il avait fréquentée, la CBC Main School, puis de ses études à la National Comprehensive Secondary School, interrompues lorsque Neni s'était retrouvée enceinte.

« Eh ? Tu engrosses la fille et tu quittes les bancs de l'école pour ça ? demanda Boubacar en griffonnant quelque chose.

— Oui, répondit Jende. Son père m'a mis en prison pour ça.

— Boum ! Et voilà ! s'exclama Boubacar en levant la tête de son calepin, les yeux brillants.

— Voilà quoi ? demanda Winston.

— L'asile ! L'histoire que nous allons raconter à l'Immigration. »

Winston et Jende se regardèrent. Jende pensait que Boubacar devait savoir de quoi il parlait ; Winston semblait penser tout le contraire.

« Qu'est-ce que tu racontes ? Jende, il est allé en prison en 1990, il y a quatorze ans. Et toi, tu veux faire croire au juge que mon cousin craint d'être persécuté au Cameroun parce qu'il a engrossé la fille et qu'il est allé en prison il y a des années ? Je vais te dire : dans notre pays, et peut-être aussi dans le tien, un père a le droit de faire arrêter un homme lorsqu'il complique l'avenir de sa fille. »

Boubacar regarda Winston avec mépris, la bouche tournée vers le bas.

« Monsieur Winston, dit-il après une longue pause,

durant laquelle il griffonna encore quelque chose avant de reposer ostensiblement son stylo.

— Oui ?

— Nous sommes tous les deux avocats. Toi, tu connais Wall Street, n'est-ce pas ? »

Winston ne répondit pas.

« Laisse-moi te garantir quelque chose, mon ami, poursuivit-il. Va devant un juge et essaie de défendre ton cousin : tu n'auras même pas idée de ce qu'il faut dire. Alors je te conseille de me laisser faire mon travail. Si un jour j'ai besoin qu'un avocat m'aide à dissimuler des revenus au gouvernement, je te laisserai faire le tien.

— Mon travail n'est pas d'aider les gens à dissimuler leurs revenus, se défendit Winston sans élever la voix, même si Jende savait très bien, à voir le regard fixe de son cousin braqué sur Boubacar, que l'envie lui démangeait de lui casser toutes les dents.

— Non, eh ? répondit l'avocat, sarcastique. Vous faites quoi alors, vous autres, à Wall Street ? »

Winston eut un rire de mépris. Jende se garda de dire quoi que ce soit, mais il était aussi remonté que son cousin.

Boubacar tenta de calmer le jeu, sans doute conscient d'être allé trop loin.

« Mes frères, inutile de vous fâcher, dit-il avant de poursuivre en pidgin. *Now no be time for vex. We get work for do, abi ? Now na time for go before. No be so ?*

— *Na so*, répondit Winston. Tenons-nous-en à notre affaire. »

Jende soupira et attendit que la discussion reprenne.

« Mais sache quand même, ajouta Winston, que

dans mon métier d'avocat d'affaires, il n'est jamais question de mensonge ou de manipulation.

— Bien sûr, dit Boubacar. Je suis désolé, mon frère. J'ai dû confondre avec une autre branche du métier. »

Et les deux hommes de rire en chœur.

« Qu'est-il arrivé à la jeune femme que tu as engrossée ? demanda alors Boubacar en se tournant vers Jende.

— Elle est retournée à Limbé.

— Et l'enfant que tu lui as fait ?

— Il est mort.

— Je suis désolé, oh, mon frère. Vraiment désolé. »

Jende détourna le regard. Il n'avait pas besoin de la compassion d'autrui. Et encore moins de condoléances quatorze ans après.

« Tu es allé en prison avant ou après sa mort ?

— Avant sa naissance, quand les parents de ma belle ont découvert qu'elle était enceinte à cause de moi.

— C'est toujours comme ça, intervint Winston. Les parents appellent la police, le petit ami se fait arrêter. »

Boubacar acquiesça, soulignant deux fois un mot sur son calepin.

« Je suis resté quatre mois en prison. Je suis sorti, ma fille avait un mois. Trois mois plus tard, elle est morte de la fièvre jaune.

— Désolé, oh, mon frère, répéta Boubacar. Désolé, vraiment. »

Jende prit une gorgée de son verre d'eau posé sur la table avant de s'éclaircir la voix.

« Mais j'ai un autre enfant au Cameroun, dit-il. J'ai un fils de trois ans.

— De la même femme qui t'a donné une fille ? demanda Boubacar.

— Oui, répondit Jende. Elle est la mère de mon fils. Elle est toujours ma belle. Elle serait ma femme et nous vivrions en famille avec notre fils au jour d'aujourd'hui si seulement son père me laissait l'épouser.

— Et quelle raison a-t-il de ne pas approuver cette union ?

— Il dit qu'il doit y réfléchir, mais je sais qu'il refuse parce que je suis un homme pauvre.

— Une histoire de classe, fit remarquer Winston. Jende vient d'une famille pauvre. Et la famille de cette jeune dame est un peu plus fortunée.

— Ou peut-être que le père de la jeune dame n'a jamais accepté ce qui est arrivé à sa fille ? avança Boubacar. Je veux dire qu'en tant que père, si tu vois ta jeune fille se faire engrosser, abandonner l'école, puis perdre l'enfant... C'est très dur, *abi* ? À sa place, je n'aurais pas apprécié la personne qui a fait ça à ma fille, qu'il vienne d'une famille riche ou pauvre. »

Les deux cousins restèrent muets.

« Peu importe, poursuivit Boubacar. Le principal pour décrocher l'asile, c'est l'histoire que nous allons raconter. Nous allons plaider la persécution motivée par l'appartenance à un groupe social particulier. Nous allons dire que tu as peur de retourner dans ton pays, car tu crains de te faire tuer par les parents de ta belle qui refusent votre union.

— C'est le genre d'histoires qu'on entend sur l'Inde, ça, remarqua Winston. Qui ferait ça au Cameroun ?

— Tu insinues que l'Inde vaut moins bien que le Cameroun ? répliqua Boubacar.

— Je dis simplement : le Cameroun, ce n'est pas l'Inde.

— Ça, tu me laisses en juger, mon frère. »

Winston soupira.

« Quand pourrons-nous envoyer le dossier ? demanda Jende.

— Il faut d'abord m'apporter toutes les preuves.

— Des preuves ? Quoi comme preuves ?

— Comment ça, quoi ? Ton casier judiciaire. Les certificats de naissance de tes enfants. Les deux. Le certificat de décès du bébé. Des lettres. Beaucoup de lettres de gens qui diront qu'ils ont entendu cet homme proférer des menaces de mort à ton égard. Des gens qui auront entendu ses frères, ses cousins et n'importe qui d'autre dans la famille dire qu'ils veulent te détruire. Et des photos, aussi. Tout ce qui vous concerne, de près ou de loin, cette fille-là, son père et toi. Tu pourras m'apporter ça ?

— Je vais essayer, répondit Jende, hésitant. Mais si je n'arrive pas à réunir suffisamment de preuves ? »

Boubacar le regarda d'un air légèrement amusé et secoua la tête.

« Ah, mon frère, dit-il en posant son stylo avant de se pencher vers lui. Il faut que je te fasse un dessin ou quoi ? Sers-toi de ta tête, et ramène-moi quelque chose que je puisse montrer à ces gens. Eh ? C'est comme quand Jerry Maguire dit : "Montre-moi l'argent." Ces gens du service de l'immigration, ils vont me dire : "Montre-moi des preuves." Alors montre-moi des preuves ! Tu m'entends ? »

Boubacar rit de sa propre blague. Winston leva les yeux au ciel. Jende n'eut aucune réaction ; il n'avait jamais entendu parler de ce Jerry Maguire.

« Il faut leur montrer le plus de choses possible pour les convaincre, tu comprends ? Il faut produire le plus de preuves possible.

— Nous allons le faire », répondit Winston.

Sur quoi Jende acquiesça, même s'il savait que les lettres que demandait Boubacar seraient difficiles à obtenir. Le père de Neni ne l'appréciait guère – ça, Jende le savait depuis des années –, mais de là à menacer de le tuer... Personne à Limbé ne pourrait témoigner d'une telle chose. Pourtant, l'asile constituait le meilleur moyen de rester. Il allait devoir s'attaquer au problème. En discuter avec Winston, voir ce qui pouvait être fait ; Winston saurait comment s'y prendre.

« Tu es sûr que ça va marcher ? demanda Winston.

— Je vais monter un bon dossier, répondit Boubacar. Ses papiers, ton cousin les aura, *Inch'Allah.* »

4

Elle ne pouvait pas aller au lit avant son retour
– elle devait tout entendre, tout de son premier jour.
Lorsqu'elle l'avait appelé sur le coup de midi pour
prendre de ses nouvelles, Jende lui avait rapidement
répondu que tout se passait bien, il ne pouvait pas
parler, mais tout allait bien. Alors elle n'avait pas eu
d'autre choix que d'attendre ; il était presque minuit
quand elle l'entendit rentrer, essoufflé d'avoir grimpé
les cinq étages qui menaient à leur appartement.

« Alors ? demanda-t-elle en souriant de toutes ses
dents tandis qu'il s'asseyait sur leur vieux canapé.

— Je ne me plains pas, répondit-il en souriant à
son tour. Ça s'est bien passé. »

Elle se rendit dans la cuisine pour lui servir un verre
d'eau glacée, l'aida à ôter sa veste et, après l'avoir
laissé se remettre quelques minutes sur le canapé, la
tête rejetée en arrière, elle lui apporta son dîner, tirant
une chaise afin qu'il s'installe confortablement à la
table du coin repas.

Puis elle commença à lui poser des questions.
Que faisait-il exactement pour cette famille ? Où les
conduisait-il ? L'appartement des Edwards, à quoi

ressemblait-il ? Mme Edwards était-elle une gentille femme ? Leur fils était-il bien élevé ? Allait-il devoir travailler aussi tard tous les jours ?

Jende avait beau être fatigué, elle persista, lançant sur lui ses questions comme on lance des confettis sur un guerrier victorieux ; avide de savoir comment vivaient les gens riches. Comment ils se comportaient. Ce qu'ils disaient. S'ils ont les moyens d'embaucher quelqu'un qui les emmène partout, ils doivent avoir une vie de rêve, eh ?

« Allez, dit-elle. Raconte-moi. »

Alors il raconta, Jende raconta tout ce qu'il put entre deux bouchées.

« Ils ont un bel et grand appartement, dit-il, dix mille fois plus beau que notre deux-pièces tout sombre. »

Un appartement avec un salon donnant sur toute la ville – sa bouche s'était ouverte toute grande lorsqu'il l'avait vu.

« *Chai !* s'exclama-t-elle. Qu'est-ce que ça doit être de vivre là-dedans ! Moi, je sauterais en l'air pour toucher le ciel tous les jours. »

C'était un endroit qui ressemblait aux appartements des gens riches à la télévision, poursuivit-il. Tout était blanc ou argenté, très propre, très rutilant. Il n'avait attendu que quelques minutes là-bas, le temps que Mighty se prépare, après un premier aller-retour pour déposer M. Edwards à son bureau. Mme Edwards lui avait demandé de monter à l'étage, car Mighty, qui avait neuf ans, voulait être officiellement présenté au chauffeur avant d'être emmené à l'école.

« Un très gentil garçon, et bien élevé aussi, ce Mighty, dit-il.

« — Ça fait plaisir, répondit-elle. Un enfant riche si bien élevé. »

Elle avait envie de lui demander si Mighty était aussi bien élevé que leur Liomi, mais se ravisa ; mieux valait suivre le conseil que sa mère lui avait donné des années plus tôt : toujours s'abstenir de comparer son enfant à celui d'une autre femme.

« Ils n'ont pas d'autres enfants ? » demanda-t-elle à la place.

Il hocha la tête.

« Mighty m'a dit qu'il avait un grand frère. Il vit au nord de Central Park, dans un autre appartement qui appartient à la famille, et il fait des études à l'université Columbia. La faculté de droit.

— Tu vas devoir le déposer, lui aussi ?

— Peut-être, je ne sais pas. Ça ne me dérangerait pas. Mais vu la manière dont Mighty parlait, j'ai l'impression que le frère ne vient pas souvent leur rendre visite, et que Mme Edwards est triste à cause de ça. Je ne lui ai pas posé de questions. »

Elle lui remplit son verre d'eau à moitié vide et le laissa manger quelques minutes avant de reprendre son interrogatoire.

« Et Mme Edwards, elle ressemble à quoi ?

— Belle, répondit-il. Exactement l'idée qu'on se fait de l'épouse d'un homme riche. Winston dit qu'elle est une spécialiste de la nourriture…

— Une spécialiste de la nourriture ?

— Les docteurs qui apprennent aux autres à manger… pour qu'ils soient comme ci et pas comme ça. » Il attrapa sur la table une canette de Mountain Dew, l'ouvrit et but une longue gorgée. « Les gens ici, ils ont toujours peur de ce qu'ils mangent. Ils

43

paient cher pour que d'autres leur disent : Mangez ci, ne mangez pas ça. Si tu ne sais même pas quoi manger, comment veux-tu être capable de savoir quoi que ce soit ?

— Elle doit être mince et vraiment belle, alors. »

Jende hocha la tête distraitement, le front en nage à cause du piment qu'elle avait ajouté dans son poulet-tomate. Ignorant la sueur, il attrapa un pilon et, avec ses dents de devant, arracha la viande sur l'os avant d'en aspirer la moelle.

« Mais physiquement, elle est comment ? insista-t-elle. Ah, *bébé**, des détails, des détails ! »

Jende soupira, dit qu'il ne se souvenait pas de son physique avec précision. La seule chose dont il se souvenait, cependant, était que lorsqu'il l'avait vue pour la première fois, il avait tout de suite pensé qu'elle ressemblait à la femme d'*American Beauty* – un film que tous deux adoraient et regardaient chaque fois qu'ils voulaient se remémorer que la vie dans les grandes banlieues américaines pouvait être très curieuse, et qu'il valait sans doute mieux résider dans des grandes villes comme New York City.

« C'était quoi déjà, le nom de l'actrice ? demanda-t-il la bouche pleine, de la sauce tomate plein les doigts. Tu sais toujours ce genre de trucs, toi.

— Annette Bening ?

— Oui, oui. C'est à elle qu'elle ressemble.

— Avec les mêmes yeux, et tout ? Elle est sûrement belle, eh ? »

Mais il répondit qu'il ne se souvenait pas si Cindy Edwards avait les mêmes yeux qu'Annette Bening.

« De toute façon, on ne peut même plus savoir comment sont les yeux des gens, remarqua-t-elle. Il y

44

en a qui portent des lentilles de couleur ; ils peuvent changer d'yeux chaque fois qu'ils en ont envie. Une femme comme Mme Edwards, elle a dû naître dans une famille riche et commencer à porter ces lentilles quand elle était enfant.

— Je n'en sais rien…

— Père riche, mère riche, mari riche. Je parie qu'elle n'a jamais eu à se soucier de l'argent. »

En se léchant les lèvres, il ramassa dans son assiette un morceau de banane plantain, qu'il coupa avec les doigts avant d'en plonger la moitié dans la sauce et de l'enfourner.

Elle le regarda, amusée par la vitesse avec laquelle il dévorait son plat.

« Et ensuite, il s'est passé quoi une fois que tu as déposé Mighty à l'école ? » demanda-t-elle.

Il était retourné à la maison pour aller chercher Mme Edwards, dit-il, l'avait emmenée à son cabinet, puis à un rendez-vous à Battery Park City, puis à un autre à SoHo, avant de la raccompagner chez elle et d'emmener Mighty et sa baby-sitter dans l'Upper West Side, où il prenait ses cours de piano. Ensuite, il était allé chercher M. Edwards à son bureau et l'avait conduit jusqu'à un restaurant chic de Long Island. Ils étaient rentrés à Manhattan vers 22 heures. Il était allé refaire le plein, avait garé la voiture au parking, puis avait pris le bus qui parcourait la ville d'est en ouest. Restait alors à prendre la ligne 3, et il était arrivé chez lui.

« *Weh !* s'exclama-t-elle. Ça bosse bien pour une seule personne en une seule journée ! »

Bosser, ça oui, lui dit-il. Mais vu ce qu'il était payé, fallait-il s'attendre à autre chose ? Elle ne devait pas oublier, lui fit-il remarquer, que deux semaines plus tôt encore il ne gagnait pas la moitié de ce que le payait M. Edwards, à conduire un taxi noir douze heures par jour.

« On ne peut que remercier le Seigneur », dit-elle. Il prit une gorgée d'eau. « J'ai calculé : tes trente-cinq mille dollars par an, plus mes dix mille, poursuivit-elle en remplissant à nouveau son verre. En enlevant tes impôts, mes frais de scolarité, l'argent à envoyer au pays et tout le reste, on peut quand même mettre de côté trois ou quatre cents dollars par mois.

— Quatre cents dollars par mois ! »

Neni acquiesça en souriant, stupéfaite elle aussi de voir comme tout pouvait changer en si peu de temps.

« Si on économise comme ça, *bébé**, si on s'oblige, on pourra mettre cinq mille dollars de côté par an. Dix ans, et on aura de quoi payer l'apport pour un trois-pièces à Mount Vernon ou à Yonkers. » Elle rapprocha son visage du sien. « Ou même à New Rochelle. »

Il secoua la tête.

« Le loyer va forcément augmenter, répondit-il. Tu crois vraiment que le gouvernement ne va pas finir par s'apercevoir que M. Charles a droit à un logement social alors qu'il roule en grosse voiture ? Quand ils vont comprendre la combine, ils nous mettront dehors...

— Et ?

— Et ? Ce jour-là, nous devrons payer bien plus que cinq cents dollars par mois de loyer. Même Harlem sera trop cher pour nous. »

Elle haussa les épaules : il n'y avait que lui pour ne voir que le mauvais côté des choses.

« Ce jour-là, ce n'est pas aujourd'hui, protesta-t-elle. Le temps qu'ils comprennent, nous aurons déjà mis l'argent de côté. Et je serai devenue pharmacienne. » Elle sourit et ses yeux se plissèrent comme si elle rêvait de ce jour. « Nous aurons un appartement à nous, avec deux chambres. Et tu gagneras encore plus en faisant le chauffeur. Moi, j'aurai un bon salaire de pharmacienne. Nous n'aurons plus besoin de vivre dans ce trou plein de cafards. »

Il la regarda et lui rendit son sourire, et elle comprit qu'il croyait, lui aussi, qu'un jour elle deviendrait pharmacienne. Peut-être dans sept ans, peut-être dans dix, mais un jour, c'était sûr.

Elle le regarda terminer son repas, attraper le dernier morceau de plantain dans son assiette, s'en servir pour récupérer le reste de sauce tomate et l'enfourner, avec le dernier morceau de poulet, dans sa bouche. Amoureusement, elle l'observa et rit en l'entendant finir sa canette de Mountain Dew avec un rot.

« Une vraie bonbonne », dit-elle en lui tapant gentiment sur le ventre.

Jende se mit à rire, lui aussi, faiblement. Même s'il était épuisé, elle voyait combien il était content. Rien ne pouvait faire plus plaisir à Jende qu'un succulent repas après une longue journée de travail. Et rien ne pouvait faire plus plaisir à Neni que de faire plaisir à son homme.

Après une longue pause durant laquelle il resta avachi sur sa chaise, le regard fixé sur le mur avec un vague sourire aux lèvres, il se rinça les doigts dans le bol prévu à cet effet, puis se leva.

« Tu as mis Liomi dans notre lit ou dans son lit ? chuchota-t-il depuis le couloir.

— Son lit », répondit-elle en souriant, car elle savait qu'il serait content d'être seul avec elle au lit pour fêter ça.

Elle débarrassa son couvert et déposa le tout dans l'évier. *E weni Lowa la manyaka*, chantonna-t-elle tout bas. *E weni Lowa la manyaka, Lowa la nginya, Na weta miseli, E weni Lowa la manyaka.*

Ces derniers temps, elle chantait plus qu'elle n'avait chanté de toute sa vie. Elle chantait lorsqu'elle repassait les chemises de Jende et lorsqu'elle rentrait chez elle après avoir accompagné Liomi à l'école. Elle chantait lorsqu'elle se maquillait avant de se rendre avec Jende et Liomi à des fêtes africaines : un baptême à Brooklyn ; un mariage traditionnel dans le Bronx ; une cérémonie des morts à Yonkers, donnée en l'honneur d'un homme ou d'une femme décédés en Afrique et que personne ou presque parmi les invités ne connaissait ; une fête pour telle ou telle raison, à laquelle un camarade de la faculté ou un collègue de travail l'avait invitée, qui connaissait l'organisateur et lui avait assuré qu'elle pouvait venir sans problème puisque les Africains se moquaient de la bienséance des Blancs qui voulait qu'on ne puisse se rendre à une fête que sur invitation. Elle chantait en allant prendre le métro et chantait même chez Pathmark, sans se soucier du regard des gens qui ne comprenaient pas quelle raison pouvait avoir cette femme d'être aussi heureuse dans un supermarché. *God na helele, God na waya oh, God ne helele, God na waya oh, nobody dey like am oh, nobody dey like am oh, ewoo nwanem, God na helele.*

La vaisselle terminée, elle ramassa la veste de Jende, une veste de costume noire toute neuve qu'elle lui avait achetée chez T. J. Maxx pour cent vingt-cinq dollars, soit un tiers de leurs économies. Elle la nettoya avec une brosse spéciale, l'aspergea de parfum et l'étendit sur le sofa pour le lendemain. Elle regarda la veste et sourit, heureuse de la lui avoir achetée. Elle voulait au départ en acheter une moins chère au magasin discount de la 125e Rue, mais Fatou l'en avait dissuadée. « Pourquoi tu vas acheter *cheap* alors qu'il travaille pour le chef ? lui avait-elle demandé. Il faut acheter dans un bon magasin, comme T. J. Maxx ! Achète-lui un bon costume à porter pour la belle voiture d'un homme riche. Et un jour, là, quand il sera devenu lui-même un homme riche, tu achèteras dans des boutiques plus belles encore. Tu achèteras ses habits et tu achèteras tes habits dans de belles, belles boutiques. De belles boutiques pour Blancs, comme Target. »

5

Cindy Edwards avait toujours été cordiale avec lui (elle répondait promptement à ses politesses chaque fois qu'il lui tenait la portière ; demandait, quoique avec indifférence, comment se passait sa journée ; lui disait « s'il vous plaît » et « merci » dès que les circonstances s'y prêtaient). Pourtant, chaque fois qu'elle se trouvait dans la voiture, le stress l'envahissait. Respirait-il trop fort ? Conduisait-il trop vite ou trop lentement ? Avait-il suffisamment bien aspiré la banquette arrière, pour qu'aucun grain de poussière ne salisse son tailleur ? Il avait beau savoir que seule une femme maniaque et dotée de la sensibilité d'un chien de garde surentraîné aurait été capable de remarquer ces infimes erreurs, il n'en refusait pas moins de se détendre – il était encore nouveau et devait donc se montrer irréprochable. Heureusement pour lui, elle téléphonait sur son portable la plupart du temps, comme ce mardi, deux semaines après ses débuts. Cet après-midi-là, à peine remontée dans la voiture à la sortie d'un restaurant, dans le quartier de Union Square, elle s'était mise à téléphoner.

« Vince ne viendra pas à Aspen », avait-elle

annoncé d'une voix triste, presque choquée, comme si elle lisait tout haut le gros titre annonçant une étrange tragédie dans le journal.

Deux heures plus tôt, une tout autre Cindy était descendue de la voiture, une Cindy plus heureuse, qui s'apprêtait à retrouver, Jende en était sûr, son fils Vince au restaurant – la copie conforme de son père, avec son mètre quatre-vingts, sa silhouette élancée et ses cheveux ondulés. Cindy était quasiment sortie de la voiture en courant pour le rejoindre, le prendre dans ses bras, lui caresser les joues et lui donner trois baisers. On aurait dit qu'elle ne l'avait pas vu depuis des mois, ce qui, à en croire Mighty, était tout à fait possible. Pendant plusieurs minutes, ils étaient restés tous les deux sur le trottoir à bavarder. Vince se triturait les mains, les fourrait dans les poches de son sweat-shirt à capuche Columbia et les en ressortait ; Cindy parlait en se tournant vers le parc de Union Square, souriante, comme pour se remémorer avec Vince un moment particulier qu'ils avaient autrefois passé là-bas.

« Je viens de déjeuner avec lui, poursuivit-elle. Il n'a pas dit pourquoi... Non, apparemment, il ne compte pas venir du tout... Je te l'ai dit !... Il part pour une retraite spirituelle au Costa Rica ou je ne sais quoi... Son "esprit" a besoin de silence, apparemment... Comment ça, "pas grave" ? Ne me dis pas que ce n'est pas grave, Clark. Ton fils décide de ne pas passer les vacances avec sa famille, et tu me dis que ce n'est pas grave ?... Non, je ne veux pas que tu fasses quoi que ce soit. Je sais que tu n'y changeras rien... Et je sais que moi non plus, mais ça ne te tracasse pas un peu, au moins ? Ça ne te fait ni chaud ni froid ?

51

Il ne vient plus pour l'anniversaire de Mighty, il ne me demande même plus mon avis avant de décider de partir pour Noël... Non, je ne décale rien... Bien sûr, c'est peut-être mieux comme ça. Tu auras tout le loisir de travailler le 24 et le 25 décembre. D'ailleurs, tu pourrais même en profiter pour continuer jusqu'à l'année prochaine ?... Ne commence pas à me dire que je suis ridicule !... Si tu te souciais un peu plus, Clark, juste *un tout petit peu* plus de ce que font tes fils, de savoir s'ils sont heureux... Non, je ne veux pas que tu en fasses davantage, car tu es incapable de voir plus loin que le bout de ton nez et de faire passer les besoins des autres avant les tiens... C'est ça, bien sûr, mais tu finiras par te rendre compte que ce n'est pas comme ça que tu feras d'eux des jeunes gens épanouis. Ça ne marche pas comme ça... Ça ne marchera *jamais* comme ça. »

Jende l'entendit jeter son téléphone sur le siège. Pendant quelques secondes, il n'y eut plus un bruit dans la voiture, hormis la respiration bruyante de Cindy.

« Est-ce que tu viens au récital de Mighty ? demanda-t-elle après avoir ramassé son téléphone et rappelé, présuma Jende, son mari. Oui, rappelle-moi tout de suite... Il faut que je sache rapidement. »

Les mains fermement agrippées en position 9 h 15 – ainsi avait-il appris à conduire au Cameroun –, Jende tourna sur Madison Avenue. Le soleil avait déjà laissé place à l'air glacial de la fin d'après-midi, mais Manhattan brillait toujours de mille feux et, sous ses lampadaires et dans les lumières blanches qui s'échappaient des boutiques rayonnantes, il voyait défiler les visages de toutes les couleurs des piétons marchant vers le nord et vers le sud à des allures différentes. Sur l'avenue bondée, certains semblaient heureux, d'autres tristes, mais personne n'avait l'air aussi triste que Cindy Edwards à cet instant. Sa voix était tellement imbibée de douleur que Jende souhaita que quelqu'un l'appelle pour lui annoncer une bonne nouvelle, une nouvelle amusante ou n'importe quoi d'autre, pourvu que cela lui redonne le sourire.

Son téléphone sonna de nouveau et elle décrocha promptement.

« Comment ça, tu te feras pardonner ? cria-t-elle. Tu lui avais promis que tu serais là ! Tu ne peux pas lui dire chaque fois que... Je me fous de ce qui se passe chez Lehman ! Je me fous de savoir ce qui se passera si Lehman... Et le gala Accordion ? Il faut que je confirme d'ici la fin de la semaine... Oh, non, non, je t'en prie, Clark, n'annule pas ton déplacement. Mais j'aimerais juste que... que... »

Elle jeta une nouvelle fois le téléphone sur la banquette et se laissa tomber contre le dossier, le bras sur l'accoudoir, la tête dans la main. Elle resta dans cette position plusieurs minutes, et Jende crut entendre le reniflement d'une femme découragée, au bord des larmes.

Quelque part autour de la 40e Rue Est, elle ramassa de nouveau son téléphone.

« Salut, Cheri, c'est moi, dit-elle après le bip sonore, d'une voix calme, mais toujours teintée de douleur. Je t'appelais juste comme ça. J'ai réussi à avoir des places, c'est bon. S'il te plaît, rappelle-moi quand... Ça n'a pas d'importance, laisse. Tout va bien, je viens simplement de passer une journée atroce... Tu dois encore être avec tes clients. Au fait, n'oublie pas de me dire si tu veux que je t'accompagne voir ta mère la semaine prochaine, d'accord ? Ça me ferait plaisir de venir avec toi. »

Elle appela un autre numéro. Cette fois-ci, la personne sembla décrocher.

« Tu es chez toi ? demanda-t-elle. Oh, non, excuse-moi, vas-y, je t'en prie. Dis bonjour à Mike de ma part... Non, rien... Enfin, tu sais, toujours les mêmes histoires... Mais je suis folle de rage, et le pire, c'est que ça n'est pas près de s'arrêter... Non, non, je suis vraiment désolée, allez, file... Non, inutile de me rappeler ce soir... Oui, je t'assure, ça va aller... Ça va aller, June, je te le promets. File. Et amuse-toi bien. »

Pendant les dix dernières minutes du trajet, elle ne passa aucun appel. Elle resta assise en silence, à regarder par la vitre, à observer les gens heureux qui défilaient sur Madison Avenue.

6

Ils avaient dépassé le pont du Delaware Memorial et parcouru plus de la moitié du chemin depuis
Washington, voyant défiler les panneaux placés à
intervalles réguliers sur l'autoroute du New Jersey.

« Parlez-moi de Limbé, lui demanda Clark.
J'aimerais que vous me décriviez l'endroit où vous
avez grandi. »

Jende eut un sourire.

« Oh, monsieur, dit-il avec un accent de nostalgie
dans la voix. Limbé est une ville où il fait si bon
vivre. Vous devez vous rendre là-bas un jour, monsieur. En toute vérité, monsieur, vraiment, il faut y
aller. Quand vous allez là-bas, il y a un panneau qui
vous accueille à l'entrée. C'est un panneau spécial,
monsieur. Je n'ai jamais vu un panneau comme ça
ailleurs. C'est un panneau que vous voyez dès que
vous arrivez en bas de la petite colline, au bout de
la route de Douala, après le Mile Quatre. Il est au-
dessus de votre tête, personne ne peut le rater. Et on
lit là, en grosses lettres, entre deux poteaux rouges en
métal plantés des deux côtés de la route : "Bienvenue
à Limbé, ville de l'amitié." Quand vous voyez ce

panneau, monsieur, ah ! Vous pouvez être n'importe qui, venir à Limbé pour une nuit ou pour dix ans, être gros ou petit, vous êtes heureux d'être arrivé là. Vous sentez le souffle de l'océan qui parcourt des kilomètres pour venir vous saluer. Ce souffle est si doux. Et là, vraiment, vous avez l'impression que cette ville près de l'océan que l'on appelle Limbé est unique au monde.

— C'est intéressant, remarqua Clark en fermant son ordinateur.

— Ça l'est, monsieur », répondit Jende qui brûlait d'en raconter encore.

Il savait que M. Edwards était bien disposé pour en entendre davantage. Après trois mois passés en voiture avec lui, Jende avait fini par se rendre compte que chaque fois que son patron avait besoin de lâcher un peu son *laptop*, son téléphone ou les papiers qu'il éparpillait sur la banquette, il lui posait des questions sur son enfance, sa vie à Harlem ou ce qu'il avait prévu avec sa femme pour le week-end.

« Ensuite, une fois que vous avez dépassé le panneau de bienvenue, monsieur, quand vous arrivez au Mile Deux, vous voyez les lumières de la ville qui brillent la nuit sur l'océan. Ces lumières ne sont ni trop vives ni trop nombreuses. Elles sont juste comme il faut pour vous faire dire que vous avez sous les yeux une ville de magie, une ville de l'OPEP, avec sur une de ses rives la raffinerie nationale, et sur son autre rive des pêcheurs avec leurs filets. Ensuite, quand vous arrivez au Mile Un, là, monsieur, vous commencez à ressentir Limbé… C'est quelque chose, monsieur.

— Ça m'en a tout l'air.

— Ah, oui, monsieur. Limbé n'est pas une ville comme les autres, monsieur Edwards. À Limbé, nous avons des vies simples, mais nous en profitons bien. Vous le verrez quand vous irez, monsieur. Là, quand vous dépasserez le Mile Un avec votre voiture, vous verrez les jeunes qui achètent du maïs grillé au coin des rues, et les vieux qui jouent aux échecs. Les jeunes femmes, elles, ont des postiches de toutes sortes sur la tête. Certaines ressemblent à des *mami wata*, ce sont des sirènes dans l'océan. Les plus vieilles nouent deux *wrappers* l'un par-dessus l'autre. C'est comme ça que les femmes d'âge mûr aiment s'habiller. Un peu plus loin, vous arriverez au croisement du Demi-Mile. Là, vous devrez décider, soit de tourner à droite, en direction de Bota et des plantations, soit de tourner à gauche, en direction de New Town, mon district, ou de continuer tout droit, vers Down Beach, où vous verrez l'océan.

— C'est fascinant, déclara Clark en rouvrant son *laptop*.

— Je vous jure, monsieur. Il n'y a pas de meilleure ville en Afrique. Même Vince a dit que c'était le genre de ville où il aimerait habiter.

— Ça ne m'étonne pas de lui », répondit Clark. Il leva les yeux, croisant dans le rétroviseur le regard de Jende. « Il vous a dit ça quand ?

— Il y a deux soirs, monsieur. Quand je le reconduisais chez lui après dîner.

— Quel dîner ?

— Il est venu dîner chez vous avec Mighty et Mme Edwards, monsieur.

— Je vois », répondit Clark.

57

Il poussa son ordinateur sur la gauche et ramassa un dossier tenu par des trombones géants.

« Vince est un gars très marrant, poursuivit Jende en souriant. Il pense qu'Obama ne va rien…

— Pourquoi êtes-vous venu, dans ce cas ?

— Je m'excuse, monsieur ?

— Pourquoi êtes-vous venu aux États-Unis si votre ville est si belle ? »

Jende eut un rire, un rire bref et gêné.

« Mais monsieur, dit-il. L'Amérique, c'est l'Amérique.

— Je ne comprends pas ce que vous voulez dire par là.

— Tout le monde veut venir en Amérique, monsieur. Tout le monde. Être dans ce pays, monsieur. Vivre dans ce pays. Ah ! C'est la plus grande chose au monde, monsieur Edwards.

— Ça ne me dit toujours pas pourquoi vous êtes ici. »

Alors Jende réfléchit ; il réfléchit à ce qu'il pouvait lui dire sans en dire trop.

« Car mon pays n'est pas bon, monsieur, commença-t-il. Il n'a rien à voir avec l'Amérique. Si j'étais resté dans mon pays, je ne serais rien devenu du tout. Je serais resté un rien du tout. Mon fils serait devenu un homme pauvre comme moi, qui suis devenu pauvre comme mon père. Mais en Amérique, monsieur, je peux devenir quelqu'un. Je peux même devenir un homme digne de respect. Mon fils peut devenir un homme digne de respect.

— Et c'est totalement impossible dans votre pays ?

— Totalement, monsieur Edwards.

— Pourquoi ? » demanda Clark en ramassant son téléphone qui vibrait.

Jende attendit qu'il finisse sa conversation. Dix secondes passèrent, pendant lesquelles il n'entendit que : « Oui... Non... Non, pas la peine de le virer pour ça. » Le téléphone vibra de nouveau et Clark demanda à la personne qui se trouvait au bout du fil d'appeler les Ressources humaines et de leur dire qu'il s'en occupait. Puis il raccrocha et demanda à Jende de poursuivre.

« Parce que... parce que dans mon pays, monsieur », commença Jende, parlant à présent dix décibels moins fort, d'une voix bien moins assurée et animée qu'avant de savoir que quelqu'un risquait de se faire licencier. « Dans mon pays, pour devenir quelqu'un, il faut déjà être quelqu'un quand vous naissez. Si vous ne venez pas d'une famille riche, ce n'est pas la peine d'essayer. Si vous ne venez pas d'une famille qui a un nom, ce n'est pas la peine d'essayer. C'est comme ça, c'est tout, monsieur. Une personne comme moi, vous voulez qu'elle devienne quoi dans un pays comme le mien ? Je suis parti de zéro. Pas de nom. Pas d'argent. Mon père est un homme pauvre. Le Cameroun n'a rien...

— Et, d'après vous, les États-Unis ont quelque chose à vous offrir ?

— Ah, oui, monsieur, beaucoup, monsieur ! dit-il d'une voix qui reprenait du volume. L'Amérique a quelque chose à offrir à tout le monde, monsieur. Regardez Obama, monsieur. Qui est sa mère ? Qui est son père ? Ce ne sont pas des gens importants du gouvernement. Ce ne sont pas des gouverneurs, pas des sénateurs. En fait, monsieur, j'ai entendu dire qu'ils étaient morts. Et regardez Obama aujourd'hui.

Cet homme, un homme noir sans père ni mère, qui essaie de devenir le président d'un pays ! »

Au lieu de répondre, Clark ramassa son téléphone qui vibrait.

« Oui, j'ai vu son e-mail, dit-il à son interlocuteur. Pourquoi ?… Je ne sais pas quoi te dire. Je ne sais pas ce que Tom pense… Non, Phil, non ! Je suis totalement contre. On ne peut pas continuer comme ça et penser que ça va changer… Oui, bien sûr, tenons-nous à notre stratégie, même si depuis trois ans on ne fait que des mauvais choix. Quand même, c'est si dur que ça de voir plus loin que le bout de son nez ? » Il secoua la tête d'un air désespéré. « Je suis intervenu comme je le pouvais… Non, je ne… Ce qui me tue, c'est que personne, mais vraiment personne, à part peut-être Andy, ne veut admettre à quel point c'est absurde de répéter les mêmes erreurs et de s'attendre à ce qu'on en réchappe malgré tout. Il faut qu'on change de trajectoire. Maintenant. Qu'on repense de A à Z notre stratégie. Le Repo 105[1] ne va pas nous maintenir à flot éternellement… Je ne crois pas, non, et j'ai dit à Tom que… Mais ils refusent de voir la vérité ! Je n'arrive pas à comprendre comment tout le monde peut encore se voiler la face avec ce qui va nous retomber sur le coin du nez… Bien sûr qu'ils vont le faire. Quoi ? Tu ne vas quand même pas me demander ça ? Tu as pensé une seule seconde à la catastrophe si cette histoire éclate au grand jour ? Notre vie, notre carrière, notre famille, notre réputation… Tout va s'effondrer, crois-moi. Et je peux te

---

1. Technique utilisée par Lehman Brothers pour falsifier son bilan. *(N.d.T.)*

garantir que les banques fédérales n'hésiteront pas à faire tomber Tom, et nous avec, comme elles ont fait tomber Skilling[1]... »

Pendant quelques secondes, il ne dit plus rien, écoutant son collègue.

« Tu crois vraiment que ça va se passer comme ça ? Que tout le monde va s'en sortir indemne ? Non ! Tout le monde s'en foutra de savoir qu'on a tout fait pour éviter le pire. Merde, Phil, tout le monde s'en fout déjà ! On est en train de couler. »

Il prit une grande respiration et écouta de nouveau, puis il éclata de rire.

« OK, dit-il. C'est pas de refus. Juste une partie, alors. Ça fait un bail que je n'ai pas mis les pieds sur un terrain... Non, ce sera sans moi ; une petite partie de golf me suffira... Non, mais merci, Phil. Pas mon truc... Oui, je m'en occupe. Je te supplierai à genoux de me donner le numéro de la demoiselle quand je serai à deux doigts d'exploser. »

Il raccrocha, rouvrit son ordinateur en souriant, et se mit à taper. Après une demi-heure de silence, après avoir quitté l'autoroute, il posa son *laptop* sur le côté et passa trois appels : à sa secrétaire ; à une personne dénommée Roger, à propos du rapport qu'il n'avait pas reçu ; et à quelqu'un d'autre, à qui il parla dans un français approximatif.

« Toujours un plaisir de pratiquer mon français avec notre équipe de Paris, dit-il après avoir raccroché.

---

1. Jeffrey Skilling : ancien P-DG du groupe Enron, l'une des plus importantes entreprises américaines ayant fait faillite en 2001 à la suite de la découverte d'anomalies dans sa comptabilité. *(N.d.T.)*

— Du très bon français, monsieur Edwards, répondit Jende. Vous avez vécu à Paris ?

— Pendant un an, quand j'étudiais à Stanford. »

Jende hocha la tête mais ne répondit pas.

« C'est une université, ajouta Clark. En Californie.

— Ah, Stanford ! Maintenant je sais, monsieur. Ils jouent bien au football, là-bas. Mais je ne suis jamais allé en Californie. Vous venez de là, monsieur ?

— Non, mais mes parents s'y sont installés à leur retraite. J'ai grandi dans l'Illinois. À Evanston. Mon père était professeur à Northwestern, une autre université.

— Mon cousin Winston, monsieur, quand il est venu pour la première fois en Amérique, il a vécu les premiers mois en Illinois, mais il nous appelait tout le temps pour dire qu'il voulait partir à cause du froid. Je crois que c'est pour ça qu'il a voulu entrer dans l'armée, pour partir au chaud.

— Je ne suis pas sûr de comprendre le rapport, répondit Clark en étouffant un rire, mais, oui, il fait très froid dans l'Illinois. Je ne pourrais pas vous dire qu'Evanston est aussi merveilleux que votre Limbé, mais nous avons vécu là-bas une enfance heureuse, ma sœur Cece et moi. On faisait du vélo dans le quartier avec les autres gamins, on allait au musée et à des concerts à Chicago avec mon père, on pique-niquait au bord du lac… C'était l'endroit rêvé pour un enfant. Cece envisage de retourner y vivre un jour.

— Oui, votre sœur, monsieur. Je ne savais pas que vous étiez jumeaux. Mighty m'a dit il y a quelques jours seulement que votre sœur est votre jumelle. J'aime beaucoup les jumeaux, monsieur. En toute vérité, si le bon Dieu m'en donne…

— Justement, il faut que je prenne de ses nouvelles », l'interrompit Clark.

Il ramassa son téléphone, pianota sur le clavier et dit après le bip sonore :

« Salut, c'est moi. Désolé de ne pas avoir rappelé la semaine dernière. Complètement débordé au boulot, il se passe tellement de choses en ce moment... Bref, j'ai eu maman hier soir, elle m'a dit que tu ne venais pas au Mexique avec les filles, finalement ? Écoute, Cece. Mets tout ça sur la carte. D'accord ? Pardon si je n'ai pas été suffisamment clair à ce sujet, mais je veux que tu règles avec cette carte tout ce que tu ne peux pas payer. Tout. L'avion, l'hôtel, la location de la voiture, l'appareil dentaire de Keila, tout ce qu'il te faut. Tu sais à quel point ils y tiennent. Les quatre-vingts ans de papa, Cece ! Et j'aimerais voir les filles. C'est la folie furieuse au bureau, j'ai à peine le temps de respirer, mais je tâcherai de décrocher la prochaine fois. Envoie-moi un e-mail sinon. Tu sais que les e-mails et les SMS sont plus pratiques pour moi. »

Il renversa la tête en arrière après avoir raccroché, les yeux fermés.

« Et donc, vous n'aviez pas de travail dans votre pays ? demanda-t-il à Jende en rouvrant les yeux et en récupérant son *laptop*.

— Oh si, monsieur, j'avais un travail, répondit Jende. Je travaillais pour le conseil municipal de Limbé.

— Et ce n'était pas un bon travail ? »

Jende s'esclaffa, abasourdi par cette question qu'il trouvait d'une grande naïveté.

« Monsieur, dit-il avec un sourire, tout en secouant

la tête, il n'y a pas de bon ou de mauvais travail dans mon pays.

— Parce que ?

— Parce que tout travail est un bon travail au Cameroun. Le simple fait d'avoir un endroit où aller quand vous vous réveillez le matin est une bonne chose, monsieur Edwards. Mais l'avenir ? Le problème est là, monsieur. Je n'avais même pas le droit d'épouser ma femme. J'ai...

— Comment ça, "pas le droit d'épouser votre femme" ? Il y a des gens pauvres qui se marient tous les jours.

— Oui, les gens pauvres se marient, monsieur. Tout le monde se marie, monsieur. Mais tout le monde ne peut pas se marier avec la personne qu'il choisit. Le père de ma femme, monsieur Edwards, c'est un homme gourmand. Il m'a refusé sa fille parce qu'il voulait qu'elle se marie à quelqu'un qui avait plus d'argent. Un homme capable de lui donner de l'argent à lui chaque fois qu'il demandait. Mais moi, je n'en avais pas. Alors je fais quoi ? »

Clark eut un rire moqueur.

« J'imagine qu'on ne doit pas souvent voir des couples se faire la belle au Cameroun, hein ?

— Quelle belle, monsieur ?

— Non, "se faire la belle". Qui s'enfuient ensemble et se marient loin de leur famille, vous voyez ?

— Oh, non, non, non, monsieur, ça on fait. Les gens font. On fait aussi *come we stay*. Ça veut dire qu'un homme dit à une femme : "Viens, on vit ensemble", mais il ne se marie pas avec elle en premier lieu. Mais je n'aurais jamais fait ça, monsieur. Jamais.

64

— Pourquoi ?

— Parce qu'il n'y a pas de respect pour la femme, monsieur. Un homme doit aller voir la famille de la femme et payer le prix de la mariée pour sa tête, monsieur. Et la faire sortir par la grande porte de la maison. Je devais montrer que je suis un vrai homme, monsieur, et non pas la prendre gratis, comme… comme un déchet.

— Je vois, répondit Clark avec un nouveau rire moqueur. Donc, vous avez payé pour votre femme ?

— Oh, oui, monsieur, dit Jende qui rayonnait de fierté. Quand j'ai envoyé d'Amérique un bon transfert Western Union à mon beau-père, il a vu que je deviendrais peut-être un homme riche, et il a changé d'avis. »

Clark éclata de rire.

« Je sais, c'est drôle, monsieur. Mais il me fallait ma femme. Quand je suis arrivé à New York, j'ai économisé beaucoup d'argent pendant deux ans pour payer le prix de la mariée et la faire venir ici avec mon fils. J'ai envoyé de l'argent à ma mère et à mon père pour qu'ils achètent tout ce que mon beau-père demandait pour la mariée. Les chèvres. Les cochons. Les poulets. L'huile de palme, les sacs de riz. Le sel. Les vêtements, les bouteilles de vin. Ils ont tout acheté. J'ai même donné une enveloppe de cash deux fois plus grosse que ce qu'il demandait, monsieur.

— Sans blague ?

— Non, monsieur. Avant que ma femme vienne en Amérique, ma famille est allée voir sa famille. Ils lui ont donné le prix de la mariée, et ils ont chanté et dansé tous ensemble. Et là, nous étions mariés. »

Le téléphone de Clark vibra.

« Fascinant, commenta-t-il de nouveau en ramassant son téléphone avant de le reposer.

— Et la vérité, monsieur, poursuivit Jende, incapable de s'arrêter, la vérité, c'est que le papier que j'ai signé comme certificat de mariage à la mairie, ce n'est pas cela qui me donne le sentiment d'être marié à ma femme. Cela n'est pas le plus important. Non, le plus important, c'est le prix de la mariée. Qui m'a permis d'honorer sa famille.

— Eh bien, répondit Clark sans lever la tête, j'espère qu'elle en vaut la peine.

— Oh oui, monsieur, dit Jende en souriant. Elle le vaut. Je possède la meilleure femme que la Terre a jamais portée, monsieur. »

Ils roulèrent en silence pendant les trois quarts d'heure suivants. Le trafic était fluide dans le sud du New Jersey, seulement ralenti par quelques semi-remorques qui apparaissaient subitement, comme sorties de nulle part.

« Donc, vous pensez que les États-Unis valent mieux que le Cameroun ? demanda Clark, les yeux toujours rivés sur son *laptop*.

— Un million de fois, monsieur, répondit Jende. Un million de fois. Regardez-moi aujourd'hui, monsieur Edwards. En train de vous conduire dans cette belle voiture. Vous m'adressez la parole et moi, quand je suis assis sur ce siège, j'ai le sentiment d'être quelqu'un. »

Clark posa son ordinateur et ramassa un nouveau dossier, mal ordonné. Il feuilleta les pages en griffonnant sur un bloc-notes.

« Ce qui m'intrigue toujours, reprit-il sans s'arrêter pour regarder Jende, c'est de savoir comment vous

vous êtes débrouillé pour venir ici puisque vous étiez si pauvre. »

Une fois encore, Jende réfléchit à la plus habile des réponses. Comme il n'y avait aucune honte à dire la vérité, il la dit.

« Par mon cousin, monsieur. Winston.

— L'associé de chez Dustin, Connors & Solomon ?

— Oui, monsieur. Il est celui qui a acheté mon billet. Je lui faisais pitié. Mon cousin est un meilleur frère avec moi que certains de mes propres frères, issus de la même mère et du même père que moi.

— Et lui, comment est-il arrivé là ?

— La loterie à la *green card*, monsieur. Winston a gagné. Puis il est entré dans l'armée. Il a utilisé l'argent…

— Je sais, Frank m'a déjà raconté », répondit Clark.

Son téléphone vibra. Il baissa les yeux vers l'écran et se tourna vers la vitre. Le téléphone vibra quelques fois encore, puis il décrocha.

« Non, absolument pas, répondit-il à son interlocuteur, pourquoi ? » La voiture dans la file de gauche klaxonna et leur fit une queue de poisson. « En Arizona ? dit-il. Pourquoi… Quand est-ce qu'il t'a dit ça ?… Tant pis… Je vais l'appeler tout de suite… Non, je ne suis pas furieux, il doit avoir ses raisons, mais j'aimerais bien les connaître… Non, bien sûr que je ne pense pas que ce soit une bonne idée… Oui, oui, je vais lui parler. »

Il appuya sur plusieurs touches de son téléphone et attendit en silence pendant la sonnerie.

« Oui, c'est papa, dit-il. Rappelle-moi quand tu pourras, maman vient de me dire que tu avais refusé le stage chez Skadden, elle est sens dessus dessous.

Qu'est-ce que tu fabriques, enfin ? Et j'ai appris que tu comptais passer un mois dans une réserve en Arizona ? Je… Je n'arrive pas à savoir ce que tu veux… Vince, Skadden, c'est une grosse occasion, et toi, tu tires un trait dessus parce que tu préfères aller flâner en Arizona ? Tu ne pourrais pas partir avant, ou après ton stage ? S'il te plaît, rappelle-moi vite. Ou passe à mon bureau demain. Appelle Leah et demande-lui mon planning. J'aurais aimé que tu en parles avec moi avant de prendre une décision pareille. Je trouve regrettable que tu ne viennes pas discuter avec ta mère et moi quand il y a des décisions aussi importantes. Ce serait la moindre des choses. »

Il raccrocha et prit une respiration à la fois profonde et triste, comme un homme vaincu et sans espoir.

« Incroyable, marmonna-t-il pour lui-même. In-croy-able. »

À l'avant, Jende conduisait en silence, bien que l'envie de dire à M. Edwards combien il était désolé que son fils l'ait mis dans tous ses états et que rien ne pouvait être plus dur qu'un fils indocile le démange.

Pendant vingt minutes encore, entre la sortie 9 vers l'université Rutgers jusqu'à la sortie 10 pour Perth Amboy, ils roulèrent en silence, derrière des semi-remorques et à côté de berlines transportant des bébés assoupis et des chiens dont la tête dépassait par la vitre baissée, avec, au-dessus d'eux, un ciel où flottaient depuis trois heures les mêmes gros nuages qui les suivaient tels des espions. Clark téléphona à Frank, demanda s'il pouvait trouver un stage pour Vince chez Dustin au cas où la place chez Skadden avait été pourvue – si Vince se rendait enfin compte que le moment était venu de se comporter comme un adulte.

« Je suis content que vous mesuriez la chance que vous avez eue », dit Clark à Jende, une fois sa conversation terminée. Le plus grand des gratte-ciel de Manhattan venait d'apparaître au loin, alors qu'ils entraient dans le nord du New Jersey. « Je suis content qu'il y ait au moins une personne consciente de la chance qu'elle a. »

À chaque mot, Jende acquiesçait. Il réfléchit à la meilleure phrase possible pour remonter le moral de son patron, au mot juste à avoir dans de telles circonstances. Il décida de dire ce en quoi il croyait.

« Je remercie le bon Dieu tous les jours de m'avoir offert cette opportunité, monsieur, dit-il en se déportant sur la file de gauche. Je remercie le bon Dieu, et je crois qu'en travaillant dur, un jour, j'aurai une bonne vie ici. Mes parents eux aussi auront une bonne vie au Cameroun. Et mon fils, en grandissant, deviendra quelqu'un, peu importe qui. Je crois que tout est possible quand on est américain. Vraiment, monsieur, je le crois. Et en toute vérité, monsieur, je prie pour qu'un jour, en grandissant, mon fils devienne un grand homme comme vous. »

7

Par un jour de soleil, il était difficile de voir jusqu'où la tour Lehman Brothers s'étirait dans le ciel. Ses façades semblaient monter en flèche sans jamais s'arrêter, comme une interminable lance, et même si Jende, parfois, tordait le cou et plissait les yeux, il ne parvenait pas à voir par-delà les rayons qui tapaient contre les vitres immaculées. Mais par un jour nuageux, comme celui où il finit par rencontrer la secrétaire de Clark, Leah, il parvenait à voir jusqu'au sommet ; même quand les rayons du soleil ne frappaient pas, l'immeuble miroitait. Lehman Brothers se dressait parmi les gratte-ciel, fier et altier, tel un prince de Wall Street.

Leah l'avait appelé aux environs de midi, le pressant de revenir sur ses pas, toutes affaires cessantes : Clark avait oublié un dossier important dans la voiture, qu'elle devait récupérer avant une réunion à 15 heures.

« Non, je vous attends en bas », répondit-elle lorsque Jende déclara qu'il serait heureux de lui monter le dossier. Puis elle murmura : « Clark est une vraie tornade aujourd'hui, ça ne me fera pas de mal de prendre un peu l'air. »

Elle sortit de l'immeuble alors qu'il patientait, appuyé contre la voiture, le dossier entre les mains. Il s'était attendu à une petite femme – toute petite, même –, à en juger par sa voix à la fois douce et haut perchée et à sa manière bien féminine de s'esclaffer pour trois fois rien, mais à la place arriva une femme grande et ronde, semblable aux gens que Jende avait vus à son arrivée à l'aéroport JFK ; des humains charnus et potelés qui l'avaient conduit à se demander si l'Amérique était un pays de gens gros. À Limbé, il n'existait à tout casser que deux personnes de cette corpulence, dans un quartier qui comptait des centaines d'habitants, mais à l'aéroport ce jour-là, à la descente de l'avion, tandis qu'il passait l'Immigration et les douanes, se dirigeant vers le retrait des bagages, Jende en avait compté au moins vingt. Leah n'était pas aussi forte que les femmes les plus imposantes aperçues à cette occasion, mais elle était grande, une tête de plus que la majorité des femmes présentes devant l'immeuble. Elle marcha vers lui en agitant la main et en souriant, vêtue d'un sweat-shirt couleur citron vert et d'un pantalon rouge. Sa coupe au carré, courte et bouclée, lui évoquait l'incroyable postiche que portait Neni chaque fois que Fatou n'avait pas le temps de lui faire ses tresses.

« Quel plaisir de vous voir enfin ! » s'écria-t-elle d'une voix chantante, encore plus sucrée qu'au téléphone.

Son rouge à lèvres était assorti à son pantalon et son visage rond recouvert d'au moins une dizaine de couches de fond de teint, qui peinaient pourtant à combler les rides profondes autour de sa bouche.

« Oui, moi également, Leah, répondit Jende en lui rendant son sourire, avant de lui tendre le dossier. Je n'étais pas sûr que vous alliez me reconnaître.

— Bien sûr que si, répondit Leah. Vous avez vraiment l'air d'un Africain – n'y voyez rien de péjoratif, Jende. La plupart des Américains ne font pas la différence entre les Noirs d'Afrique et des Îles, mais moi, je reconnais illico un Africain d'un Jamaïcain. Je le sais, voilà. »

Jende lâcha un rire nerveux, sans rien répondre, pensant que Leah allait lui dire au revoir et s'en aller, ce qu'elle ne fit pas. Que va-t-elle dire maintenant ? se demanda-t-il. Cette femme-là semblait sympathique, mais sa connaissance de l'Afrique, comme pour beaucoup d'Américaines, se limitait certainement à ce qu'elle avait vu dans des films, lu dans *National Geographic* ou entendu de la bouche de quelqu'un qui connaissait quelqu'un qui était allé là-bas, au Kenya ou en Afrique du Sud la plupart du temps. Chaque fois que Jende rencontrait ce type de femme (à l'école de Liomi ; au Marcus Garvey Park ; dans le taxi noir qu'il conduisait avant), ces dernières lui lançaient des phrases comme : « C'est dingue, je viens de voir une émission sur tel ou tel sujet en Afrique. » Ou alors : « Ma cousine/copine/voisine est sortie avec un Africain, qu'est-ce qu'il était sympa ! » Ou, pire, si elles lui demandaient de quel pays d'Afrique il venait et que Jende leur répondait le Cameroun, s'ensuivait le récit du voyage d'un ami de leur fille qui était un jour allé en Tanzanie ou en Ouganda. Cette remarque avait coutume de l'agacer au plus haut point, jusqu'à ce que Winston lui souffle la meilleure des réponses : « Dis-leur qu'un ami de ton oncle habite à Toronto » – ce qu'il faisait maintenant chaque fois que quelqu'un mentionnait un pays d'Afrique différent du sien. « Ah, oui, disait-il en réponse à celui qui lui parlait du Sénégal, j'ai vu une émission sur San Antonio l'autre jour. » Ou bien : « J'espère qu'un jour j'irai à Montréal. » Ou encore : « J'ai entendu dire que Miami était une ville formidable. » Et chaque fois qu'il faisait cela, Jende rigolait intérieurement en voyant le visage des Américaines se froisser, visiblement incapables de voir le rapport entre San Antonio/Montréal/Miami et New York.

« Alors, ça vous plaît de travailler pour Clark ? demanda Leah, éludant sagement toute question relative à l'Afrique.

— Beaucoup, oui, répondit Jende. Clark est un homme bon. » Leah hocha la tête et sortit un paquet de cigarettes de son sac à main avant de s'appuyer contre la voiture, à côté de Jende. « Ça vous dérange si je fume ? »

Jende secoua négativement la tête.

« C'est agréable de travailler pour lui, confirma Leah en soufflant un trait de fumée. Il a ses mauvais jours – parfois, j'aurais envie de le jeter par la fenêtre. Mais dans l'ensemble, je n'ai pas à me plaindre. Il m'a toujours bien traitée. Il ne m'est jamais passé par la tête de le plaquer.

— Vous êtes sa secrétaire depuis longtemps ?

— Quinze ans, mon chou, répondit Leah, même si je ne risque pas de faire long feu ici, vu la santé de la boîte… Tout ce bordel ne me dit vraiment rien qui vaille. »

Jende acquiesça et tourna les yeux vers l'entrée du building où un homme jeune, d'une vingtaine d'années, en costume noir, faisait les cent pas. Il semblait nerveux, à voir la manière dont il s'arrêtait régulièrement, les yeux rivés sur le macadam. Jende imagina qu'il se rendait à un entretien d'embauche. Ou qu'il s'agissait de son premier jour. Ou bien de son dernier.

« Depuis la fermeture de l'unité subprime, poursuivit Leah en faisant tomber la cendre de sa cigarette, tout le monde est tendu comme pas deux. Et je déteste être tendue. La vie est trop courte. »

Jende envisagea de lui demander ce qu'était une « unité subprime » et pourquoi celle-ci avait fermé, mais mieux valait s'abstenir de poser des questions sur des choses qu'il ne comprendrait probablement pas, quand bien même quelqu'un lui ferait un dessin.

« J'ai vu que M. Edwards était très occupé, déclarat-il à la place.

— Occupé, ça, tout le monde l'est, répondit Leah. Mais Clark et ses amis, là-haut, ils ne craignent rien. Quand il faudra virer des gens, ce n'est pas eux qui sauteront. Non, mon chou, ce sera nous, les petits employés. Certains sont déjà en train d'envoyer des CV ; c'est de bonne guerre. Ces gens, là-haut, on ne peut jamais leur faire confiance.

— Je ne pense pas que M. Edwards voudra se séparer de vous, Leah. Vous êtes celle qui lui sert de bras droit. »

Leah se mit à rire.

« C'est gentil, dit-elle avec un sourire qui révéla une belle rangée de dents tachées par la nicotine. Mais malheureusement, j'en doute. Et vous savez quoi ? Je m'en tape. Je ne vais pas passer des nuits blanches

74

à cause de cette foutue boîte. Il y a des bruits de couloir, des gens disent que les actions dégringolent, que le chiffre d'affaires est en berne, que tout un tas de choses puantes se trament dans la salle du conseil, mais ceux d'en haut ne veulent rien lâcher. Ils nous racontent des craques, prétendent que tout ira bien, mais je vois passer des e-mails de Clark parfois et, pardon d'être vulgaire, mais c'est un sacré paquet de merde qu'ils nous cachent là.

— Je suis très désolé, Leah.

— Oh, pas plus que moi, mon chou, dit-elle en haussant les épaules, avant de sortir une nouvelle cigarette. Et vous savez quoi ? poursuivit-elle en se rapprochant de lui et en baissant la voix. Le pire dans tout ça, c'est que l'un des vice-présidents avec qui je suis copine m'a raconté qu'on pourrait bien finir comme Enron.

— Enron ? demanda Jende, qui détourna la tête pour éviter la fumée.

— Enron, oui.

— Mais… Qui est-ce, Leah ?

— Qui ?

— Cet Enron… Je ne sais pas qui c'est. »

Leah éclata de rire. Elle riait si fort que Jende craignit qu'elle ne s'étouffe avec sa fumée.

« Oh, Jende ! dit-elle, toujours hilare. Vous n'êtes pas ici depuis longtemps, hein ? »

Jende rit à son tour, gêné, mais amusé aussi.

« C'est sans doute mieux que vous ne sachiez pas ce qu'était Enron ni ce qu'ils ont fait, dit Leah.

— Mais j'aimerais savoir, répondit Jende. Ce nom, je crois l'avoir déjà entendu, mais je ne sais pas ce qu'ils ont fait. »

Leah sortit son téléphone pour regarder l'heure avant de le jeter dans son sac.

« Ils maquillaient leurs comptes, confia-t-elle à Jende.

— "Maquillaient" ?

— Oui, confirma Leah en se retenant de rire. Ils maquillaient leurs comptes. »

Jende hocha la tête pendant quelques secondes, ouvrit la bouche pour parler, la ferma, l'ouvrit à nouveau, la referma, puis il secoua la tête.

« Je crois que je ne vais pas poser d'autres questions », conclut-il, et tous deux rirent à l'unisson.

8

Minuit, et elle n'avait toujours pas commencé. D'abord, il y avait eu la tenue de travail de Jende à repasser. Puis les devoirs de Liomi à superviser. Ensuite, il avait fallu préparer le repas du lendemain, étant donné que, entre son travail et ses cours du soir, elle n'aurait pas le temps de faire à manger et de nettoyer la cuisine. Il fallait tout faire ce soir-là. Ses corvées seraient achevées vers 22 heures, avait-elle estimé, mais elle n'avait pas eu le temps de dire ouf que 23 heures avaient déjà sonné. Elle ne s'était même pas lavé les cheveux, qui en avaient pourtant grand besoin. Lorsqu'elle sortit de la douche, alors qu'elle revêtait le *kaba* qui lui servait de chemise de nuit, elle ne pensait plus qu'à une chose : aller se coucher. Mais le moment n'était pas venu de dormir.

Elle se rendit dans la cuisine et s'empara du café instantané dans le placard au-dessus de la cuisinière, détournant la tête lorsqu'elle ouvrit la boîte pour jeter dans sa tasse deux cuillérées de poudre. Ni l'odeur puissante ni le goût sec et amer du café ne lui plaisaient, mais elle devait en boire, car le subterfuge fonctionnait. Il fonctionnait toujours. Une tasse, et elle restait debout deux heures de plus. Deux tasses, et elle tenait jusqu'à l'aube. Ce qui ne serait pas une mauvaise idée cette nuit-là : trois heures de travail au minimum allaient lui être nécessaires si elle voulait achever ses devoirs et commencer à réviser ses partiels d'algèbre. Elle comptait passer deux heures sur ses devoirs, une heure sur ses révisions. À moins de rester debout quatre heures, deux sur les devoirs, deux sur les révisions. Elle devait décrocher un A. Un A– n'irait pas. Un B+ était hors de question. Pas si elle espérait arriver au bout du semestre avec une bonne moyenne générale.

Elle se rendit dans la chambre sur la pointe des pieds et ramassa son sac à dos posé près du petit lit de Liomi. Son fils dormait sur le côté. Il respirait en silence (contrairement à son père), recroquevillé sous son édredon Batman, sa bouche entrouverte, sa main droite soutenant sa joue droite, comme si dans ses rêves il se posait des questions de la plus haute importance. Sans faire de bruit, elle se rapprocha de lui, tira l'édredon sur sa poitrine et sourit en le regardant dormir, avant de retourner dans le salon.

Pendant trois heures elle étudia, s'employant d'abord à ses devoirs d'histoire sur la table de leur coin repas, avant d'aller s'installer sur le bureau près de la fenêtre pour terminer la rédaction d'anglais qu'elle avait entamée à la bibliothèque, puis retournant à la table du coin repas pour réviser son algèbre grâce à ses notes, son manuel et des exercices corrigés qu'elle avait trouvés sur Internet et imprimés. Le silence régnait dans l'appartement tel un chœur céleste, une musique de fond parfaite pour s'adonner à son travail – personne pour la déranger, l'interrompre, lui demander de l'aider à ci ou ça, de venir voir un instant. Aucun bruit hormis les sons étouffés de Harlem la nuit.

Avaler un breuvage infect n'était pas cher payé pour jouir de ce calme. Deux camarades de son cours d'algèbre avaient formé un groupe d'études auquel ils lui avaient proposé de se joindre, mais elle n'avait même pas pris la peine de répondre à leurs e-mails – elle ne pouvait renoncer au plaisir d'être seule simplement pour se mêler aux autres. De toutes les façons, étudier à plusieurs ne s'était jamais révélé très enrichissant. Elle avait tenté l'expérience un peu plus tôt dans le semestre, pour son cours d'introduction à la statistique, tout ça pour perdre son temps. À peine plus d'une demi-heure après avoir entamé la première séance (dans la salle de repos des étudiants), l'un des participants avait suggéré de commander à manger chinois, comme s'ils étaient incapables de mettre de côté leur fringale pendant deux heures. Neni s'était attendue à ce que tout le monde décline cette proposition, mais tous les étudiants (deux jeunes femmes blanches, une jeune Afro-Américaine, un gars au look d'adolescent dont les origines étaient impossibles à identifier) avaient trouvé l'idée super. Elle n'avait eu d'autre choix que de commander du porc Moo Shu et de débourser dix dollars qu'elle n'avait pas prévu de dépenser, car elle savait d'avance que la simple vue de ses camarades en train de manger lui mettrait l'eau à la bouche et finirait par l'empêcher de se concentrer. Le groupe s'était alors interrompu, d'abord pour passer la commande, puis pour manger. Tout en mangeant, ils avaient discuté d'*Americain Idol*. Quel candidat était meilleur que tel autre. Quel candidat allait gagner.

Quel candidat allait être éliminé. La conversation avait duré une bonne heure avant qu'ils reviennent à leurs études. Perdre une heure de révision n'était peut-être pas important pour eux. Mais pour elle, si.

Aux environs de 3 h 30, elle se rendit dans la cuisine pour se préparer une nouvelle tasse de café. Ouvrir la boîte lui fut moins pénible cette fois, même si la poudre dégageait toujours une odeur infecte ; personne n'aurait pu la convaincre du contraire.

Elle regagna le coin repas, prit une gorgée de café. La tête dans sa main droite, les paupières closes, elle soupira. Trois minutes durant, elle garda les yeux fermés, regardant flotter devant elle des milliers de poussières dans l'obscurité. Comme il serait bon de pouvoir savourer cette quiétude encore quelques instants, pensa-t-elle ; de n'avoir rien à faire, nulle part où aller. Son esprit était constamment en éveil, semblait-il – lui dictant ce qu'elle avait à faire, pour quand, en combien de temps. Même quand elle chantait pendant ses travaux ménagers, elle avait toujours en tête sa prochaine corvée. Et la suivante. La vie en Amérique avait fait d'elle une personne qui pensait et planifiait toujours ce qu'il y avait à faire après.

Elle ouvrit les yeux.

Assez travaillé pour ce soir, décida-t-elle. L'examen d'algèbre n'avait lieu que dans deux semaines. Elle avait commencé à temps ses révisions. Encore une série d'exercices le dimanche suivant, puis une autre la nuit avant l'examen, et le jour venu, elle serait prête.

9

Il savait que les mauvaises nouvelles pouvaient arriver même les jours les plus heureux. Il savait que les mauvaises nouvelles pouvaient arriver même quand la tristesse est aussi loin du cœur que Ras ben Sakka du cap des Aiguilles.

Il savait que chaque jour pouvait devenir comme celui où son frère lui avait envoyé un message lui demandant de l'appeler en urgence. Ce jour-là était une belle journée, chaude et ensoleillée. Il se trouvait au Red Lobster à Times Square avec Neni et Liomi, entouré des personnes qu'il préférait dans son restaurant préféré. Il avait aussitôt appelé son frère et écouté celui-ci lui annoncer d'une voix paniquée que leur père était gravement touché par une mauvaise malaria et qu'il pouvait à peine parler. Pa Jonga avait les yeux révulsés et conversait à présent avec l'esprit de son feu père, apprit Jende. Il devait être transporté d'urgence dans un hôpital privé à Douala ; on pourrait emprunter de l'argent pour payer l'hôpital à un businessman de Sokolo si Jende lui parlait et promettait de le rembourser au plus tôt. « Je t'en supplie, Jende, avait dit son frère, tu dois promettre d'envoyer l'argent vite, vite, là, ou papa sera mort avant le lever du jour. »

Jende n'avait pas réussi à terminer son assiette ce jour-là. Neni avait demandé au serveur d'emballer le reste de ses crevettes sautées pendant que Jende était parti en courant, d'abord au distributeur pour tirer l'argent, puis jusqu'à un taxiphone qui affichait sur sa vitrine le logo Western Union. Il avait couru tout le long de la Huitième Avenue comme un homme fou, bousculant des touristes émerveillés afin de pouvoir envoyer l'argent au plus vite, même si ces efforts ne changeraient rien puisque son frère ne pourrait le retirer qu'une fois le lundi venu.

Son père avait survécu, et cet épisode avait rappelé à Jende que les mauvaises nouvelles, en effet, avaient le don de tomber lors des belles journées et de transformer en mauvaise farce les plaisirs du quotidien. Mais le jour où Boubacar téléphona, ce mardi d'avril 2008, était un jour ordinaire. Jende se trouvait au travail, le temps était froid et les rues de Manhattan aussi désagréables à sillonner que n'importe quel autre jour.

Stationné au coin d'une rue, Jende lisait un vieux *Wall Street Journal* de Clark quand il vit le nom de Boubacar clignoter sur son téléphone. Il décrocha avec méfiance, certain qu'il s'agissait d'une nouvelle importante, bonne ou mauvaise. Les avocats en droit de l'Immigration, comme les médecins, n'appelaient pas pour échanger des salutations.

Néanmoins, Boubacar le salua, lui demanda si tout allait bien. Sa voix était grave et sérieuse, sans les *eh* et *abi* qui ponctuaient habituellement ses phrases, si bien que Jende comprit que quelque chose n'allait pas. Même quand Boubacar demanda des nouvelles de Neni et Liomi et chercha à discuter de sa vie de chauffeur, Jende sentit que l'avocat n'avait d'autre but que d'anesthésier son cœur afin de pouvoir y injecter ses douloureuses paroles.

« Je suis vraiment désolé, mon frère, annonça-t-il finalement.

— Que s'est-il passé ? »

La demande d'asile avait été rejetée, lui annonça Boubacar. Les services de l'immigration allaient tenter de l'expulser. Jende devait comparaître devant le juge de l'Immigration afin d'entamer la procédure.

« J'ai fait de mon mieux, mon frère, dit-il. Vraiment, de mon mieux. »

Jende ne répondit pas. Son cœur battait trop fort pour que sa bouche puisse s'ouvrir.

« Ne t'inquiète pas, nous allons lutter, eh ? poursuivit l'avocat. Nous pouvons encore faire beaucoup pour te garder dans ce pays. »

Mais Jende ne pouvait toujours pas dire un mot.

« C'est très dur, je sais, mais nous devons être forts, n'est-ce pas ? »

Le silence se prolongeait.

« Reste fort, mon frère. Tu dois rester très fort. Je sais que le choc est grand. Moi aussi, j'ai été choqué d'apprendre ce refus. Maintenant encore, cela me choque. Mais qu'y pouvons-nous ? La seule chose que nous pouvons faire, c'est batailler. »

Enfin, Jende marmonna une réponse à peine audible.

« Hé ?

— J'ai dit : je vais donc devoir quitter l'Amérique ?

— C'est ce qu'ils prétendent, oui. Ils n'ont pas cru

que la famille de Neni allait te tuer si tu retournais au pays.

— Tu avais dit que c'était une bonne histoire, monsieur Boubacar. En toute vérité, c'est toi-même qui as dit qu'ils me croiraient ! Nous sommes sortis du bureau satisfaits. Tu m'avais dit que j'avais répondu très correctement à toutes les questions, que la femme de l'Immigration avait l'air de m'avoir cru !

— Je le pensais, mon frère. Je pensais qu'elle t'avait cru. Mais qui sait ce que ces chiens de l'Immigration pensent réellement ? Nous leur fournissons une histoire et nous espérons qu'ils la croiront. Mais certains d'entre eux sont mauvais, très mauvais. Certaines personnes dans ce pays ne veulent pas des gens comme toi et moi.

— Et maintenant ? demanda Jende. Ils vont m'arrêter et me forcer à monter dans un avion ? Est-ce que je vais pouvoir dire au revoir à…

— Oh, non, Seigneur ! *Inch'Allah*, nous n'en arriverons pas là. Non, pour le moment, tu vas recevoir une convocation devant le juge de l'Immigration. Un avocat des Services de la citoyenneté et de l'immigration sera là pour parler contre toi. Je serai là aussi, à tes côtés, et je parlerai pour toi. Je vais tout faire pour convaincre le juge que les gens du service de l'immigration ont tort et que ta place est en Amérique. Soit le juge prendra le parti de l'avocat de l'Immigration et rejettera ta demande d'asile, soit il prendra notre parti et acceptera la demande, et tu pourras rester dans ce pays et avoir ta *green card*. *Inch'Allah*, il prendra notre parti.

— Tu sous-entends donc que ce sera toi face à l'avocat du gouvernement ?

— Oui, c'est correct. Moi contre l'avocat du gouvernement. Un homme honnête triomphe toujours.

— Oh, *Papa God*!

— Je sais, mon frère, je sais, crois-moi. Mais tu dois avoir foi en moi. Tu le dois. Nous allons gagner tous les deux. Nous sommes déjà arrivés jusqu'ici tous les deux, n'est-ce pas ? »

Jende prit une profonde respiration. Le siège de voiture le piquait tel un lit d'aiguilles.

« Ne t'ai-je pas aidé jusqu'ici ? insista Boubacar. Ne suis-je pas allé solliciter les Services de la citoyenneté et de l'immigration pour qu'on te délivre un permis de travail lorsque ton dossier n'avançait pas ? Eh ? N'est-ce pas grâce à ce permis de travail que tu as pu obtenir un permis de conduire et un meilleur boulot ?

— Mais je vais devenir quoi ?

— Tu dois avoir confiance en moi.

— Ce n'est pas que je n'ai pas confiance en toi...

— Ne t'ai-je pas aidé à envoyer la demande de visa étudiant pour ta femme, pour qu'elle puisse venir ici et étudier ? J'ai réuni toute ta famille à New York, mon frère. Je vous ai rapprochés. La moindre des choses, c'est d'avoir confiance en moi et de croire que, *Inch'Allah*, nous allons gagner et que tu obtiendras ta *green card*. »

La bouche de Jende était sèche.

Boubacar lui demanda s'il avait des questions.

« Je dois me présenter au tribunal quand ? » murmura-t-il, redoutant la réponse.

Boubacar répondit qu'il ne savait pas – il venait uniquement de recevoir une notification. Jende, quant à lui, allait recevoir une assignation à comparaître, avec la date du rendez-vous, dans un avenir proche.

« Tu as d'autres questions, mon frère ? »

Il répondit que non ; il n'était plus capable de penser ni de faire le moindre commentaire.

« Tu m'appelles dès que tu veux savoir quelque chose, eh ? Même si tu veux juste parler », conclut Boubacar.

Jende raccrocha.

Il laissa tomber le téléphone sur ses genoux.

Il ne bougea pas.

Il ne pouvait pas bouger.

Même son esprit ne pouvait pas bouger ; la faculté de générer des pensées l'avait déserté.

Ce qu'il craignait plus que tout depuis ces trois dernières années venait de se produire, et l'impuissance qu'il ressentit fut pire que ce qu'il imaginait. S'il n'avait pas eu tant de fierté, il aurait pleuré, mais ses larmes, bien sûr, auraient été vaines. Ses jours en Amérique étaient comptés, et des flots d'eau salée coulant de ses yeux n'y pouvaient rien changer.

Les piétons de l'Upper West Side passaient devant lui. Des bus de la MTA s'arrêtaient non loin de là. Un essaim de gamins sur des trottinettes déferla, suivi par trois femmes – leurs mères ou grand-mères ou tantes ou nounous –, les priant d'aller moins vite, de faire attention. Mighty allait bientôt sortir de son cours de piano. Sa baby-sitter l'appellerait dans douze minutes environ pour lui demander d'approcher la voiture. Que devait-il faire pendant ces douze minutes ? Appeler Neni ? Non. Elle était sans doute en chemin pour aller chercher Liomi à l'étude. Appeler Winston ? Non. Winston travaillait. L'appeler à son travail pour lui annoncer une mauvaise nouvelle n'était pas chose correcte ; en outre, Winston n'aurait rien pu y faire.

Personne ne pouvait rien y faire. Personne ne pouvait le sauver des griffes de l'Immigration. Jende allait devoir rentrer chez lui. Il allait devoir rentrer dans un pays où la possibilité d'une vie meilleure était l'apanage d'une poignée de gens bien nés, dans une ville que fuyaient quotidiennement les rêveurs comme lui. Jende et sa famille allaient devoir rentrer à New Town les mains vides, sans rien d'autre que des fables sur ce qu'ils avaient vu et fait en Amérique, et lorsque les gens demanderaient pourquoi ils étaient revenus et pourquoi ils habitaient de nouveau dans la *caraboat house* délabrée de ses parents, Jende et sa famille seraient obligés de raconter un mensonge, un très bon mensonge, car il n'y aurait d'autre façon d'échapper au discrédit et à la honte. La honte, Jende pouvait vivre avec, mais échouer en tant que père, en tant que mari...

Il regarda par la vitre les gens qui marchaient sur Amsterdam Avenue. Aucun d'entre eux ne semblait se soucier que ce jour soit peut-être l'un de ses derniers en Amérique. Certains riaient.

Ce soir-là, après avoir appris la nouvelle à Neni, il la vit pleurer ses premières larmes de tristesse depuis son arrivée.

« Qu'est-ce qu'on va faire ? lui demanda-t-elle. Qu'est-ce qu'il faut faire ?

— Je ne sais pas, répondit-il. Ma parole, sèche tes yeux, Neni. Les larmes ne nous feront pas avancer.

— Oh, *Papa God*, qu'est-ce qu'on va faire maintenant ? pleura-t-elle, ignorant son imploration. Comment continuer à nous battre ? Combien allons-nous encore devoir dépenser maintenant ?

— Je ne sais pas, répéta Jende. Je vais rappeler

Boubacar pour en discuter. J'ai reçu un tel choc en apprenant la nouvelle… comme si quelqu'un m'avait mis un oreiller sur la figure pour m'étouffer. »

Ils allaient devoir utiliser l'argent qu'ils avaient mis de côté, décidèrent-ils. Tout l'argent : les quelques milliers de dollars qu'ils avaient économisés en fixant un budget mensuel à ne pas dépasser et qui, avaient-ils espéré, serviraient un jour à rénover la maison des parents de Jende, à constituer un apport pour acheter un appartement dans le comté de Westchester, à financer les études de Liomi. S'il était nécessaire de faire une croix sur leur abonnement Internet, de prendre un deuxième travail, il en serait ainsi. S'ils devaient se coucher le soir avec la faim au ventre, il en serait ainsi. Ils feraient tout pour rester aux États-Unis. Pour donner à Liomi une chance de grandir ici.

« Est-ce qu'on en parle à Liomi dès maintenant, pour qu'il soit préparé ? » demanda Neni.

Mais Jende secoua la tête et dit :

« Non, laissons-le rester heureux. »

10

Elle s'efforça d'avancer au milieu de la ville, depuis son travail jusqu'à l'école, puis la maison, car elle devait faire comme si rien n'avait changé, comme si leur vie ne s'était pas effondrée en un instant. Elle ne pouvait esquisser un sourire, chanter une chanson ou laisser libre cours à ses pensées sans que s'immisce dans son esprit le mot « expulsion », et malgré tout elle avança, un pied devant l'autre, le matin qui suivit la nouvelle, dans sa blouse rose et ses baskets blanches, prête à affronter une longue journée de travail, son sac à dos bourré sur ses épaules pour pouvoir étudier pendant que le patient dormait. Épuisée mais vaillante, elle effectua chaque jour de cette semaine le trajet entre Harlem et Park Slope, puis entre Park Slope et Chambers Street, malgré une si méchante migraine qu'elle en grognait sur le quai du métro chaque fois qu'un train approchait en crissant. Un jour, sur le chemin du travail, elle songea tout à coup à descendre du wagon pour se précipiter dans les toilettes du premier Starbucks venu et pleurer tout son saoul, mais elle résista. En effet, à quoi avaient servi ses larmes jusqu'ici ? Ce dont elle avait besoin, c'était de retrouver le sommeil, de cesser de passer des nuits blanches à penser au pire, qui n'était pas encore arrivé. « On verra bien », disait chaque jour Jende, mais Neni ne voulait pas de « on verra bien ». Elle voulait avoir la maîtrise de sa vie, ce qui n'était de toute évidence plus le cas. Le simple fait de penser que quelqu'un, un inconnu, déciderait de son avenir suffisait à faire redoubler sa migraine, comme si mille marteaux lui tapaient sur le crâne. Cette impuissance la broyait. Avoir voyagé jusqu'en Amérique uniquement pour se voir rappeler combien elle était vulnérable ; comme la vie pouvait être injuste !

Six jours après la nouvelle, son mal de tête se calma – non parce que ses peurs s'étaient atténuées, mais parce que le temps finit par tout apaiser –, mais de nouveaux symptômes apparurent : perte d'appétit ; besoin fréquent d'uriner ; nausée. Ces symptômes ne pouvaient signifier qu'une seule chose, elle le savait, une chose pour laquelle on ne pouvait pleurer. Et pourtant, lorsqu'elle la confia à Jende, elle éclata en sanglots, sa joie et son désespoir tellement emmêlés qu'elle semblait pleurer des larmes de joie d'un œil et des larmes de désespoir de l'autre. Elle ne fut pas capable de rire d'émerveillement, comme lui, à l'idée qu'ils y étaient enfin arrivés, au moment même où tous les deux avaient cessé de se demander s'ils réussiraient un jour, après deux ans d'insuccès. Elle avait du mal à apprécier une nouvelle aussi fantastique en une période comme celle-ci, mais elle espérait bientôt retrouver sa joie, dès qu'elle pourrait manger sans tout rendre et arriver au bout d'une journée sans avoir l'impression de n'être qu'un amas d'hormones.

« Maman, lui dit Liomi un matin, alors qu'elle

emballait son déjeuner. N'oublie pas la réunion parents-professeurs aujourd'hui, s'il te plaît. »

Dis à ta maîtresse que je ne pourrai pas venir, voulut-elle lui répondre, mais elle le regarda, assis dans leur coin repas devant son bol de céréales, rayonnant de naïveté comme seuls le font les enfants, et sut immédiatement qu'elle ne pouvait manquer cette réunion, car Jende avait raison : ils devaient le laisser rester heureux.

« Liomi est un bon élément », lui dit la maîtresse pour nouer la conversation, lorsqu'elle arriva de son travail avec quinze minutes de retard.

Neni acquiesça d'un air absent. Liomi était bon élève, oui, elle le savait – elle restait près de lui presque tous les soirs lorsqu'il faisait ses devoirs. Elle n'avait pas besoin de se rendre à une réunion pour l'entendre, pas après avoir passé dix heures auprès d'un homme alité, tandis que son ventre criait famine, car elle n'avait pas déjeuné en raison de sa perte d'appétit. Ce jour-là avait été aussi abominable que les autres à la maison de santé – chaque fois que l'homme, en toussant, lui avait demandé sa timbale pour y cracher ses glaires jaunes et rondes comme des pastilles, la nausée avait repris Neni, l'obligeant à courir aux toilettes pour vomir l'eau et les crackers qu'elle avait avalés le matin.

« La seule chose qui me préoccupe à son sujet, poursuivit la maîtresse, c'est que…

— Qu'est-ce qui vous préoccupe à son sujet ? l'interrompit Neni, soudain éveillée.

— Oh, rien de très grave », lui répondit la maîtresse avec un rire bref, et un léger accent (espagnol ? italien ?) dans sa voix chaleureuse.

Neni se demanda si cette femme était elle-même une immigrée ou une fille d'immigrés. Si elle était immigrée, elle ne faisait pas l'effet d'une immigrée pauvre, à en juger par le spectaculaire diamant qu'elle portait au doigt et le sac Coach posé sur le bureau. Elle semblait âgée de vingt-quatre ans tout au plus, sans doute en poste depuis un ou deux ans, et il apparut clairement à Neni, vu son aisance et sa facilité à sourire, que son travail lui plaisait sincèrement et que, quelles que soient les raisons qui l'avaient poussée vers ce métier, cette jeune femme croyait à ce qu'elle faisait, à ce qu'elle pouvait apporter à la vie de ces enfants. De toute évidence, cette maîtresse était bien différente de celle sur laquelle Liomi était tombé l'année passée, une femme résignée qui avait secoué la tête et soupiré au moins dix fois pendant la rencontre avec les parents.

« Liomi est un bon élément, madame Jonga, répétait-elle, mais il pourrait être plus attentif en classe.

— Attentif, eh ? »

La maîtresse hocha la tête.

« Juste un petit peu, oui. Cela pourrait faire une grosse différence.

— Et que voulez-vous dire, par "il pourrait être plus attentif" ? Qu'il dort quand vous parlez ?

— Oh, non, pas du tout », répondit la maîtresse en souriant de nouveau, sans doute pour la mettre à l'aise.

Son maquillage et son rouge à lèvres rose venaient d'être appliqués, comme si la jeune femme s'était rafraîchie entre le moment où la cloche avait sonné et le début de la réunion ; chaque mèche de cheveux était parfaitement rentrée dans son joli chignon. Neni trouvait qu'elle avait l'air de s'être apprêtée pour sortir avec son fiancé ou se rendre dans les bars où les jeunes femmes sans obligations familiales allaient boire et rire après le travail.

« Je n'ai pas dit qu'il n'était pas attentif, précisat-elle. Il l'est. Il écoute en classe. Mais de temps à autre, il est un peu dissipé. Lui et son petit copain Billy…

— Ils font quoi ? »

Neni entendit la colère qui résonnait dans sa voix, mais ne prit pas la peine de dire à la maîtresse que cette colère n'était pas dirigée contre elle.

« Billy est le pitre de la classe. Liomi ne peut pas s'empêcher de rire à toutes ses bêtises. Liomi est un enfant formidable, madame Jonga. Il est discipliné, vif d'esprit, il a toutes les qualités. Mais je suis sûre que je ne vous apprends rien ; on voit à sa manière de travailler combien vous vous impliquez dans sa scolarité.

— Mais il fait du bruit en classe.

— Il aime beaucoup rire. Ce qui n'est pas un problème, évidemment. C'est une bonne chose d'être heureux, comprenez-moi bien, mais lorsqu'il est en classe il serait profitable pour lui d'être moins… "bon public", vous comprenez ?

— Vous lui avez parlé ? Il ne vous écoute pas ?

— Si, parfois. J'ai changé Liomi et Billy de place, ils sont loin l'un de l'autre à présent. Mais il n'y a pas que Liomi. D'autres enfants se laissent distraire par les pitreries de Billy – nous sommes en train de régler le problème. Mais en attendant, il pourrait être bénéfique d'aider Liomi afin qu'il ne continue pas à…

— Oh, ne vous inquiétez pas, cela ne va pas continuer, coupa Neni en écarquillant les yeux tandis

93

qu'elle boutonnait sa veste. Toutes ces bêtises auront cessé dès demain. »

La maîtresse hocha la tête, s'apprêtant à ajouter un mot, mais Neni avait déjà franchi la porte. Elle ordonna à Liomi de se lever et celui-ci obéit, sautant de son banc dans le couloir avant d'enfiler son sac à dos. Elle ne lui adressa pas un mot de tout le chemin du retour, même si elle lui tint fermement la main tandis qu'ils descendaient Frederick Douglass Boulevard, la serrant encore plus fort lorsqu'ils passèrent devant la cité où deux jeunes s'étaient fait tuer par balle une semaine plus tôt.

De retour chez eux, elle lui donna des crackers et du jus. Elle sentit sa peur en le voyant enfourner frénétiquement son goûter.

« Lio », lui dit-elle d'une voix douce, une fois son quatre-heures terminé.

Elle lui demanda de venir s'asseoir près d'elle sur le sofa. Jamais elle n'aurait pensé lui parler aussi calmement en sortant de la réunion parents-professeurs, mais sans trop savoir pourquoi, le fait d'être passée devant l'endroit où ces garçons étaient morts puis de le voir manger ses crackers d'un air si triste avait attendri son cœur.

« Lio, sais-tu pourquoi nous t'envoyons à l'école ? » demanda-t-elle.

Il acquiesça, les yeux baissés pour éviter son regard.

« Est-ce que nous t'envoyons à l'école pour jouer, Liomi ? »

Il secoua la tête.

« Dis-moi pourquoi nous t'envoyons à l'école.

— Pour que je puisse apprendre, répondit-il en articulant, presque avec honte.

« — Pour apprendre et quoi d'autre ?

— Pour… c'est tout, maman. Pour apprendre, voilà.

— Alors, pourquoi tu joues en classe ? Eh ? Pourquoi tu n'écoutes pas la maîtresse ? »

Il leva les yeux vers elle, les baissa, regarda le mur, mais ne dit rien.

« Réponds-moi ! cria-t-elle. Qui est Billy ?

— C'est mon copain.

— Ton copain, eh ? »

Il acquiesça sans la regarder.

« Parce qu'il est ton copain, tu dois le laisser te distraire ? Je ne t'ai pas répété que quand il est question d'apprendre, on ne se laisse jamais distraire ?

— Mais, maman, je n'ai rien fait…

— Écoute-moi, Liomi ! Ouvre tes oreilles et écoute-moi, car je vais te le dire une fois, et je ne le dirai jamais plus. Tu ne vas pas à l'école pour jouer. Tu ne vas pas à l'école pour te faire des copains. Tu vas à l'école pour t'asseoir en silence dans ta classe et ouvrir tes oreilles grandes comme des feuilles de *gongo*. Est-ce que c'est compris ? »

L'enfant opina.

« Ouvre ta bouche et dis "Oui, maman" !

— Oui, maman.

— Tu crois que papa part travailler tous les jours pour que tu puisses jouer à l'école ? Sans l'école, tu ne seras rien. Tu ne seras jamais personne. Papa et moi, nous nous levons tous les jours et nous faisons tout pour te donner une bonne vie et que tu deviennes un jour quelqu'un, et toi, en échange, tu vas à l'école pour jouer en classe ? Sais-tu ce qui va se passer si je raconte à papa ce que la maîtresse m'a dit ?

95

Il sera content d'entendre que tu crois l'école faite pour jouer, tu penses ?

— Maman, s'il te plaît…

— Pourquoi ne pas lui raconter ?

— Je ne recommencerai plus…

— Essuie tes yeux, dit-elle. Je ne lui dirai pas. Mais si j'entends encore dire que tu fais des pitreries en classe… » Il hocha la tête, séchant ses larmes du revers de la main. « J'espère bien, car tu ne sais pas à quel point j'ai eu mal en entendant ta maîtresse aujourd'hui. »

Les lèvres de Liomi se mirent à trembler, et lorsqu'elle les regarda, puis regarda son visage mouillé de larmes, son cœur s'attendrit de nouveau. Elle se rapprocha et lui sécha les joues du plat de la main.

« Tu seras parmi les meilleurs à l'école, Liomi, dit-elle en s'essuyant sur sa blouse. Tu sortiras du lycée avec des A, puis tu iras dans une bonne université et tu deviendras docteur ou avocat. Tu as envie de devenir avocat comme oncle Winston ou médecin comme le Dr Tobias, pas vrai ? »

L'enfant secoua la tête.

« Pourquoi secouer la tête ? Tu ne veux pas devenir docteur ou avocat ?

— Je veux devenir chauffeur.

— Chauffeur ! s'exclama Neni. Tu veux devenir chauffeur ? »

Liomi acquiesça, levant vers elle des yeux incrédules.

« Oh, Lio, dit-elle en riant, heureuse de ce moment de légèreté, le premier de sa journée. Crois-tu que papa choisirait d'être chauffeur s'il pouvait faire autre chose ? Si papa est chauffeur, ce n'est pas par choix.

Si papa est chauffeur, c'est parce qu'il a abandonné l'école. Et il ne pourra plus jamais la reprendre, maintenant, parce qu'il doit travailler pour que toi et moi puissions étudier. Le travail de chauffeur est un bon travail pour papa, mais ce ne sera pas un bon travail pour toi. »

Il regarda sa mère et se força à sourire.

« Je te l'ai déjà dit et te le dirai toujours : l'école, il n'y a que ça pour les gens comme nous. Si nous ne réussissons pas à l'école, nous n'avons aucune chance de nous en sortir dans ce monde. Tu le sais, pas vrai ? »

Il acquiesça.

« Papa et moi, nous voulons que tu ne sois jamais obligé de devenir chauffeur. Jamais. Nous voulons que ce soit toi qui aies un chauffeur. Peut-être que tu deviendras un homme important de Wall Street, comme M. Edwards, eh ? Là, nous serons heureux. Mais d'abord, tu dois réussir à l'école, d'accord ? »

À nouveau, Liomi acquiesça et elle lui sourit, puis lui caressa la tête. Pour la première fois depuis que Boubacar avait appris à Jende leur expulsion imminente, Neni ressentait de l'espoir. Jusqu'au jour où elle quitterait ce pays, elle continuerait à croire qu'elle et sa famille avaient une chance d'y arriver.

Lorsque Jende rentra du travail aux environs de 18 heures (car M. Edwards était à l'étranger pour affaires et Mme Edwards avait annulé son programme de la soirée à cause d'un rhume), elle lui servit son dîner puis partit pour son cours d'algèbre de 20 heures, sans lui répéter ce qu'avait dit la maîtresse de Liomi. Elle s'installa au premier rang, comme toujours, persuadée que la proximité physique avec

97

les professeurs avait un effet direct sur ses notes. Mais ce soir-là, sa théorie fut une nouvelle fois invalidée : l'enseignant rendit les copies de la semaine passée ; elle n'avait eu qu'un B −.

« Je... Je ne comprends pas cette note, professeur, dit-elle à la fin du cours, après avoir traîné assez longtemps pour que tous les autres soient partis.

— Vous contestez la note ? demanda l'enseignant, qui rangeait un dossier dans son sac pour homme bordeaux.

— Non, je ne crois pas que je la conteste, répondit-elle. Mais je suis restée debout toute la nuit, la veille de l'examen, pour réviser. J'ai fait beaucoup d'exercices, professeur.

— Je ne suis pas sûr de comprendre ce que vous me demandez.

— Tout ce travail pour ça... Je n'aime pas travailler autant pour obtenir un si mauvais résultat. Je n'aime pas ça ! Je fais pourtant tout mon possible, mais je n'arrive pas à avoir de bonnes notes en algèbre, et toute ma moyenne va baisser maintenant...

— Je suis désolé, répondit-il alors qu'elle se dirigeait vers la porte.

— Merci, professeur, dit-elle en se retournant. Je ne suis pas en colère contre vous.

— Vous pourriez m'expliquer votre problème par e-mail ? Je serais très heureux de savoir ce qui vous cause des difficultés. »

Elle soupira et répondit par un signe de tête, à la fois trop fatiguée et trop énervée pour parler.

« Et haut les cœurs, ajouta l'enseignant. Beaucoup d'étudiants seraient ravis d'avoir un B −. »

11

Autour de lui, des touristes et des New-Yorkais bavardaient ou s'ignoraient, chacun drapé dans son bonheur, son malheur ou son indifférence. Un éclat de rire résonna à l'autre bout du wagon, un rire doux qui, n'importe quel autre jour, l'aurait fait se retourner pour regarder, car il aimait voir les visages d'où émanaient des bruits de joie. Mais ce soir-là il était incapable de prêter attention à la gaieté des autres. Il gardait la tête baissée, immergé dans sa propre misère. Voilà où tout cela m'a mené, pensait-il. Voilà à quoi toute cette souffrance a servi. Où avait-il failli ? Il se frotta les joues du plat de la main. Qu'allait-il faire à Limbé s'il retournait là-bas ? La municipalité aurait peut-être un travail pour lui, mais sans doute un travail d'ouvrier. Il n'était pas question, aussi bien Là-Haut qu'Ici-Bas, de retourner balayer les rues et ramasser chiens et chats crevés. Peut-être partirait-il pour Yaoundé ou Douala, pour trouver là-bas une place de chauffeur chez un important. Pourquoi pas… Mais il ne dégoterait jamais une telle place sans piston, et personne parmi ses connaissances n'était solidement lié à un ministre, un grand patron ou un autre de ces importants qui tenaient les rênes du pays et cherchait constamment chauffeurs ou gardes du corps pour les talonner de l'aube au crépuscule, courir les boutiques pour leurs épouses et leurs maîtresses et laisser leurs enfants se prendre pour de petits princes et de petites princesses. Si, par chance, il décrochait un aussi bon travail, peut-être pourrait-il reconstruire sa vie en l'espace de… Non, il ne fallait pas penser à ce qu'il ferait au Cameroun. Il n'avait pas l'intention d'y retourner. Il n'avait *jamais* eu l'intention d'y retourner. Tout s'était passé comme il l'avait prévu, jusqu'à présent. Il se trouvait en Amérique. Neni l'avait rejoint. Liomi était devenu un petit Américain. Personne n'allait retourner à Limbé. Oh, *Papa God*, ne les laisse pas m'expulser, pria-t-il. Je t'en supplie, bon Dieu. Je t'en supplie.

« La place est libre ? » fit soudain une voix agréable.

Il leva la tête et découvrit un jeune Noir qui pointait du doigt la place voisine, où son sac était posé.

« Oh, oui, répondit-il en déplaçant le sac par terre, entre ses jambes. Désolé. »

Il baissa la tête de nouveau et soupira. Quels étaient ses choix ? Que faire pour rester ? Rien, sauf implorer la clémence du juge, lui avait dit Boubacar. À moins qu'il n'en parle à M. Edwards. Oui, à moins d'aller dire la vérité à M. Edwards sur sa situation. M. Edwards pourrait sans doute l'aider. Il pourrait peut-être lui donner de l'argent pour embaucher un meilleur avocat. Mais Winston avait dit qu'il valait mieux rester avec Boubacar. Boubacar avait beau être un *mbutuku* sans utilité, avait dit Winston, il n'en restait pas moins celui qui avait monté son dossier, et celui qui, par conséquent, saurait le mieux défendre son cas. Winston était sûr que le juge n'allait pas expulser Jende – les juges de l'Immigration new-yorkais étaient connus pour leur indulgence, avait-il entendu dire.

Cette pensée ne lui fut d'aucun réconfort.

Jende entendit la voix enregistrée annoncer son arrêt, à la prochaine station. Il leva la tête. Presque tous les Blancs étaient descendus. Ne restaient quasiment plus que des Noirs autour de lui. De nouveaux Noirs montèrent. Il sut alors que le métro était à Harlem, 125ᵉ Rue. Il ramassa son sac et attendit devant les portes. Lorsqu'il sortit, à la 135ᵉ Rue, il se rendit chez l'épicier à l'angle de Malcolm X Boulevard et s'acheta un Coca light pour se changer les idées, pour l'aider à produire un sourire forcé quand il rentrerait chez lui et verrait Neni l'attendant à la table avec l'air déconfit d'un basset.

Le lendemain soir, il appela Boubacar depuis la voiture pendant que Cindy se rendait chez l'esthéticienne avec son amie June, sur Prince Street. Une semaine s'était écoulée depuis l'appel de Boubacar, et tous les jours Jende avait songé à rappeler l'avocat pour obtenir des détails sur l'affaire, mais chaque fois qu'il avait pris son téléphone, une pensée l'avait empêché de composer le numéro, une pensée qui disait : et si Boubacar avait d'autres mauvaises nouvelles à lui annoncer ?

Mais il lui dit :

« Écoute, mon frère. Ces choses-là prennent du temps, eh ? Les juges pour l'immigration sont surbookés en ce moment – il y a trop de gens que le gouvernement veut expulser, et pas assez de juges pour les condamner. Tu aurais dû recevoir ton assignation à comparaître il y a bien longtemps, mais au train où vont les choses, je ne sais pas quand tu la recevras, car j'ai beau appeler tous les jours le service de l'immigration, personne n'a aucune indication à me donner. La comparution ne se fera peut-être pas avant six mois, ou même un an. Et à ce moment-là, le juge pourra encore te reconvoquer, et il faudra encore attendre Dieu sait combien de temps. Et même si le juge rejette ta demande d'asile, mon frère, nous pourrons toujours faire appel. Nous pourrons même faire appel plusieurs fois.

— Eh ? fit Jende. Tu veux dire que je ne risque pas d'aller maintenant devant le juge et de me faire expulser du jour au lendemain ?

— Clairement pas, répondit l'avocat. La procédure est encore très longue.

— Je peux donc vivre encore beaucoup d'années dans ce pays ?

— Beaucoup d'années ? répéta Boubacar d'une voix moqueuse. Trente ans, si tu veux ! Je connais des gars qui sont en pourparlers avec l'Immigration depuis leur arrivée. Ils ont eu le temps d'étudier, de se marier, de faire des enfants, de monter leur business, de faire de l'argent, d'en profiter. La seule chose que tu ne dois pas faire, c'est sortir du pays. Mais quand tu es en Amérique, pourquoi tu veux aller ailleurs, *abi* ? »

Jende rit. C'était vrai, pourquoi vouloir aller ailleurs quand on était en Amérique. Tout ce qu'un homme désirait voir – des montagnes, des vallées, des villes merveilleuses –, tout y était, et si Dieu le voulait, une fois l'argent mis de côté, il emmènerait sa famille visiter d'autres endroits du pays. Peut-être vers l'océan

Pacifique, où Vince Edwards lui avait raconté avoir contemplé un coucher de soleil qui l'avait presque fait pleurer et s'incliner devant la beauté de l'univers, devant ce magnifique cadeau qu'est notre Présence sur Terre, car il avait alors compris la vanité qu'il y avait à poursuivre d'autres buts qu'Amour et Vérité.

Jende commença à se sentir plus léger, comme une feuille libérée du poids d'un caillou. Sa situation n'était pas du tout aussi grave qu'il le craignait. Il demanda à Boubacar combien cela lui coûterait de mener son combat jusqu'au bout. « Quelques milliers de dollars, répondit l'avocat. Mais inutile de t'inquiéter maintenant. Tu as déjà dépensé beaucoup d'argent pour en arriver là. Cesse d'y penser, et économise pour la bataille qui t'attend. Quand le tribunal t'enverra ton assignation, nous discuterons d'un plan de paiement.

» Ta situation est meilleure que celle de beaucoup d'autres, ajouta Boubacar. Tu as une femme qui travaille, même si elle n'a pas d'autorisation. Comme l'Immigration a mis plus de cent cinquante jours à traiter ton dossier, j'ai pu les forcer à te donner un permis de travail. Au moins, tu as pu bosser légalement. Au moins, tu n'es pas tout seul, mon frère. Vous pouvez tous les deux travailler et payer les factures. Il y a des gens qui n'ont même pas de boulot.

— Mais quoi faire pour mon permis de travail ? Est-ce que je vais pouvoir le renouveler maintenant que l'Immigration veut m'expulser ?

— Ton employeur t'a demandé de montrer ton permis de travail quand il t'a embauché ? demanda Boubacar.

— Non.

— Bien. Alors reste avec lui.

— Mais que va-t-il arriver si la police me contrôle et…

— Ne t'inquiète pas pour des choses qui ne vont jamais arriver, mon frère.

— Donc, si la police m'arrête et voit que je bosse comme chauffeur alors que je n'ai pas de permis de travail, je n'aurai pas d'ennuis ?

— Écoute-moi, insista Boubacar qui commençait à s'impatienter. Dès lors que l'on touche à l'immigration, il y a beaucoup de choses qui sont illégales et beaucoup de gris, aussi. Le gris, ce sont des choses illégales, mais sur lesquelles le gouvernement ferme les yeux, faute de temps pour les traiter. Tu comprends ça, *abi* ? Le conseil que je te donne est le suivant : reste dans le gris, protège-toi, et protège ta famille. Reste à l'écart des endroits où guette la police. Voilà le conseil que je te donne, et que je donne à tous les hommes noirs de ce pays. La police sert à protéger les Blancs, mon frère. Peut-être aussi les femmes noires et les enfants noirs, mais pas les hommes noirs. Jamais les hommes noirs. Les hommes noirs et la police sont comme l'huile de palme et l'eau. Tu comprends ça, eh ? »

Jende répondit que oui.

« Profite, mon frère, et mets de côté tout l'argent que tu peux, conclut Boubacar. Peut-être qu'un jour, *Inch'Allah*, un projet de loi sur l'immigration comme celui pour lequel Kennedy et McCain ont mené leur combat sera approuvé par le Congrès, et que le gouvernement donnera des papiers à tout le monde. Là, ton *wahala* sera terminé.

— Mais, monsieur Boubacar, quand ce projet a été refusé, il y a deux ans, j'ai perdu tout espoir.

— Non, ne perds pas tout espoir, répondit Boubacar. Peut-être qu'un jour Obama ou Hillary, si l'un d'entre eux gagne la place de président, donnera des papiers à tout le monde. Qui sait ? Hillary, cette femme aime les immigrés. Et Obama, cet homme doit connaître des Kenyans sans papiers qu'il aimerait aider.

— Une telle chose peut-elle vraiment arriver ?

— Elle le peut. Cela s'est déjà produit, une fois, je crois, en 1983. Cela peut encore arriver, mais nous ne devons pas seulement espérer. Nous devons continuer à essayer d'avancer par nos propres moyens, continuer de dormir avec un œil ouvert, eh ? Car en attendant le jour où tu deviendras un citoyen américain, l'Immigration te collera toujours aux fesses ; chaque jour que fait le bon Dieu, elle te suivra partout, et tu auras besoin d'argent pour te battre si l'Immigration décide qu'elle n'aime pas l'odeur de tes pets. Mais, *Inch'Allah*, un jour tu deviendras citoyen, et rien ni personne ne pourra plus *jamais* te toucher. Le temps de la peur sera fini pour ta famille et toi. Vous pourrez dormir enfin, et commencer à apprécier votre vie dans ce pays. Ça va être bon, ça, eh, mon frère ? »

12

Elle le retrouva dans un café en face de la bibliothèque sur la 42ᵉ Rue, le même que les deux premières fois. Il avait répondu dans l'heure à l'e-mail qu'elle lui avait envoyé lorsqu'il lui avait proposé de convenir d'un rendez-vous pour discuter de ses difficultés en algèbre, dans un café puisqu'il ne possédait pas de bureau, n'étant pas un professeur à proprement parler mais simplement un doctorant en mathématiques au Centre d'études supérieures qui enseignait pour arrondir ses fins de mois et acquérir de l'expérience. Il se rendait dans ce café tous les dimanches pour étudier, lui avait-il dit lors de leur premier rendez-vous, et se réjouissait d'y retrouver des étudiants, même s'il déplorait que ces séances particulières en attirent si peu. « Je vous suis très reconnaissante de m'avoir fait cette proposition, professeur », lui avait-elle dit, ce qui le conduisit une fois encore à lui rappeler qu'elle n'avait pas besoin de l'appeler ainsi. « Appelez-moi Jerry, comme tous vos camarades », avait-il répondu, mais elle ne put s'y résoudre, car il fallait s'adresser comme il se devait à un enseignant, ainsi qu'elle l'avait appris à l'école élémentaire.

« Voici mon fils, Liomi, professeur, lui dit-elle en tirant une chaise à la table voisine pour le petit garçon lorsqu'elle arriva à leur troisième rendez-vous. Je suis désolée de l'avoir emmené avec moi, mais mon mari travaille, et je dois rejoindre mon amie après notre séance.

— Non, je vous en prie. Salut, Lomein, comment ça va ? »

Liomi sourit.

« Ouvre ta bouche et parle au professeur, lui ordonna-t-elle.

— Je vais bien, répondit Liomi.

— Tu as quel âge ? » entendit-elle alors qu'elle s'éloignait vers le comptoir pour aller commander deux tasses de chocolat.

Elle entendit Liomi répondre : « Six ans, bientôt sept », puis glousser à quelque chose que dit l'enseignant. Le temps d'arriver au bout de la longue file d'attente, Liomi et son enseignant discutaient déjà comme deux vieux amis, l'enseignant lui montrait des choses qu'il dessinait sur son bloc-notes et faisait des grands gestes de la main qui amusaient grandement Liomi.

« Vous avez des enfants, professeur ? » demanda-t-elle en posant les chocolats sur la table.

L'enseignant secoua la tête et, avec un faible sourire, répondit :

« J'aimerais bien.

— Je vous prête le mien si vous voulez.

— Oh, volontiers. Mais ne vous étonnez pas si je refuse de vous le rendre !

— On pourra s'arranger », répondit-elle en souriant, tandis qu'elle sortait son cahier.

Elle était contente de se sentir plus à l'aise avec le professeur, contente au point de plaisanter. Lors de leur première rencontre, se retrouver face à face avec un homme qu'elle connaissait à peine l'avait gênée au plus haut point : pendant toute l'heure, elle n'avait fait que hocher la tête pendant qu'il parlait, osant à peine poser des questions, craignant de dire des bêtises et de se rendre ridicule. Mais juste avant le deuxième rendez-vous, elle s'était convaincue qu'il ne servait à rien de se déranger jusqu'en centre-ville si ce n'était pas pour profiter pleinement de sa séance et, au bout du compte, améliorer ses notes. Ainsi, malgré sa nervosité, elle s'était forcée à poser de nombreuses questions, et l'enseignant avait répondu, même aux plus bêtes d'entre elles. Au moment du troisième rendez-vous – toujours un peu nerveuse, au point d'avoir ordonné à Liomi de ne pas ouvrir la bouche devant le professeur, de peur que, fâché d'être dérangé par un enfant, il ne s'en aille –, elle se sentait beaucoup plus à l'aise, tellement, en fait, qu'à la fin de la séance elle et l'enseignant se retrouvèrent à se raconter leur vie. Son père était un militaire de carrière, apprit-elle, grâce à qui il avait vécu dans de nombreuses villes d'Amérique et d'Europe. L'Allemagne était son pays préféré, dit-il, car, même enfant, il avait senti là-bas l'admiration que portaient les gens aux Américains, et trouvait formidable d'être aimé parce qu'il venait de ce pays. Neni brûlait d'envie de savoir plus précisément à quoi ressemblait cette vie, s'il avait été difficile ou plaisant de changer chaque fois d'amis, mais comme elle ne savait pas quelles étaient les questions convenables à poser à un professeur et quelles étaient les questions qu'on ne posait pas, elle lui raconta à la place sa vie à Limbé, une ville dont elle ne s'était jamais éloignée de plus de vingt miles. Elle rit à sa propre remarque, qu'elle trouva aussitôt grotesque. Le professeur, quant à lui, était curieux d'en savoir plus sur son souhait de devenir pharmacienne, mais Fatou arriva en avance, accompagnée de ses deux plus jeunes enfants, ce qui mit fin à leur conversation.

« Nous allons laisser les enfants aux jeux, annonça Fatou au professeur tout en prenant la chaise voisine de Liomi, après que Neni eut fait les présentations et envoyé les enfants chercher des cookies. Ensuite, on va partir se faire faire les sourcils et les ongles et manger au chinois à volonté, car c'est le jour des mères, aujourd'hui, il faut vraiment, vraiment fêter ça.

— Mince, remarqua l'enseignant. J'avais complètement oublié la fête des Mères. Il faudrait que j'appelle la mienne et que je lui trouve un petit cadeau.

— À votre femme aussi, ajouta Fatou.

— Je ne suis pas marié.

— Une bonne amie, alors ? »

Sous la table, Neni donna un coup de pied à Fatou.

« Un bon ami, la corrigea l'enseignant.

— Un bon ami ? » s'exclamèrent en chœur les deux femmes.

Le professeur éclata de rire.

« Je parie que vous ne connaissez pas beaucoup d'hommes qui ont des petits copains ! »

Fatou secoua la tête. Neni ne pouvait plus fermer la bouche.

« Je ne connaissais pas d'hommes gays dans mon pays, répondit Fatou. Mais il y en avait un dans mon village, là, qui marchait comme une femme. Avec la main en l'air et le *derrière** qui secouait quand il dansait.

— C'est drôle.

— Tout le monde disait : "Il y a une femme en lui", mais il avait une épouse et des enfants, alors personne ne disait "gay". Nous n'avons même pas de mot pour "gay". Donc, je suis ravie de faire votre connaissance !

— Mais je croyais que vous aimiez les enfants, remarqua Neni d'une voix encore interloquée.

— Oui, j'adore les enfants.

— Mais comment... Je croyais...

— J'ai toujours voulu avoir des enfants. Dès que j'aurai passé ma thèse, mon ami et moi, nous espérons pouvoir adopter.

— Vous pouvez prendre l'un des miens, dit Fatou en riant. J'en ai sept.

— Sept ! » Fatou acquiesça. « Ça alors !

— Moi aussi, je me dis ça tous les jours. "Ça alors, sept enfants !" *Un, deux, trois, quatre, cinq, six, sept, mon Dieu* !*

— Vous en voulez combien ? demanda Neni à l'enseignant.

— Un ou deux, mais sûrement pas sept ! »

Fatou et l'enseignant éclatèrent de rire, mais Neni ne parvenait pas à se remettre de la nouvelle. Comment pouvait-il être gay ? Pourquoi était-il gay ? « Je n'arrive pas à croire qu'il soit gay », ne cessa-t-elle de répéter à Fatou tandis qu'elles marchaient vers le métro avec leurs fils.

« Pourquoi tu répètes comme ça ? lui dit Fatou. J'ai vu ta tête quand il l'a dit !

— C'est que...

— C'est que tu aimes les grands Portoricains avec les longs cheveux, toi. Tu crois que je n'ai pas vu tes yeux briller devant lui ?

— Tous les Latinos deviennent des Portoricains avec toi !

— Il t'aime bien, tu l'aimes bien, eh !

— De quoi tu parles, là ? Je ne l'aime pas, moi.

— Tu ne l'aimes pas ? Moi, j'ai vu comment tu le regardais quand je suis entrée. Tu ris à toutes ses paroles, ha, ha, ha, très marrant. *Oh, oui, professeur, vraiment, professeur**.

— Je n'ai jamais dit ça !

— Alors pourquoi tu mens ?

— Quoi, je mens ?

— Pourquoi tu ne dis pas à Jende que tu vas voir le *professeur** dans le café ?

— Je t'ai dit : parce qu'il va s'inquiéter.

— Pourquoi "s'inquiéter" ?

— S'inquiéter pour les choses qui inquiètent les hommes quand leur femme a rendez-vous avec un professeur. À sa place, tu aimerais ça, toi ?

— Moi, je n'ai pas d'inquiétudes quand Ousmane va voir quelqu'un... Mais si Liomi raconte ?

— J'ai dit à Liomi de dire que j'allais étudier, et c'est la vérité. Quelle est la différence, si je dis à Jende que je vais étudier et si je lui dis que je vais voir mon professeur pour m'aider à travailler ? Dans tous les cas, c'est pour l'école.

— *Aha*, dit Fatou en descendant les marches vers la ligne D.

— Quoi, "aha" ?

— C'est bien pour ça que le mari de ma cousine l'a battue un jour quand elle est rentrée.

— Parce qu'elle est allée voir un professeur ?

— Non, non, répondit Fatou en secouant la tête et en agitant son index devant Neni. Parce qu'elle faisait ce que tu fais, toi. Le mari, il croit qu'elle est quelque part, mais il passe à un autre endroit et il la voit en train de boire une bière avec un gars. Le mari, il la traîne jusqu'à la maison, et il la bat, comme ça. Il dit : "Pourquoi tu mets la honte sur moi, pourquoi tu mens, pourquoi tu es avec ce bonhomme ?" Elle dit : "Oh, non, c'est juste mon ami", mais alors le mari dit : "Alors, pourquoi tu mens ?"

— Et ta cousine, elle a fait quoi ?

— Elle a fait quoi, eh ? Quand tu fais des choses bêtes, ton mari te bat. Voilà. Elle a retenu la leçon et son mariage continue, tout le monde est heureux. »

13

Même s'il aimait New York, chaque hiver, il se disait qu'il partirait dans une autre ville d'Amérique dès l'obtention de ses papiers. Cette ville-là était très bien, mais pourquoi passer quatre mois de l'année à grelotter tel un poulet mouillé ? Pourquoi se promener emmailloté dans diverses couches de vêtements comme les fous et les folles que l'on voyait déambuler dans les rues de New Town, à Limbé ? Si Boubacar ne l'avait pas prévenu qu'il valait mieux rester dans cette ville (les bureaux de l'Immigration y fonctionnaient beaucoup plus efficacement que la plupart des autres bureaux du pays, avait dit l'avocat), Jende aurait depuis bien longtemps plié bagage, car rien ne justifiait qu'un homme accepte de son plein gré de passer un si grand nombre de jours dans un endroit si froid, où la vie était chère et les rues bondées. Ses amis, Arkamo, qui habitait Phoenix, et Sapeur, de Houston, étaient du même avis. Ils l'avaient imploré de partir vivre dans leur ville chaude, où rien n'était cher. « Si tu viens là-bas, lui avait dit Arkamo, tu goûteras à la vraie vie à l'américaine. » « À Houston, avait dit Sapeur, la vie est plus douce que le jus de canne à sucre. » Chaque hiver, une demi-douzaine de fois au moins, Arkamo et Sapeur lui répétaient qu'il oublierait tout du *worwor* de New York, sitôt débarqué dans l'aéroport de leur ville, arpentant ses rues propres sans avoir besoin d'être affublé d'un gros manteau au mois de février. Leurs discours étaient si convaincants que, par les journées d'hiver les plus froides, Jende et Neni tapaient sur Google les mots « Houston » et « Phoenix » pour se renseigner sur ces lieux. Ils regardaient ensemble les photos qu'Arkamo et Sapeur envoyaient de leur grande maison et de leur 4×4 gigantesque ; si déterminé qu'il fût, dans ces moments-là, Jende ne pouvait que les envier. Ces hommes, comme d'autres qu'il connaissait dans ces villes, étaient arrivés de Limbé à la même époque que lui. Ils gagnaient autant (et même moins, travaillant comme aides-soignants certifiés ou manutentionnaires dans les grands magasins), et pourtant, ils achetaient des maisons – des ranchs avec trois chambres ; des maisons de ville avec quatre chambres et un jardin à l'arrière où jouaient les enfants et où, le 4 Juillet, ils organisaient des barbecues et faisaient griller du maïs et du *soya*. Arkamo disait à Jende qu'il était très simple de décrocher un prêt immobilier par les temps qui couraient, et lui avait promis que, aussitôt ses dispositions prises, il le mettrait en contact avec un responsable des crédits qui lui obtiendrait un prêt à taux zéro pour acheter une belle petite demeure. Tout ceci semblait merveilleux (l'une des nombreuses choses qui faisaient de l'Amérique un pays vraiment, vraiment formidable), mais Jende savait que jamais une telle possibilité ne lui serait offerte sans papiers. Arkamo et Sapeur avaient déjà des papiers – Arkamo grâce à sa sœur qui avait obtenu la citoyenneté et avait déposé une demande pour lui ; Sapeur en se mariant à une mère célibataire américaine qu'il avait rencontrée un soir au night-club, où il avait débarqué vêtu d'un costume trois pièces orange avec un borsalino rouge. Eux pouvaient se permettre de prendre des prêts à taux très bas qu'ils mettraient trente ans ou plus à rembourser, car ils étaient détenteurs de la *green card*. Aurait-il eu des papiers, Jende aurait lui aussi acheté une maison dans ces villes-là. Dès qu'il le pourrait, il déménagerait, sans doute plutôt à Phoenix, où Arkamo résidait dans un quartier sécurisé. Fini le froid pour lui ; fini les matins à souffler des nuages comme une bouilloire qui siffle sur le feu. Neni avait ses rêves, un appartement à Yonkers ou à New Rochelle, car elle aimait trop New York, où le temps était ou froid ou chaud. Elle ne voulait pas non plus quitter ses amies, mais Jende, lui, aurait laissé cette ville sans se retourner s'il ne s'était pas retrouvé pris dans les griffes de l'Immigration.

Chaque hiver, cette certitude revenait.

Mais venait ensuite le printemps, et ses rêves de Phoenix s'évaporaient comme la rosée du Marcus Garvey Park. Jamais alors il n'aurait imaginé ville plus belle, plus agréable, plus parfaite pour lui que New York. Dès que la température remontait au-dessus des douze degrés, la ville semblait se réveiller d'un profond sommeil et les buildings, les arbres et les statues chantaient comme un seul homme. Les lourds manteaux noirs disparaissaient au profit d'habits colorés. Partout dans Manhattan les gens semblaient prêts à chanter ou à danser. Sans l'air froid qui pesait sur eux, leurs épaules s'ouvraient, leurs bras s'écartaient et leurs sourires brillaient d'un grand éclat, car il n'était plus besoin de se couvrir la bouche pour parler. Comme il est triste, pensait souvent Jende, de voir comme l'hiver emporte avec lui tous ces simples plaisirs de la vie.

Le troisième jeudi de mai, tandis qu'il roulait sur la 57ᵉ Rue pour emmener Cindy chez Nougatine à un déjeuner avec ses meilleures amies, June et Cheri, il remarqua que presque tous les gens dans la rue semblaient heureux. Peut-être n'étaient-ils pas réellement heureux, mais ils en avaient l'air, certains couraient presque à toutes jambes dans l'air doux, se réjouissant de ce confort retrouvé. Lui aussi était heureux. Il faisait un peu plus de vingt degrés et, aussitôt après avoir déposé Cindy, il comptait garer la voiture au parking, payer avec son propre argent, et se ruer à Central Park pour y respirer l'air frais. Il comptait s'asseoir dans l'herbe, lire le journal, déjeuner près du lac ou d'une mare et…

Son téléphone portable sonna.

« Madame, je suis vraiment… je suis vraiment, vraiment désolé, madame », dit-il à Cindy en se rendant compte qu'il avait oublié de l'éteindre. Il fouilla dans la poche de sa veste avec précipitation en pestant contre lui-même. « Je jure, madame, je l'avais éteint ce matin. Je suis sûr que je l'ai éteint juste avant de…

— Vous pouvez décrocher, lui dit Cindy.

— C'est bon, madame, fit-il en jetant un coup d'œil à l'écran du téléphone avant de se dépêcher de le mettre sur silencieux. C'est seulement mon frère qui m'appelle du Cameroun.

— Ce n'est pas grave, répondez, insista-t-elle.

— OK, merci, madame, merci, dit-il en s'empressant

d'enfoncer son oreillette avant que son frère ne raccroche.

— Tanga, Tanga, lui dit-il. *I beg I no fit talk right now… Madam dey for inside motor… Wetin ?… Eh ?… No, I no get money… I don tell you say things them tight… I no get nothing… I beg, make I call you back… Madam dey for inside motor… I beg, I get for go*[1]. »

Après avoir raccroché, il lâcha un long soupir et secoua la tête.

« Tout va bien, j'espère ? demanda Cindy en ramassant son propre téléphone pour taper un message.

— Oui, madame, tout va bien. Pardon de vous déranger avec ce bruit. Cela ne se reproduira plus, je promets. C'était seulement mon frère qui m'appelle avec ses problèmes.

— Vous n'avez pas l'air bien. Est-ce qu'il a des ennuis ?

— Oui, madame, mais rien de très grave. Ses enfants ont été renvoyés de l'école, car ils n'ont pas payé la scolarité. Il m'appelle pour ça, pour que je lui envoie de l'argent. Il m'appelle tout le temps pour ça, tous les jours. »

Cindy ne répondit pas. La voix qui était sortie de Jende était chargée d'un tel désespoir qu'elle avait sans doute cru préférable de ne pas poser davantage de questions, de le laisser réfléchir tranquillement à la

---

1. Ma parole, je ne peux pas parler maintenant… Madame est dans la voiture avec moi… Quoi ?… Eh ?… Non, je n'ai pas d'argent… Écoute, tu crois que je m'en sors bien… Mais je n'ai rien… Ma parole, je te rappelle plus tard… Madame est dans la voiture avec moi… Ma parole, je dois y aller. *(N.d.T.)*

manière dont il pourrait aider son frère. Elle continua de taper son message sur son téléphone puis, après l'avoir posé, leva les yeux vers lui.

« C'est terrible », dit-elle.

Jende hocha la tête.

« C'est terrible, madame. Mon frère, il fait cinq enfants alors qu'il n'a pas d'argent pour s'en occuper. Et maintenant, je dois trouver un moyen de lui envoyer de l'argent, mais moi-même, je n'ai pas... »

Il tourna à droite sans terminer sa phrase ; elle n'insista pas davantage. Ils roulèrent en silence pendant les deux minutes suivantes, comme ils le faisaient quatre-vingt-dix pour cent du temps lorsqu'elle n'était pas au téléphone avec un ami ou un client.

« Mais ce n'est pas juste, fit-elle d'une voix soudain nouée. Les enfants ne devraient pas souffrir à cause de leurs parents.

— Non, madame.

— Ce n'est jamais la faute des enfants.

— Jamais, madame. »

Elle resta de nouveau silencieuse tandis qu'ils approchaient de Central Park West. Il l'entendit ouvrir son sac à main, puis le zip d'au moins une poche, avant de sortir son poudrier et son bâton de rouge à lèvres pour se remaquiller.

« Je suis sûre que tout va s'arranger pour les enfants, dit-elle en réappliquant son rouge avant de l'étaler, tandis qu'il se garait devant le restaurant. Vous finirez bien par trouver une solution.

— Merci, madame, dit-il. Je vais faire de mon mieux.

— Je n'en doute pas », répondit-elle, bien qu'il

parût évident qu'elle ne le croyait pas une seconde en mesure d'y faire quoi que ce soit.

Lorsqu'il fit le tour de la voiture pour lui ouvrir la portière, elle lui rappela de venir la chercher dans deux heures puis, sans crier gare, sortit un chèque de la poche avant de son sac à main et le lui tendit.

« Ça reste entre nous, d'accord ? lui souffla-t-elle en rapprochant sa bouche de son oreille. Je ne voudrais pas que les gens croient que j'ai pour habitude de distribuer de l'argent pour aider leur famille.

— Oh, *Papa God*, madame !

— Allez donc l'encaisser et envoyer l'argent à votre frère pendant mon déjeuner. Je détesterais que ces pauvres enfants manquent un jour d'école de plus à cause d'un peu d'argent.

— Je… Je ne sais même pas quoi dire, madame ! Merci, merci vraiment ! Je suis… Je suis si… Je suis très… Mon frère, toute ma famille, nous vous remercions tous beaucoup, madame ! »

Elle sourit et s'éloigna, le laissant sur le trottoir, la bouche à moitié ouverte. Il attendit de la voir monter les escaliers et entrer dans le restaurant pour déplier le chèque et regarder la somme. Cinq cents dollars. Il rentra dans la voiture et regarda de nouveau la somme. Cinq cents dollars ! Que le Seigneur bénisse Mme Edwards ! Mais son frère n'avait demandé que trois cents. Devait-il envoyer la totalité, ainsi que Mme Edwards l'avait demandé ? Il appela Neni pour lui raconter et lui demander son avis, mais elle ne décrocha pas ; elle se trouvait probablement à la bibliothèque, son téléphone en mode silencieux, afin de réviser pour ses examens terminaux. Mais il ne voulait pas attendre de rentrer à la maison pour en discuter avec elle, car Mme Edwards lui avait demandé d'envoyer l'argent le jour même, et il devait agir selon sa volonté – il avait tiré une leçon de ses années sur terre : les bonnes choses n'arrivent qu'à ceux qui honorent la bonté des autres. Aussi, après avoir garé la voiture, au lieu de se rendre à Central Park, il se rendit, en courant à moitié, dans une succursale de la banque Chase qui faisait face au Lincoln Center, encaissa le chèque, puis se remit en route, remontant Broadway vers le nord. Il resta sur le trottoir de droite, se dépêchant et transpirant sous le ciel bleu immaculé, oubliant de profiter de la douceur de cette journée, aveuglé par l'idée de trouver une agence Western Union et de retourner chercher Mme Edwards dans les temps. Quelque part autour de la 70e Rue, il finit par trouver et envoya à son frère les trois cents dollars dont les enfants avaient besoin. Il avait pesé le pour et le contre tout en remplissant le formulaire, concluant qu'il n'aurait pas été loyal d'envoyer tout l'argent que Mme Edwards avait donné. Car il savait ce que son frère aurait fait. Il savait que Tanga aurait dépensé le reste soit dans un cadeau pour sa nouvelle petite amie, soit dans une nouvelle paire de chaussures en cuir pour lui-même, et ce alors que ses enfants allaient à l'école en sandalettes en plastique tenues par du raphia. Offrir cette occasion à son frère n'aurait pas été honnête envers Mme Edwards. Mieux valait d'ailleurs mettre ces deux cents dollars de côté, sachant que, dans un mois ou deux, un nouveau frère, cousin, beau-parent ou ami appellerait en disant qu'il fallait de l'argent pour payer les factures d'hôpital, ou les nouveaux uniformes d'école, ou les habits de baptême, ou les leçons privées de français, puisque chaque enfant de

Limbé se devait d'être bilingue maintenant que le gouvernement avait déclaré que les générations futures de Camerounais parleraient couramment les deux langues nationales, l'anglais et le français. Quelqu'un aurait toujours quelque chose à lui demander au pays ; il ne se passait jamais un mois sans qu'arrive au moins un coup de fil pour lui demander de l'argent.

En attendant dans la voiture, les deux cents dollars en poche, il espéra avec ferveur que Cindy ne lui demanderait pas s'il avait envoyé la totalité de la somme, l'obligeant soit à lui répondre par une demi-vérité, soit à se lancer dans un long monologue pour lui expliquer comment fonctionnaient les rapports à l'argent avec la famille restée au pays, famille qui jamais n'exprimait la moindre reconnaissance, persuadée que les rues d'Amérique étaient pavées de dollars.

Vingt minutes plus tard, Cindy entra dans la voiture et sortit aussitôt son téléphone.

« Je suis toujours sans voix, Cheri, lâcha-t-elle. Mais alors sans voix ! Mon Dieu ! Mike ? *Mike ?*... Ça alors, je me sens tellement mal pour elle... Bien sûr qu'elle ne sait pas quoi faire ! Moi-même, je ne sais pas. J'ai bien vu que ça n'avait pas l'air d'aller fort quand je suis arrivée, mais de là à... Elle ne mérite pas ça !... Non !... Elle a toujours été merveilleuse avec lui. Trente ans de mariage, et tu te réveilles un beau jour à côté d'un type qui te dit qu'il en aime une autre ? Moi, je mourrais... Oui, je mourrais !... Bon, d'accord, j'exagère, mais je sais que je ne pourrais pas me lever le lendemain pour aller déjeuner avec des copines... Oh, là, là ! Mais j'y pense ! C'est exactement le genre de chose qui pourrait m'arriver. Je sens que ça me pend au nez, Cher. Un beau jour, je vais me réveiller et Clark me dira qu'il a trouvé une fille plus jeune et plus belle que moi, oh, mon Dieu ! C'est ça, c'est ça... Marre des vieilles, besoin de viande fraîche... Elle a quarante-cinq ans, et alors ? Je suis sûre qu'elle n'est pas tellement mieux que June... Non, moi non plus. Je n'ai jamais rencontré la moindre fille qui vaille la peine qu'on plaque tout pour elle... Enfin, il y en a certaines... Mais ce n'est pas une question de physique. Tiens, regarde : la semaine dernière, quand on est allés dîner chez Steins, il y avait une serveuse avec un petit accent de l'Est assez charmant, mais pas plus jolie que ça sinon. Eh bien, tu aurais dû voir comment Clark la dévorait des yeux... La petite trentaine, je pense... Cher, chaque fois qu'elle approchait... Non, je te jure... Bien sûr qu'il ne se cache pas, même devant moi... Subtil ? Certainement pas la dernière fois ; j'ai dû aller aux toilettes pour me calmer... Oui, à ce point-là. Humiliant... Tu me diras, c'est peut-être moi qui ai tout imaginé. Je n'avais même pas envie de sortir. Mais quand même, tu aurais dû voir la façon dont il lui parlait, lui souriait... Il lui a même posé des questions sur son tatouage... Je t'assure ! Ça m'a fait quelque chose, crois-moi... Oh, je ne sais pas... »

14

Neni n'avait jamais compris les gens qui sortaient dans les bars. Quel intérêt y avait-il à rester debout dans un endroit bondé pendant des heures, en étant obligé de hurler pour discuter avec son voisin, alors que l'on pouvait recevoir confortablement chez soi et y parler en toute tranquillité ? Pourquoi choisir de s'installer dans ces endroits mal éclairés pour consommer des boissons que l'épicier vendait trois fois moins cher ? Il s'agissait là d'une façon bien étrange de dépenser son temps et son argent, mais la décision de Winston l'était encore plus : lui qui habitait tout seul dans un deux-pièces de soixante-cinq mètres carrés, dans un immeuble avec portier, avait décidé de fêter son anniversaire avec des amis au bar de l'hôtel Hudson, juste en face de chez lui.

« Mais tu peux mettre au moins trente personnes dans ton appartement, avait protesté Neni lorsqu'il était passé un soir chez eux et les avait invités. Je peux faire à manger pour tout le monde.

— Et qui va tout nettoyer le lendemain ? lui avait répondu Winston.

— Tu as une femme de ménage !

— C'est trop de dérangement, tout ça. Et pourquoi tu fais tout ce *sisa* pour aller au bar ? Tu n'aimais pas aller dans les débits de boissons à Limbé ?

— Oui, j'aimais les débits de boissons. Et quoi ?

— Et quoi ? Ce n'est pas la même chose ?

— La même chose ? Attends, tu veux comparer les bars américains aux débits de boissons de Limbé ?

— Pourquoi pas, eh ? Tu vas dans un endroit, tu commandes ta boisson, et tu t'assois pour la boire...

— Ah, Winston, ne me fais pas rire ! s'exclama Neni, hilare. Comment tu peux comparer ? À Limbé, on s'assoit dehors, il y a le soleil et la chaleur. Tu profites du petit vent, tu écoutes du *makossa*, et tu regardes les gens qui vont et qui viennent dans la rue. Ça, c'est un plaisir. Alors que ces bars, là...

— Tu es entrée dans combien de bars américains, toi ?

— Pourquoi j'aurais besoin ? Je les vois à la télé – ça me suffit, à moi. Les gens, ils pensent que tout est toujours mieux en Amérique. Mais l'Amérique, ce n'est pas le meilleur pays pour tout, et si tu cherches un bon endroit pour prendre une boisson, il n'y a pas mieux que le Cameroun. Même si tu veux...

— Neni, par pitié, c'est trop de paroles, avait coupé Jende. Allons à la fête de Winston, c'est tout.

— Je vais voir, avait-elle dit avec une moue.

— Mais tu vas bien t'amuser, et tu pourras goûter cette boisson qu'ils appellent le Sex on the Beach », ajouta Jende en lui lançant un clin d'œil, mais elle leva les yeux au ciel et sortit du salon.

Le soir de la fête, ils arrivèrent avec une heure de retard, à cause de Neni qui n'arrêtait pas de changer et rechanger d'avis sur ce qu'elle devait porter

– une tenue à la fois sexy et convenable. Winston se tenait près du comptoir avec un groupe d'amis quand ils entrèrent main dans la main, Jende devant, Neni derrière. À côté de Winston et de ses amis, deux hommes étaient assis sur des tabourets et souriaient, leurs visages si proches l'un de l'autre que Neni crut qu'elle allait assister à son premier baiser entre hommes. Cette vision lui rappela son professeur – grâce à qui elle avait obtenu un A– à son examen terminal d'algèbre et terminé le semestre avec une moyenne de 3,7 sur 5 –, et elle se demanda à quoi pouvait ressembler son petit ami et où en était l'adoption dont il lui avait reparlé lors du dernier jour de classe, lui disant qu'il avait finalement décidé de ne pas attendre la fin de son doctorat car il approchait déjà les quarante ans.

« On fait quoi ? » lui souffla à l'oreille Jende, planté avec elle sur le seuil de la porte, sans bien savoir comment naviguer à travers ces petits groupes qui sirotaient des bières et des cocktails colorés.

Elle haussa les épaules ; comment aurait-elle pu savoir comment se comporter dans un tel endroit ? En attendant que Winston vienne les chercher, ils restèrent à la porte, agitant la main de temps en temps dans l'espoir qu'il les verrait, ce qui finit par arriver quand l'un de ses amis les aperçut. Winston leva alors un doigt et parut dire quelque chose, mais il sembla incapable de s'extirper du groupe, si bien que Jende et Neni restèrent plantés près de la porte, leurs doigts entrelacés comme les branches de deux arbres voisins, vacillant maladroitement d'un pied sur l'autre, observant les buveurs même s'ils savaient qu'ils ne reconnaîtraient parmi ces jeunes gens blancs aucun visage familier.

« Je vais aux toilettes », murmura Neni à l'oreille de Jende, sur quoi elle partit précipitamment, sans même le laisser répondre.

Devant la glace, elle découvrit qu'elle commençait à transpirer, et pas à cause de la chaleur qui régnait dans la salle pourtant climatisée. Qu'allait-elle faire, qu'allait-elle dire pendant deux heures à tous ces gens ? Elle n'avait jamais été invitée à une fête avec une majorité de Blancs, et si tel avait été le cas, elle n'y serait pas allée. Elle avait accepté uniquement pour Winston, mais elle se disait maintenant qu'elle aurait tout aussi bien pu rester chez elle et lui cuisiner un bon *fufu* en guise de cadeau. Cet endroit n'était pas de ceux qu'elle fréquentait ; ces gens là-bas ne l'étaient pas non plus. Winston avait des amis de toutes origines, elle le savait, mais sans se douter qu'il avait tant d'amis blancs – elle-même n'avait pas un seul ami non africain et ne s'était jamais liée d'amitié, de près ou de loin, avec une personne blanche. Être dans la même classe que des Blancs, travailler pour eux, leur sourire dans le bus était une chose ; mais rire et bavarder avec eux, faire attention à bien prononcer chaque mot pour ne pas s'entendre dire qu'ils avaient du mal à comprendre son accent en était une tout autre. Elle n'aurait jamais pu être elle-même en présence d'une femme blanche comme elle l'était avec Betty ou Fatou. De quoi auraient-elles parlé ? De quoi auraient-elles ri ? En outre, elle détestait les voir sourire ou hocher la tête à ses paroles, et se rendait bien compte que ces gens ne comprenaient rien à ce qu'elle disait. Et ceux qui se trouvaient au bar, ceux-là étaient de cette sorte, assurément – des associés de la firme pour laquelle travaillait Winston, pour la plupart. Elle devrait donc veiller à ne pas lui faire honte. Rien ne pouvait l'embarrasser davantage que des Noirs qui se ridiculisaient en affichant le comportement que les Blancs attendaient. C'était d'ailleurs pour cette raison qu'elle peinait tant à comprendre les Afro-Américains – qui n'avaient de cesse de se couvrir de ridicule devant les Blancs, sans pour autant s'en soucier.

Elle sortit un mouchoir de son sac, tamponna son visage huileux et humide de sueur, et se remit une couche de rouge à lèvres violet foncé, qui n'avait pourtant pas filé. Ce sera un bon exercice, pensa-t-elle en retournant à l'intérieur du bar, tirant sur son top sans manches rouge pour couvrir le haut de son jeans par-dessus lequel dépassait un agaçant bourrelet. Jende avait bien fait de la dissuader de porter des talons hauts ; ses jambes tremblaient déjà suffisamment sur ses santiags hautes de cinq centimètres, dans lesquelles elle avait rentré son pantalon. Mais, tremblant sur ses jambes ou pas, elle devait donner l'impression d'être à l'aise et agir comme si fréquenter ce genre d'endroit était son quotidien. Une fois devenue pharmacienne, il lui faudrait constamment participer à des soirées remplies de Blancs. Fort heureusement, son accent ne serait alors plus aussi marqué, comme l'avait un jour noté l'un de ses professeurs ; peut-être aurait-elle appris à parler plus lentement. Mais ce soir au moins, elle devait faire l'effort d'articuler, et puis sourire. Personne ne lui demanderait de répéter trois fois si elle souriait.

Pendant les quelques secondes qui suivirent son retour, elle ne vit plus ni Jende ni Winston et se retrouva seule, debout, regardant autour d'elle les amis, les collègues et les couples qui se parlaient à l'oreille ou criaient par-dessus le bruit ambiant. Elle finit par apercevoir Jende près de la porte, en discussion avec quelqu'un, sans doute l'un des amis de Winston rencontré pendant le mois où Jende avait vécu chez son cousin, à son arrivée en Amérique.

Elle hésitait entre le rejoindre ou aller commander un soda qu'elle mettrait sur la note de Winston, lorsqu'une jeune femme blanche aux cheveux bruns et bouclés apparut devant elle, un cocktail à la main, souriant comme si elle venait juste de faire une découverte incroyable.

« Ça alors ! s'exclama la jeune femme d'un air ravi. Vous devez être Neni ! »

Neni hocha la tête. Son sourire s'élargit.

« Je suis Jenny. La petite amie de Winston. »

La petite amie de Winston ?

« Je suis si contente de faire enfin votre connaissance ! poursuivit-elle en lui donnant l'accolade.

— Je suis contente de faire votre connaissance aussi, dit Neni, peinant à bien articuler sa réponse au milieu de la musique hip-hop qui hurlait de tous côtés.

— Vous vous amusez bien ? cria Jenny en se rapprochant d'elle. Vous voulez boire quelque chose ? »

Neni secoua la tête.

« Qu'est-ce que je suis contente de vous voir enfin ! cria de nouveau Jenny. J'ai tellement entendu parler de vous.

— Merci, moi aussi je suis contente.

— Je n'arrête pas de dire à Winston qu'il faudrait qu'on sorte tous les quatre, mais c'est difficile avec les emplois du temps de chacun. Il faudrait vraiment qu'on le fasse un jour ! Et Jende, il est là ? »

Neni hocha la tête et sourit, en pensant toujours : La petite amie de Winston ?

« Et New York, ça vous plaît ? Winston m'a dit que vous n'étiez là que depuis deux ans.

— J'aime beaucoup. Oui, beaucoup. Je suis très contente d'être là.

— Moi, j'adorerais aller au Cameroun ! dit Jenny avec un sourire, en levant des yeux rêveurs au plafond. Winston n'a pas l'air pressé d'y retourner, mais je le pousse pour qu'on le fasse ensemble l'an prochain. »

Sans savoir si cette femme l'amusait ou lui faisait pitié, Neni regarda Jenny qui lui rendit un grand sourire en sirotant son cocktail. Que croyait-elle ? Winston n'allait jamais épouser une femme blanche. Il ne prenait même pas la peine de leur présenter celles avec qui il couchait, car il en changeait comme de caleçon. Tout ce que Neni et Jende savaient à l'instant présent était qu'il fréquentait l'une des associées de la firme : elle, apparemment. Pauvre bougresse. Ses yeux s'éclairaient chaque fois qu'elle prononçait son nom. Elle n'avait pas l'air d'avoir plus de vingt-six ans, mais elle n'était pas trop jeune pour savoir que les Africains comme Winston, ceux qui avaient réussi, n'épousaient presque jamais de femmes en dehors de leur tribu. Ils profitaient des filles aussi longtemps qu'ils le pouvaient : Blanches, Philippines, Mexicaines, Iraniennes, Chinoises, n'importe quelles filles de n'importe quelle couleur qui souhaitaient s'unir à eux soit pour une histoire sans lendemain, soit pour une vraie relation, ou bien par simple curiosité. Mais quand venait l'heure de choisir une épouse, combien d'entre eux se mariaient à l'une de ces femmes ? Peu. Et jamais Winston ne ferait partie de ces rares hommes. S'il était incapable de se dégoter une brave Bakweri, il épouserait une fille d'une autre tribu d'une province du Sud-Ouest ou du Nord-Ouest (sans aller jusqu'à s'unir à une Bangwa, puisque sa mère, sans que personne sache pourquoi, détestait les Bangwas). Winston épouserait l'une des siens, car un homme a besoin d'une femme qui comprenne son cœur, partage ses valeurs et ses intérêts, sache lui donner ce dont il a besoin et accepte que ses enfants soient élevés comme sa mère l'a élevé, et seule une femme de son pays natal en était capable.

« Te voilà », fit une voix derrière elles.

Neni se retourna et découvrit une autre jeune femme avec un cocktail à la main, probablement une amie de Jenny. Jenny se retourna également, donna l'accolade à l'autre femme, et présenta Neni en disant qu'elle était une cousine de Winston tout juste débarquée d'Afrique. « Tout juste débarquée d'Afrique » ? pensa Neni. Elle ne *débarquait pas tout juste d'Afrique*. Elle envisagea de corriger Jenny, mais, doutant de la politesse d'une telle remarque, elle se força plutôt à sourire à l'amie de Jenny, qui hocha la tête, mais sembla à peine remarquer sa présence. L'amie commença à raconter une histoire à Jenny, puis les deux femmes changèrent de sujet, laissant Neni assister à leur conversation en spectatrice souriante. Au bout de dix minutes, n'ayant plus aucune raison de rester, hormis pour se prouver à elle-même qu'elle pouvait être à l'aise dans un bar, Neni s'excusa prestement et partit ; les deux femmes s'interrompirent à peine pour lui dire au revoir. Elle se fraya un chemin à travers la foule, qui semblait avoir triplé depuis leur arrivée, mais heurta par mégarde le verre qu'un jeune homme tenait à la main. Même si le verre ne se renversa pas, Neni fut certaine de lire dans le regard que le jeune homme lui lança : Qu'est-ce qu'elle fout là, cette Africaine ?

Jende était tout seul, au même endroit. Il sirotait un verre avec une paille en bougeant lentement sur la musique hip-hop, dans sa chemise Madiba jaune vif.

« On peut y aller, lui dit-elle à l'oreille.

— Pourquoi ? répondit-il. Je me demandais où tu étais. Tu as pris quelque chose à boire ?

— Je ne veux pas boire.

— C'est à cause de tes nausées ? Peut-être qu'un Coca peut aider...

— J'ai dit que j'avais la nausée ? coupa-t-elle. Viens, on y va.

— Ah, Neni. Encore trente minutes. Je n'ai pris que trois Sex on the Beach.

— Alors reste. Moi, je pars.

— Et tu ne vas même pas parler à Winston et lui souhaiter bon anniversaire ?

— Je vais l'appeler demain. »

Dehors, sur la 58ᵉ Rue, l'air était frais et revigorant, et le niveau sonore supportable, à l'exception de deux ambulances qui arrivèrent à toute vitesse en direction de l'hôpital Roosevelt, à une rue de là. Neni se détourna pour empêcher que ne remonte le souvenir de ce qu'il s'était passé un an plus tôt, en cet après-midi où elle avait couru là-bas avec son amie Betty, au service de gynécologie-obstétrique, car Betty avait de grosses contractions. Betty avait dû subir une césarienne d'urgence, tout ça pour donner naissance à un enfant mort-né.

« Viens, on va s'asseoir à Columbus Circle », lui dit Jende, et elle s'empressa d'accepter, bannissant de son esprit l'image de ce nouveau-né sans vie qu'elle aurait préféré ne jamais voir.

Jende commença à lui raconter qu'il avait eu une très agréable conversation avec un ami de Winston, mais elle ne l'écoutait qu'à moitié. Pour la première fois de sa vie, elle remarquait une chose : la plupart des gens dans la rue marchaient aux côtés d'une personne qui leur ressemblait. De part et d'autre du trottoir, allant vers l'est et vers l'ouest, elle voyait des hommes blancs tenant la main de femmes blanches, des filles noires qui rigolaient avec des Noires ou des Latinos, un groupe de quatre garçons asiatiques qui semblaient revenir d'un mariage, une bande d'amis de couleur de peau différente mais portant le même style de vêtements. Les gens restaient avec leurs semblables. Même à New York, même dans cette ville de mélanges, les hommes et les femmes, les jeunes et les vieux, les riches et les pauvres composaient leur petit cercle de gens comme eux. Et quel mal y avait-il à cela ? Il était bien plus simple de faire ainsi que de dépenser son énergie à tenter de se fondre dans un monde auquel on n'était pas censé appartenir. Voilà ce qui rendait New York si merveilleux : il y avait là un monde pour chacun. Neni avait un monde à Harlem, et plus jamais on ne la prendrait à vouloir s'immiscer dans celui de Midtown, ne serait-ce que pour une heure.

Une fois à Columbus Circle, elle appela Fatou, qui lui dit que tout se passait bien avec Liomi et qu'ils

pouvaient rester dehors aussi longtemps qu'ils le voulaient. Alors ils s'assirent sous la statue de Christophe
Colomb, côte à côte, main dans la main, entourés de
skateurs, de jeunes amoureux et de sans-abri, tournés
vers le nord, face aux voitures qui contournaient le
rond-point et prenaient la direction de Central Park
West. Le fond de l'air était frais, mais pas assez pour
obliger Neni à se ruer dans le métro. Et quand bien
même il aurait été trop frais, elle serait restée, car
ce n'était pas tous les soirs qu'elle avait la chance
de profiter des bruits de la ville et de ses millions
de lumières qui clignotaient tout autour d'elle, lui
rappelant qu'elle vivait toujours son rêve. Boubacar
leur avait assuré qu'ils avaient encore devant eux bien
des années dans ce pays, et donc bien des années
dans cette ville aussi. Un immense sourire se dessina
spontanément sur son visage à cette pensée. Elle se
rapprocha de Jende pour s'appuyer contre lui.

« C'est le meilleur endroit de toute la ville », lui
dit-il.

Elle ne lui demanda pas pourquoi, car elle le savait.

À ses premiers jours en Amérique, c'était là qu'il
venait chaque soir pour s'imprégner de la ville. C'était
là qu'il s'asseyait souvent pour l'appeler lorsqu'il se
sentait si seul et si loin que l'unique baume capable
de l'apaiser était le son de sa voix. Durant ces appels,
il lui demandait comment allait Liomi, comment elle
s'était habillée, ce qu'elle comptait faire le week-end,
et Neni lui racontait tout, le laissant encore plus nostalgique de la beauté de son sourire, du sol en terre
battue de la cuisine de sa mère, de la brise légère
de Down Beach, de la force avec laquelle Liomi le
serrait dans ses bras, des blagues graveleuses et des

rires de ses amis lorsqu'ils buvaient une Guinness dans un débit de boissons ; encore plus désireux de toutes les choses qu'il regrettait d'avoir laissées derrière lui. Dans ces moments, lui avait-il dit, il se demandait souvent si cela valait la peine de quitter son pays pour partir en quête d'une chose aussi futile que l'argent.

« Tu sais de quoi je m'aperçois ? lui demanda-t-il.

— De quoi ? dit-elle en le regardant avec adoration.

— Que nous sommes assis au centre du monde. »

Elle se mit à rire.

« Toi, tu es trop drôle, répondit-elle.

— Non, regarde. Columbus Circle est le centre de Manhattan. Manhattan est le centre de New York. New York est le centre de l'Amérique, et l'Amérique est le centre du monde. Donc, nous sommes assis au centre du monde, eh ? »

15

Sur le chemin du terrain de golf de Westchester, Clark se plaignit de raideurs à la nuque, fulmina contre Phil qui avait invité d'autres personnes à se joindre à eux (ce qui empêchait toute annulation de dernière minute), rouspéta de devoir consacrer cet après-midi à une activité dont il n'avait que faire alors qu'il aurait pu travailler à son bureau. Jende écoutait et opinait, abondant, comme toujours, dans le sens de son patron.

« Le golf, ça n'a jamais été mon truc, disait Clark. Il y a plein de gens qui font semblant d'aimer ça, mais je peux vous dire que je me serais bien passé de la partie d'aujourd'hui, si elle ne me permettait pas de passer du temps avec les gars en dehors du bureau.

— Le golf semble être un sport très difficile, monsieur.

— Pas si difficile que ça. Vous devriez essayer.

— J'essaierai, monsieur », répondit Jende, même s'il ne voyait ni où ni pourquoi il mettrait un jour les pieds sur un terrain de golf.

À mi-chemin, au niveau de la ville de Rye, la mère de Clark appela pour prendre de ses nouvelles. Clark enclencha le haut-parleur pour éviter, dit-il, d'aggraver son mal de cou. Après l'avoir remercié pour le cadeau d'anniversaire, sa mère commençait à lui raconter sa rencontre avec un vieux voisin d'Evanston quand un nouvel appel arriva. Clark lui promit de la rappeler aussitôt qu'il en aurait fini avec ce coup de fil, qui provenait de son supérieur.

« Tu es en route pour aller rejoindre Phil et les autres ? » lui demanda Tom.

La voix qui sortait du haut-parleur était bien moins impressionnante que celle que Jende s'était imaginée, venant d'un grand patron. C'était une voix cordiale, dépourvue de l'autorité que possédait celle de Clark.

« Oui. Tu viens aussi, c'est ça ?

— Non, je ne vais pas pouvoir. Michelle ne se sent pas très bien.

— Désolé de l'apprendre.

— Et comment va Cindy ? demanda Tom quelques secondes plus tard. Elle avait l'air en forme, jeudi.

— Oui, elle sait prendre soin d'elle.

— J'ai entendu plusieurs gars au bar se demander à qui appartenait ce trophée. »

Clark gloussa de rire.

« Tous les compliments sont bons à prendre par les temps qui courent », répondit-il.

Jende s'éclaircit la gorge, non parce que quelque chose le gênait, mais parce qu'il sentait que Tom avait une annonce importante à faire et voulait alerter Clark de sa présence afin qu'il coupe le haut-parleur de son téléphone. Il en savait assez comme ça sur Lehman et ne souhaitait rien entendre de plus, surtout pas des informations qu'il serait tenté de répéter à Leah, qui lui courait après pour obtenir des détails sur les conversations de Clark et connaître la gravité de la situation. Il lui disait toujours qu'il ne savait rien, mais cette femme-là ne semblait pas savoir s'arrêter.

« Bon, lâcha finalement Tom. Je suppose que tu sais pourquoi je t'appelle.

— J'imagine que tu as parlé à Donald, répondit Clark. J'espérais que…

— Tu n'as aucun droit d'aller consulter un membre du conseil d'administration sans mon accord, Clark.

— Ce n'était pas intentionnel. Je suis tombé sur lui en me rendant au match de hockey de mon fils. Je lui ai juste dit en coup de vent que j'avais essayé de te voir pour parler de…

— De quoi ? demanda Tom en haussant le ton. De tes théories à la con pour sauver le navire ? D'une nouvelle stratégie ? Et nous, tu crois qu'on fait quoi en attendant ? Qu'on joue à la poupée ?

— Je crois que nous devons repenser notre stratégie à long terme, Tom, répondit Clark, qui éleva à son tour la voix. Je le dis depuis longtemps, et je continuerai à le dire. On agit comme si on était victimes d'une situation que nous ne pouvons pas maîtriser, mais c'est faux. C'est une question de point de vue, de notre capacité à envisager d'autres modèles. En août dernier, j'étais venu te voir quand on s'est aperçu que l'ABS n'allait jamais remonter et que les conséquences ont commencé à s'étendre aux Alt-A en plus des subprimes. Souviens-toi, on en avait discuté. Je t'avais suggéré un changement de stratégie.

— Où veux-tu en venir, exactement ?

— Danny et toi, vous avez refusé de considérer la proposition des Chinois quand je vous y poussais, alors qu'ils nous lançaient une bouée de sauvetage, alors qu'ils auraient pu nous tirer de ce merd…

— Pour dire au monde entier qu'on coulait ? Et que tout le monde se foute de nous ? Bien sûr !

— Et tu crois que BS voulait que tout le monde se foute d'eux ?

— Mais nous ne sommes pas BS ! Nous sommes Lehman Brothers, et si tu n'as pas compris ça, si tu n'as pas compris qui nous sommes et que nous ne perdons jamais, alors, mon pauvre, je ne peux rien faire pour toi ! Si tu ne crois pas en ce que nous faisons, j'aime autant te dire que tu perds ton temps depuis vingt-deux ans, Clark. »

Jende entendit Clark s'esclaffer. Il imagina qu'il devait secouer la tête en même temps.

« Ça te fait rire ? demanda Tom.

— Tout ce que je veux dire, c'est que nous devons changer un minimum notre approche, peut-être en étant plus agressifs sur la levée de capitaux. Tout le monde à Wall Street cogite sur cette question, sauf nous ! On reste là, à faire croire à nos actionnaires qu'on dispose toujours d'un fort capital. Si on pouvait ne serait-ce que...

— Je n'accepterai pas que tu me circonviennes une seconde fois pour aller t'adresser à un membre du conseil d'administration, c'est compris ? »

Clark prit une grande respiration, mais il ne répondit rien.

« Est-ce que c'est compris ? » répéta Tom. Clark ne répondait toujours pas. « Et pour ce qui est de sauver le navire...

— Tu penses qu'on va tenir encore combien de temps avant que le ratio de levier ne soit révélé au monde entier ? coupa Clark. Tu comptes peut-être dire aux médias que tu ne savais rien du Repo 105 ?

Eh bien, vas-y, mais je peux te dire qu'à un moment donné, il faudra bien…

— Donc, tu crois qu'il suffit d'aérer son linge sale pour faire disparaître les problèmes ? Tu crois qu'on devrait t'écouter parce que tu viens de te découvrir une conscience ?

— Ça n'a rien à avoir avec ma conscience ! Tu sais que j'adore jouer. Tu sais que j'adore gagner, comme nous tous ici, et que je serais prêt à tout pour ça. Mais il y a des limites, Tom, et tu dois admettre que nous les avons largement dépassées, et que si nous continuons à ce train…

— Ah, vraiment ? ironisa Tom. Et d'après toi, à quelle époque doit-on remonter pour revenir dans les "limites" ? Les années 70 ? Tu voudrais nous faire rouler dans une Buick 1975 pendant que tout le monde nous passe devant dans des bagnoles de 2008 ? C'est ça ? Mais oui ! "On a eu les dents trop longues, alors soyons gentils et faisons un effort, les amis."

— Je ne dis pas que…

— Je ne peux vraiment rien faire pour toi, tu sais, coupa Tom, presque avec empathie. Quelle que soit la crise que tu traverses en ce moment, je ne peux rien faire pour t'aider, et très honnêtement, ça ne tombe pas vraiment au meilleur moment.

— J'essaie juste de dire que nous devrions montrer en quoi la cause que nous défendons est meilleure que celle des autres, Tom. C'est notre seule planche de salut. Si nous arrêtons nos mauvais coups, si nous rejetons la faute sur les autres – les auditeurs, les comptables véreux, peu importe –, alors nous aurons une chance de nous remettre sur les rails avant que la situation n'empire encore. Parce qu'à l'heure actuelle, c'est nous qui sommes en faute et la SEC[1] ferme les yeux, mais tu sais aussi bien que moi que si toute cette merde nous explose à la gueule, ils nous jetteront en pâture à l'opinion publique et clameront qu'ils n'ont jamais été au courant de rien, alors que nous savons tous que c'est faux.

— Et tu crois que le conseil va dire amen à tout ça ?

— Donald n'avait pas l'air totalement contre.

— Qu'est-ce qui te fait croire ça ? Donald pense que tu es fou !

— Ce qui est fou, c'est plutôt de penser qu'on va s'en sortir comme ça ! cria Clark, qui ne se rendait visiblement pas compte de son niveau sonore. Nous avons déjà commis des centaines d'erreurs. Si nous sommes dans ce merdier, c'est parce que nous avons été incapables de voir les résultats à long terme ! Le temps est venu de voir beaucoup plus loin que Lehman. De penser à la génération qui reprendra Wall Street quand nous n'y serons plus, au regard qu'elle portera sur nous. Au regard que l'Histoire portera sur nous ! »

À l'endroit où se trouvait Tom, un autre téléphone sonna. Il décrocha, parlant tout bas à son interlocuteur qu'il appela « chérie », et lui assurant qu'il serait là, qu'il ne raterait ça pour rien au monde.

« Il est hors de question que je te perde maintenant, dit-il à Clark après avoir raccroché, d'une voix aussi douce que s'il parlait encore à l'autre personne. On en a traversé, des épreuves, en dix-huit ans, et je

---

1. Securities and Exchange Commission : organisme fédéral américain de réglementation et de contrôle des marchés financiers. *(N.d.T.)*

sais, je suis absolument certain que nous traverserons celle-ci. Mais si tu estimes être dépassé par la situation, j'accepterai ta démission, à regret.

— Je ne m'en irai nulle part, répondit Clark. Il y a une bataille à gagner, et j'ai bien l'intention de continuer à me battre pour Lehman.

— Bien.

— Comme tu dis.

— Dans ce cas, en selle, et bats-toi selon mes consignes. Si un jour il se révèle que j'avais tort, tu auras le droit de repenser à cette discussion et de te féliciter. »

16

Il attendait depuis trente-cinq minutes quand Vince finit par sortir de son immeuble et sauta sur la banquette arrière, un café à la main.

« Ça va, mec ? lui dit-il avec une tape sur l'épaule.

— Bonjour, Vince, répondit Jende.

— Désolé pour l'attente. J'aurais aimé avoir une bonne excuse !

— Pas de problème. Je vais conduire vite pour ne pas vous mettre en retard à votre rendez-vous.

— Non, prends ton temps. Je ne suis jamais pressé d'aller chez le dentiste. D'ailleurs, si ma mère ne répétait pas que le Dr Mariano est le meilleur dentiste du monde, je ne me casserais pas la tête à aller jusqu'à Long Island.

— C'est bien d'avoir un dentiste », répondit Jende en pensant combien il était bon d'avoir quelqu'un qui vous nettoyait les dents.

Il tourna à droite sur Broadway, traversant Manhattan du nord au sud puis d'ouest en est pour déboucher sur la I-495.

« Vous voulez que j'allume la radio ? demanda-t-il à Vince.

— Non, ça va », répondit ce dernier d'un air distrait. Il se tortillait sur son siège et regardait autour de lui. « Je crois que j'ai oublié mon téléphone chez moi.

— Je peux retourner, proposa Jende.

— Non, c'est bon.

— Ce n'est pas un problème pour moi, Vince.

— Non, ne t'inquiète pas, répondit-il avant de s'adosser contre la banquette et de prendre une gorgée de café. C'est pas plus mal de se déconnecter de temps en temps. Et puis, comme ça, je vais pouvoir te bassiner en t'expliquant tous les mensonges sur l'Amérique qu'on t'a mis dans la tête. »

Jende rit tout haut.

« Vous n'allez pas me faire changer d'avis, Vince. Aucun homme ne peut me faire penser que l'Amérique n'est pas le meilleur pays du monde et que Barack Obama ne sera pas un grand président.

— Bien, bien. Je ne vais pas te contredire là-dessus. Mais si je te disais que l'Amérique a tué le révolutionnaire africain Patrice Lumumba pour empêcher l'expansion du communisme et renforcer son emprise sur le monde ?

— Ah, Lumumba ! J'avais un T-shirt avec sa tête chez moi, à Limbé. Chaque fois que je le portais, les gens m'arrêtaient dans la rue pour regarder son visage, et ils disaient : "Oh, quel grand homme."

— Donc, si je te disais que l'Amérique a tué ce grand homme ?

— Je répondrais que je suis désolé, mais je ne connais pas toute la vérité.

— Je te la dis, moi, la vérité. »

Jende gloussa de rire.

« Vous êtes bien marrant, Vince, dit-il. J'aime votre

volonté de me faire voir les choses autrement, mais peut-être que la manière dont je vois l'Amérique est bonne pour moi.

— C'est tout le problème ! Les gens refusent d'ouvrir les yeux et de voir la vérité parce qu'ils préfèrent rester dans l'illusion. Du moment qu'on les abreuve des mensonges qu'ils veulent entendre, ils sont contents. La Vérité ne leur importe pas. Regarde mes parents : ils étouffent, à force de se mettre autant de pressions inutiles ; s'ils se libéraient de cette souffrance qu'ils s'infligent tout seuls, ils seraient réellement heureux. Au lieu de ça, ils continuent à gravir les échelons de la réussite sociale, professionnelle, économique et tout ce que tu veux, mais tout ça, c'est du vent ! C'est ça, l'Amérique. Et maintenant, ils se retrouvent piégés, mais ils ne le voient même pas !

— Vos parents sont des gens bons, Vince.

— À leur manière, c'est sûr.

— Votre père travaille très dur. Parfois, il a l'air si fatigué que j'ai mal pour lui, mais nous devons faire ça pour nos enfants.

— Je ne doute pas de ses sacrifices.

— Même si vous n'aimez pas tellement l'Amérique, je pense qu'il faut quand même remercier Dieu, car vous avez une mère et un père qui vous donnent une bonne vie. Maintenant, vous pouvez aller dans une école de droit et devenir avocat et donner à vos enfants une bonne vie, vous aussi.

— Devenir avocat ? Qui a dit que je voulais devenir avocat ? »

Jende ne répondit pas. Sans doute s'était-il trompé ; les écoles de droit n'étaient peut-être pas seulement faites pour ceux qui voulaient devenir avocats.

« C'est le dernier semestre que je passe là-bas, continua Vince. Je n'ai pas l'intention d'y retourner en septembre.

— Vous n'allez pas finir l'école ?

— Je vais partir en Inde.

— Vous allez partir en Inde !

— Et je te conseille de ne pas en toucher un mot à mes parents.

— Non, non, jamais je ne...

— Je t'en parle parce que j'aime bien discuter avec toi. Et parce que, en tant que père de famille, tu sauras peut-être me dire comment apprendre la nouvelle à mes parents. »

Jende opina et pendant de nombreuses secondes ne dit mot. Sur la voie express presque vide, seule résonnait la sirène d'une ambulance au loin. Derrière la glissière de sécurité, de grands panneaux affichaient des publicités pour des hôtels et des hôpitaux avec des photos de gens bien portants, aussi bien sur les photos des hôpitaux que sur celles des hôtels.

« C'est que je ne sais pas quoi vous dire, Vince, lâcha-t-il finalement. Je crois seulement que vous devriez être content de finir l'école et de devenir un avocat. Ensuite, peut-être, vous pourrez visiter l'Inde pour les vacances.

— Je ne veux pas devenir avocat. Je ne l'ai jamais voulu.

— Mais pourquoi ?

— Il y en a beaucoup qui sont malheureux, répondit Vince. Et je n'ai pas envie d'être malheureux.

— Mon cousin est avocat.

— Et il est heureux ?

— Parfois il est heureux, parfois il ne l'est pas.

Est-ce qu'il existe quelqu'un qui est heureux tout le temps ? Un homme peut être malheureux dans n'importe quelle sorte de travail.

— Bien sûr.

— Dans ce cas, pourquoi ne pas simplement penser que vous serez heureux, peu importe votre métier ?

— Rien qu'à l'école, je ne me sens pas à ma place. Quand je vois mes camarades, ils me font pitié à passer toutes ces heures à se laisser bourrer le mou. Tout ça pour aller recracher ces conneries par la suite et perpétuer tout ça. Ils ne sont que les rouages d'une machine qui anéantit des innocents, et ils ne s'en rendent même pas compte. Tout ce système, là, c'est une blague ! Ces gens qui mènent des vies insignifiantes parce qu'ils sont conditionnés à penser que c'est bien comme ça. À avancer aveuglément dans une société dirigée par une poignée d'élus. Combien de temps encore va-t-on se laisser enfermer dans ce carcan ? Combien, hein ? »

Jende secoua la tête. Cette diatribe lui semblait insensée, mais à voir la manière dont le jeune homme haussait la voix et durcissait le ton, il était clair que Vince détestait sincèrement l'école de droit et toute chose touchant aux avocats. Il était clair, aussi, que le problème ne résidait pas réellement dans l'école de droit, ni dans l'Amérique ou les avocats ; non, le problème était que Vince désirait s'affranchir du monde qui l'avait élevé et des aspirations que ses parents nourrissaient pour lui ; Vince voulait devenir quelqu'un de complètement différent.

« Je suis vraiment désolé, Vince, lui dit-il.

— Tu n'as pas à être désolé pour moi. Je vis ma Vérité.

146

— Non, je suis désolé… Je ne suis pas désolé pour vous… Je suis désolé à cause de ce que vous ressentez. »

Vince eut un rire léger.

« Je ne vais pas vous mentir, ajouta Jende. Si mon fils me dit qu'il quitte l'école de droit pour s'en aller en Inde, je jure, je vais chercher mon *molongo* et je lui fouette les fesses bien comme il faut.

— Ton *molongo* ?

— C'est le bâton que nos parents utilisent pour nous battre chez nous quand nous nous comportons comme des mauvais enfants. J'en ai un pour mon fils, mais il a de la chance : je n'ai pas le droit de m'en servir ici. Je ne veux pas avoir d'ennuis. »

Vince gloussa encore de rire.

« Je ne peux rien faire à part lui crier dessus…

— Et dans ton pays, tu le battrais même s'il avait mon âge ?

— Non, *man*, dit Jende en rigolant. Je plaisantais avec vous, là. Nos parents arrêtent de nous fouetter les fesses quand nous avons dix-neuf ans.

— Dix-neuf ans !

— Ou vingt, parfois. Mais le message que je veux vous donner, c'est que si vos parents sont en colère quand vous leur annoncez la nouvelle, il faut comprendre. »

Vince ne répondit pas, et pendant une minute il resta silencieux, à regarder le paysage.

« Je sais que ça ne va pas être facile à accepter, dit-il finalement. Mais je ne suis pas comme eux. Et encore une fois, les centaines de milliers de dollars qu'ils ont dépensés pour moi chez Dalton, pour m'envoyer en vacances et à la NYU et Columbia

147

n'étaient destinés qu'à faire de moi ce qu'ils voulaient. Pour que ma mère puisse raconter à ses copines que son fils est devenu clerc pour le juge Truc ou le juge Machin. Quelles conneries !

— Oh, Vince, répondit Jende. Un jour, quand vous aurez des enfants, vous ne parlerez plus comme ça.

— C'est drôle, Jende : tu es très différent de mes parents, et en même temps tu leur ressembles beaucoup.

— C'est pour ça peut-être que je m'entends très bien avec votre père. En toute vérité, je pense que si vous êtes moins dur avec lui, vous allez le voir sous un autre angle et vous rendre compte que c'est un homme très bon.

— Oui, peut-être qu'un jour je penserai comme toi, soupira Vince. Nous n'avons jamais été proches, dans notre famille. Je ne l'ai jamais vu autrement que comme un père absent qui allonge de l'argent uniquement par devoir.

— Ce n'est pas facile, répondit Jende en secouant la tête tandis qu'il tournait sur Elm Street, où se trouvait le cabinet du dentiste.

— Pas facile pour qui ?

— Pour vous, pour votre père, pour tous les enfants, tous les parents, tout le monde. Ce n'est pas facile, la vie ici-bas.

— Non, répondit Vince. C'est bien pour cette raison que nous devons embrasser la Souffrance et nous rendre à la Vérité.

— Embrasser la souffrance ? répéta Jende en riant. Vous parlez de choses bizarres, là, eh ?

— Je t'expliquerai sur le chemin du retour, répondit Vince avec un sourire, en se préparant à sortir alors que Jende cherchait une place. Mais que notre petite discussion sur l'école et l'Inde reste entre nous, en revanche. »

Jende hocha la tête et, se retournant sur son siège, tendit une main que Vince serra avant de descendre de voiture. Quand il revint une heure plus tard, la bouche engourdie à cause de l'anesthésie pratiquée pour l'extraction de sa dent de sagesse, il pouvait à peine parler. Il s'endormit en quelques minutes, sa main droite posée sur la poche de glace qui soulageait sa joue un peu enflée. De temps en temps, Jende jetait des coups d'œil à son visage dans le rétroviseur, et imaginait chaque fois Liomi dans dix-huit ans environ. Jende savait déjà qu'il ne lui permettrait jamais de gaspiller une chance d'avoir une grande carrière et une bonne vie, tout ça pour aller faire le vagabond en Inde en parlant de Souffrance et de Vérité ; et pourtant, il ne pouvait condamner l'attitude de Vince. En regardant dormir le jeune homme, il se sentit fier de lui, et s'inquiéta même pour son avenir.

17

La ville cet été-là fourmilla de gens en sueur et assoiffés, qui haletaient sur les quais du métro, qui combattaient le soleil avec de grands chapeaux et des habits légers, qui se pressaient sous l'ombre des échafaudages, qui se ruaient dans les grands magasins, non pour les bonnes affaires annoncées sur les vitrines, mais pour leur air conditionné. Ceux qui ne pouvaient s'échapper à la plage ou à la campagne s'entassaient dans les endroits où l'humidité pouvait un bref instant être oubliée : dans des concerts de world music jouée par des musiciens venus de loin, Kazakhstan ou Burkina Faso ; dans des fêtes sur les toits où tout le monde semblait sûr d'être bien habillé ; dans des marchés aux puces où le poulet qui grillait annihilait les derniers souffles d'air frais ; dans des ferrys, pour une promenade improvisée, en buvant un mauvais cocktail. Il y avait dans la ville tout un tas d'activités possibles, et pourtant, beaucoup rêvaient de la fuir, d'aller dans un endroit où profiter, et non subir, de s'asseoir là où l'air bouge sans écraser, où l'eau s'étale sur des kilomètres ; un endroit comme les villages de la région des Hamptons.

Jende avait droit à des congés payés durant les deux premières semaines du mois d'août, l'informa Clark alors qu'ils roulaient sur Lexington Avenue par un matin de mi-juin. La famille comptait passer la fin juillet et presque la totalité du mois d'août à Southampton (Cindy et les garçons, principalement), ainsi que quelques jours au début du mois de juillet. Question travail, l'été ne s'annonçait donc pas trop chargé.

« Je vous suis très reconnaissant, monsieur », lui dit Jende, qui se garda bien de montrer sa joie, mais qui intérieurement souriait d'un sourire plus large encore que la vallée du Grand Rift.

C'était la première fois qu'il serait payé à ne rien faire en Amérique, bien que son intention ne fût guère de se tourner les pouces pendant ses deux semaines de congés – il comptait rappeler la compagnie de taxis privés pour laquelle il travaillait et ajouter de l'argent à celui qu'il mettait déjà de côté avec Neni pour sa demande d'asile.

« Cindy pourrait avoir besoin d'une femme de ménage la dernière semaine de juillet et les trois premières semaines d'août, pendant qu'Anna prendra ses vacances, ajouta Clark quelques minutes plus tard. Elle fait appel à une agence d'habitude, mais peut-être que votre femme serait intéressée ?

— Oh, oui, monsieur. Ma femme… elle serait… elle en serait très contente, monsieur. »

Cindy avait besoin de quelqu'un et Neni, elle, avait besoin de s'éloigner un peu des seniors impotents qu'elle lavait et nourrissait d'ordinaire, bien que ce fût davantage la perspective de gagner plus en quatre semaines qu'elle ne gagnait en trois mois qui les portèrent, elle et Jende, à discuter de la proposition seulement cinq minutes avant d'accepter, même si Neni manquait les cours d'été (auxquels son visa lui permettait de participer). Elle appela Cindy Edwards le soir même – Jende l'avait coaché sur ce qu'il fallait dire, ne pas dire, et comment bien dire les bonnes choses –, se présenta, et déclara qu'elle souhaitait faire ce travail. Cindy le lui donna, mais non sans l'avoir avisée des tâches qui lui incomberaient : tenir parfaitement une maison avec cinq chambres, faire les courses en achetant strictement les produits demandés, s'occuper quotidiennement du linge, préparer des recettes spécifiques, offrir un service impeccable à ses employeurs, s'occuper d'un enfant de dix ans chaque fois que nécessaire, soit des journées de douze heures, mais ponctuées de nombreux temps morts.

« Je ferai tout ça très bien, madame, dit Neni en collant bien fort le téléphone contre son oreille.

— Je vous fais confiance. Jende travaille dur, je suis certaine que vous en ferez autant.

— Seulement, madame, il y a une dernière chose, ajouta Neni.

— Laquelle ?

— Je suis enceinte de quatre mois, madame. Ce n'est pas un problème pour moi, mais…

— Alors pour moi non plus », coupa Cindy, et le problème fut résolu.

Puis cette dernière la pria de prendre le train de Long Island avec Anna quand viendrait la première semaine de juillet, afin de se familiariser avec ses habitudes et les tâches qu'elle lui demanderait.

« Tu fais uniquement ce qu'ils te demandent, et exactement comme ils te le demandent, lui dit Jende juste avant que Neni ne descende les marches du métro et n'entame son trajet vers les Hamptons et ses quatre semaines de travail. Pas plus, pas moins.

— Ah, c'est ça, dit-elle en riant. Tu crois que je vais là-bas pour quoi, eh ?

— Neni, ce n'est pas marrant. Tu fais ton travail, et tu le fais bien. Je dis ça. Et tu ne fais rien pour toi, tu ne dis rien sur toi. Ces gens-là, c'est notre gagne-pain.

— Ne t'inquiète pas, répondit-elle en riant toujours devant son si grand sérieux, qu'elle trouvait à la fois touchant et inutile. Je ne vais pas te déshonorer. Ce n'est pas comme si c'était la première fois que j'étais chez les riches. »

Ce qui était vrai – sa famille avait été riche dans les années 80 et au début des années 90. À l'époque, son père était agent des douanes au port de commerce de Douala et, grâce à tous les pourboires que les marchands lui donnaient (qui n'étaient en aucun cas des pots-de-vin ; pas une seule fois son père ne s'était fait graisser la patte, il l'avait juré), ainsi qu'à ses collègues, en faisant rentrer leurs biens dans le pays, il avait été capable de multiplier par dix le salaire annuel que lui versait le gouvernement et de s'assurer que sa famille ne manque de rien. Ils vivaient dans une maison en briques avec l'eau courante, possédaient un frigo en état de marche, et son père était même propriétaire d'une voiture (une Peugeot bleue des années 70 déglinguée, mais qui n'en restait pas moins une voiture, et donc un symbole de prospérité, à Limbé). Ils avaient été la première famille du quartier à posséder un poste de télé. Neni se rappelait encore ces premières heures de la télévision, à la fin des années 80, quand CRTV ne diffusait que de 18 heures à 22 heures. Dès 17 h 45, tous les enfants du voisinage investissaient leur salon et, assis par terre, attendaient le commencement de la « telleh ». Quand la neige, que les enfants appelaient « riz », finissait lentement par disparaître pour révéler le drapeau camerounais, tous les enfants gloussaient d'excitation, et les adultes, serrés sur le sofa et assis sur des chaises disséminées partout dans le salon, leur disaient de cesser de faire du bruit. La télévision fonctionnait. Personne n'était autorisé à faire le moindre bruit quand celle-ci fonctionnait. Les enfants devaient regarder les nouvelles en silence pendant que les adultes commentaient les atrocités perpétrées en Afrique du Sud chaque fois qu'une image de Nelson Mandela apparaissait, se demandant quand ces mauvais hommes blancs allaient finir par libérer cet homme bon. Les enfants devaient regarder les documentaires en silence ; regarder les dessins animés et leurs personnages qui parlaient trop vite, qu'ils appelaient « porkou-porkou », en silence aussi. Pas un bruit non plus quand la CRTV diffusait une série, quelle qu'elle soit, anglaise, française ou américaine, ces sitcoms que les enfants comprenaient à peine, mais devant lesquelles ils gloussaient quand deux personnages s'embrassaient et grognaient quand une bagarre éclatait. Le seul moment où les enfants étaient autorisés à parler était quand passait un clip vidéo. Ils étaient alors encouragés par les adultes à se lever et à danser sur les chansons de Prince Eyango, Charlotte Mbango ou Tom Yoms. Et chaque fois ils se levaient et faisaient une démonstration enflammée de leurs plus beaux pas de *makossa*, roulant leur petit fessier et agitant les bras de gauche à droite avec la plus grande ferveur, poings serrés, souriant à n'en plus finir. Pouvoir regarder leurs musiciens préférés chanter dans une boîte, quel privilège était-ce là !

Neni sourit à ces souvenirs tandis qu'elle prenait place dans le train. Elle était adolescente à l'époque, mais en tant que cadette de la fratrie, elle n'était pas autorisée à toucher au poste de télé – l'allumage et l'extinction du poste étaient un droit réservé à son père et à son frère aîné. À présent, à Limbé, même un enfant de trois ans pouvait allumer et éteindre un téléviseur. Une maison sur trois en ville avait CNN, même si, curieusement, la maison de ses parents ne l'avait pas.

Son père avait arrêté de travailler au port commercial en 1993, forcé au départ par un patron bamileke qui voulait mettre l'un des siens à sa place. Sans préavis, le père de Neni avait été muté à un poste autrement moins lucratif, au Trésor public de Limbé, puis il avait perdu sa sœur, déjà veuve, six mois plus tard. Elle laissait derrière elle trois enfants qu'il n'eut d'autre choix que d'adopter et d'élever aux côtés de ses cinq autres. Avec la perte de son prestigieux poste arriva la perte d'un certain pouvoir et d'un certain respect dont il avait joui en tant qu'homme fortuné. Les gens le saluaient toujours des deux mains, mais beaucoup arrêtèrent de venir le visiter chez lui, sachant qu'à leur départ ils ne recevraient plus leurs cinq ou dix mille francs CFA pour « payer le taxi ». Il était maintenant retraité et vivait d'une maigre pension, sans plus d'attributs que son nom, en plus de la vieille Peugeot bleue qui dormait dans le garage de sa maison en briques.

18

La résidence de vacances des Edwards n'était pas faite de briques, mais elle n'avait pas besoin de cela ; toutes les maisons en briques du district de New Town réunies n'auraient pas pu rivaliser avec une seule pièce de celle-ci. Lorsque Neni y entra pour la première fois avec Anna, pour y apprendre ses tâches, elle tenta de ne pas montrer à quel point elle était impressionnée, mais son ébahissement devait se lire sur son visage : ses yeux n'avaient cessé de se promener partout dès le moment où elles étaient sorties du taxi, au pied de cette maison à bardeaux de trois étages d'un gris chaud, en pierre et en bois, agrémentée de boules de buis méticuleusement taillées de part et d'autre de son porche à quatre colonnes. Ce ne fut pas seulement sa taille qui la stupéfia (pourquoi avoir besoin d'une si grande maison pour y passer quelques mois seulement dans l'année ? Pourquoi cinq chambres alors qu'il n'y avait que deux enfants ? N'avaient-ils pas compris que, quelle que soit sa fortune, on ne peut dormir que dans un lit à la fois ?), mais aussi son opulente élégance. Deux jours plus tard, elle était encore ébahie par la somptuosité des lieux, surtout le salon, avec sa décoration blanche et ses fenêtres larges, comme pour ne jamais perdre le ciel de vue. Elle était stupéfiée par sa propreté, due au fait, lui avait dit Anna, que Cindy détestait encore plus la saleté que les produits bon marché. Il y avait des tapis en peluche blanche et des moquettes en laine sur lesquelles Neni avait presque peur de poser les pieds ; un lustre noir et des bibelots en verre qui semblaient si délicats qu'elle les époussetait avec circonspection, inquiète d'y laisser des traces.

Le jour de son arrivée, Vince lui avait donné l'accolade en lui disant de faire comme chez elle, mais comment l'aurait-elle pu, dans l'état de malaise où elle se trouvait constamment à l'idée de casser quelque chose. Elle passa toute la soirée de ce premier jour dans la cuisine avec Mighty, trop nerveuse pour se rendre nulle part en dehors de sa chambre une fois Vince retourné en ville (pour aller méditer dans un centre appelé Unity ; Jende n'exagérait donc pas), et Cindy sortie dîner avec des amis. Même au bout de quelques heures, Neni savait déjà que ses seuls moments d'aise à Southampton seraient avec Mighty – qui lui faisait penser à Liomi, avec ses cils fournis et son air de ne jamais manquer de raisons de rire ou de sourire.

« Tu aimes habiter à Harlem ? » lui demanda-t-il pendant qu'elle préparait son dîner.

Elle fut surprise par sa franchise, un trait de caractère peu présent chez les enfants de Limbé.

« C'est bien, répondit-elle.

— Jende dit qu'il n'aime pas trop.

— Il dit ça ? demanda Neni en se retournant devant la cuisinière. Pourquoi il dirait ça ?

157

— Parce qu'il est honnête, répondit Mighty dans un éclat de rire, et l'honnêteté est la meilleure des conduites, non ? »

Même si elle n'appréciait guère autant de curiosité, elle ne pouvait nier que c'était là la preuve que les enfants riches pouvaient être tout à fait normaux. Il ne cessait de l'amuser, lui posant des questions sur les lions et les léopards d'Afrique, lui demandant quels animaux elle avait aperçus dans les environs de Limbé, des questions, elle en était certaine, que Mighty avait déjà dû poser des dizaines de fois à Jende, mais qui l'amusaient tellement qu'elle inventait des fables sur des singes qui lui avaient chipé son déjeuner lorsqu'elle était enfant, ou sur un camarade de classe qui venait à l'école à dos d'éléphant. Je ne te crois pas, disait Mighty, et Neni inventait des histoires plus incroyables encore. Le surveiller était de loin le domaine le plus agréable de son travail, et celui dans lequel elle impressionnait le plus Cindy, assurément. Chaque fois que Cindy entrait dans une pièce et qu'elle la trouvait avec Mighty en train de rire ou de jouer, Neni sentait sa satisfaction, car rien ne semblait importer plus à madame Cindy que le bonheur de ses enfants et de leur offrir en permanence tout ce que le monde avait de mieux à donner. Si Mighty riait et que Vince souriait, il ne pouvait y avoir sur terre femme plus heureuse que Cindy Edwards. Ce désir de les contenter (leur demandant constamment s'ils ne manquaient de rien ; rappelant toujours à Neni de leur préparer les repas et goûters qu'ils aimaient ; donnant à Mighty trois baisers chaque fois qu'elle ou lui sortaient de la maison), ce désir était de toute évidence associé à un besoin d'appartenance, un besoin absolu qu'elle semblait ne jamais pouvoir satisfaire pleinement.

Cette nécessité étonnait Neni au plus haut point, car le jour où elles s'étaient rencontrées, Cindy Edwards ne lui était en aucun cas apparue comme une femme ayant un besoin désespéré à combler. Depuis le moment où elles s'étaient serré la main sous le porche jusqu'au moment où elle était partie à son dîner, madame Cindy lui avait semblé drapée dans une sorte de supériorité, le dos droit, les épaules en arrière, marchant à grandes enjambées, prononçant chaque mot avec lenteur et clarté, comme pourvue du droit de disposer du temps de celui ou celle qui l'écoutait. Elle avait pointé ses doigts délicats, au vernis parfait, seulement ornés d'une bague sertie d'émeraudes, hochant la tête telle une toute-puissante impératrice, lorsqu'elle lui avait fait faire le tour du propriétaire afin de lui délivrer poliment, mais explicitement, ses instructions sur les travaux à accomplir chaque matin et la manière de le faire, lorsqu'elle lui avait énuméré des points importants qu'Anna avait déjà dû lui expliquer, mais qu'elle jugeait utile de répéter, comme les défauts qu'elle détestait chez une bonne à tout faire : la malhonnêteté, l'absence de communication ou le manque de tenue devant des invités.

Et pourtant, en dépit de l'image pleine d'assurance qu'elle voulait renvoyer, Cindy semblait presque obsédée par le désir de se trouver là où tout le monde se trouvait et de faire ce que tout le monde faisait. En l'espace de quatre jours, Neni remarqua qu'elle téléphonait à une amie au moins une fois par jour pour chercher à savoir si l'amie en question avait été invitée au cocktail d'Untel ou Untel, ou au dîner, gala ou mariage d'on ne savait qui. Les rares fois où, vraisemblablement, ses amies lui répondaient avoir reçu des invitations pour des événements auxquels Cindy n'avait pas été conviée, elle en éprouvait une douleur physique semblait-il, qui se traduisait par de profonds soupirs, un soudain affaissement des épaules et une voix triste, révélant à Neni qu'il y avait là quelque chose d'important, contrairement à ce que Cindy faisait croire à ses amies, car sans doute se demandait-elle pourquoi elle n'avait pas été invitée, quelle faute elle avait pu commettre et si son statut social n'avait pas été ébranlé. Ce besoin viscéral d'être constamment sollicitée, de constamment exister à travers les autres étonnait Neni grandement, mais elle se garda de téléphoner à Jende pour le lui raconter, sachant d'avance qu'il dirait ce qu'il disait chaque fois qu'elle se plaignait de ne pas comprendre la raison pour laquelle les gens se préoccupaient tant d'une chose aussi bête que l'assentiment d'autrui : que les mêmes choses n'importent pas aux mêmes gens.

Cinq jours après son arrivée, cependant, elle lui téléphona, terrifiée.

« Je crois que Mme Edwards est très malade, murmura-t-elle depuis sa chambre, au sous-sol de la maison.

— Qu'est-ce qu'il y a ? » demanda Jende.

Elle était seule à la maison, et Mme Edwards semblait avoir une maladie, lui dit-elle.

« Quelle maladie, Neni ? La fièvre ? La migraine ? Mal au ventre ?

— Non, non, pas ce genre de maladie-là », murmura-t-elle à nouveau.

Où étaient tous les autres ? voulut-il savoir.

M. Edwards était à Manhattan, et Mighty et Vince à la plage. Et quoi ? demanda-t-elle sans comprendre, après avoir répondu à la question. Mme Edwards n'avait pas l'air bien, et Neni avait peur, car elle ne savait pas quoi faire. Madame Cindy avait l'air très malade, mais peut-être qu'elle n'était pas malade. Neni avait besoin des conseils de son mari, pas d'un bombardement de questions.

« Mais tu me dis cinquante choses différentes, répondit-il. Dis quelque chose de censé. »

Mme Edwards lui avait annoncé qu'elle se retirait dans sa chambre pour faire une sieste et qu'il ne fallait pas la déranger. Neni était restée au sous-sol pour faire la lessive, avant de se rappeler que les draps de la chambre d'amis avaient besoin d'être changés. Elle avait ouvert la porte de cette pièce, au premier étage, sans frapper, supposant que Mme Edwards était allée faire la sieste dans sa propre chambre, au rez-de-chaussée. Mais lorsqu'elle était entrée, une vision effrayante l'avait accueillie : la femme toujours élégante et apprêtée qu'était madame Cindy gisait sur le matelas, la tête contre le dossier du lit, des mèches de cheveux collées à son visage en sueur, les bras inertes, un filet de bave sur le menton, la bouche à moitié ouverte.

« J'ai peur, lui dit-elle, maintenant paniquée et au bord des larmes. Elle allait bien ce matin. Elle m'a dit il y a une heure qu'elle partait faire la sieste, et là, je vais dans la chambre d'amis et je la trouve comme ça.

— Elle t'a semblé morte ? demanda Jende.

— Non, je l'ai vue respirer, murmura-t-elle. Oh, *Papa God*, qu'est-ce qu'il faut faire ? »

Jende resta silencieux pendant quelques secondes.

« Ne fais rien, dit-il à sa femme. Fais comme si tu n'avais rien vu. Si quelque chose lui arrive, tu peux dire que tu ne savais pas. Tu peux dire que tu n'es jamais entrée dans la chambre.

— Mais s'il y a quelque chose et que je dois l'aider ?

— Neni, Neni, écoute-moi, lui dit fermement Jende. Laisse son mari et ses fils la trouver et décider. Ne la touche pas, c'est compris ? Ne retourne même pas dans cette chambre. Ne te mêle pas de cette histoire, je t'en supplie.

— Mais je dois…

— Tu ne dois rien du tout ! »

Elle raccrocha et appela son amie Betty. Betty était en septième année d'école d'infirmières ; elle saurait donc quoi faire.

« Je crois que c'est les médicaments, oh ! hurla-t-elle par-dessus les pleurs de ses enfants derrière elle. Il n'y a que les médicaments qui peuvent te mettre comme ça.

— Betty, ma parole, arrête de plaisanter. Je te parle sérieusement…

— Qui dit que je plaisante ? Je te dis : c'est les médicaments.

— Non, pas Mme Edwards…

— Pourquoi tu me contredis ? Les gens riches comme ça, ils aiment les médicaments.

— Pas Mme Edwards ! Ce n'est pas ce genre de femme-là, Betty, je te jure.

— Tu la connais d'où ? Pour toi, c'est juste parce qu'elle porte des beaux vêtements que…

— Pourquoi tu veux qu'elle prenne des médicaments ?

162

— Neni, ma parole, si tu ne veux pas me croire, alors laisse-moi raccrocher ce téléphone.

— Oh, *Papa God* ! » s'écria Neni en se tapant sur les cuisses alors que son portable bipait, annonçant un appel de Jende.

Mais elle l'ignora, sachant qu'il ne ferait que s'entêter.

« Écoute-moi, poursuivit Betty. Écoute. Va la réveiller. Mais tu la secoues doucement, OK ?

— Et si elle ne se réveille pas ?

— Tu touches à ça encore une fois, cria Betty derrière elle, et je viens te corriger !

— Betty, je ne sais pas…

— Attends », coupa Betty.

Pendant quelques secondes, Neny n'entendit plus rien que les pleurs d'un bébé.

« Eh, si tu n'apprends pas à ces enfants comment on obéit, ils finissent par se comporter comme les enfants américains, dit-elle en reprenant le combiné.

— Tu penses que je dois la réveiller ?

— Oui, va la réveiller.

— *Chai ! Man no die e rotten*[1].

— Tu t'es servie de tes belles jambes pour marcher droit dans les problèmes. »

Neni eut un rire, le même rire sans joie qu'avait sa mère quand la vie était si étrange que seul un rire pouvait vous donner la force de l'affronter.

« Si elle est morte, ajouta Betty, appelle son mari, pas la police.

— OK, OK, laisse-moi y aller.

— Et, Neni, ajouta Betty juste avant de raccrocher,

_____
1. Tu parles ! Maintenant, elle doit être morte et en train de se décomposer. *(N.d.T.)*

ma parole, ne raconte pas à la police que tu m'as appelée en premier. Je t'en supplie, tu ne prononces jamais mon nom. Ces gens de la police, ils me font peur. »

Neni raccrocha et courut à l'étage, fermement agrippée à son téléphone. Cindy dormait dans la même position. Pendant quelques secondes, Neni resta debout près du lit, le regard planté sur le tube de pilules à côté du verre de vin rouge vide et de la bouteille à moitié pleine posés sur la table de nuit, avant de se rapprocher.

« Madame Edwards », murmura-t-elle en lui remuant un bras.

Jende l'aurait tuée de faire ça, mais elle ne pouvait pas laisser madame Cindy toute seule dans cet état.

Cindy ne répondit pas.

Neni rangea son téléphone dans la poche de son *kaba*, se pencha plus près et parla directement dans son oreille.

« Madame Edwards. »

Subitement, Cindy ferma la bouche et la rouvrit avec un bruit.

« Madame Edwards, vous allez bien ? »

Cindy ouvrit légèrement les yeux.

« Qu'est-ce que vous voulez ? bredouilla-t-elle d'une voix rauque.

— Rien, madame. Je voulais juste être sûre que tout allait bien. »

Cindy se redressa, dégagea ses cheveux de son visage et s'essuya le menton. Puis elle ouvrit complètement les yeux et se tourna vers Neni.

« Quelle heure est-il ? » demanda-t-elle.

Neni sortit son téléphone de sa poche.

« Dix-sept heures.

— Merde », lâcha Cindy en levant les jambes pour sortir du lit.

Elle fit quelques pas en titubant. Neni s'empressa de la prendre par le bras.

« Ça va aller, dit Cindy en s'écartant. Je vais bien. »

Sans cesser de dégager ses cheveux, elle s'assit sur le fauteuil près du placard et demanda un verre d'eau fraîche que Neni s'empressa d'aller lui chercher. Son verre d'eau avalé, Cindy lui en demanda un second, ainsi qu'une assiette de salade – de la laitue nature, juste avec de l'huile et du vinaigre –, que Neni apporta sur un plateau. Avec la plus grande précaution, Neni souleva les jambes de Cindy et les posa sur un pouf, de sorte que le plateau tienne facilement en équilibre.

« Je vous fais couler un bain, madame ? » demanda Neni.

Cindy acquiesça.

Neni se rendit dans la salle de bains, se lava vigoureusement les mains et tourna le robinet de la baignoire. Elle versa dix doses de bain moussant, s'agenouilla devant la baignoire – son ventre arrondi contre la paroi froide – et fit des cercles pour mélanger l'eau, comme Anna le lui avait appris. Quand la baignoire fut pleine, elle sortit et emporta le plateau-repas.

« Clark ne rentrera pas ce soir finalement, annonça Cindy alors que Neni s'apprêtait à sortir de la salle de bains. Et Vince ne sera pas là à partir de ce soir – il va passer les prochains jours dans les vignes, chez un ami. Vous pourrez servir son dîner à Mighty quand il le voudra.

— Bien, madame », répondit Neni en se hâtant de redescendre.

Aux alentours de 19 heures, elle entendit le moteur de la Jaguar dans l'allée. Cindy s'en allait à Dieu sait quelle soirée.

19

Elle resta derrière la porte, frappant doucement mais avec insistance pendant plusieurs secondes, déterminée à la réveiller.

« Qu'est-ce qu'il y a ? finit par grogner Cindy.

— C'est moi, madame, répondit Neni.

— Oui ?

— Je me demandais juste, madame… à propos de votre petit déjeuner. Si vous voulez que je vous l'apporte ici ou que je l'installe près de la piscine.

— Quelle heure est-il ?

— Onze heures, madame.

— Près de la piscine, répondit-elle après un silence. Dans une heure. »

Lorsque Cindy sortit de sa chambre un peu avant midi, après s'être douchée et avoir revêtu une robe sans manches à rayures violettes, Neni se trouvait derrière le comptoir de la cuisine, en train de trancher un ananas.

« C'est presque prêt, dit-elle. Bonjour, madame. »

Cindy hocha la tête et alla s'installer à la table près du bassin. Par la fenêtre, Neni la vit qui regardait fixement l'eau, bleue et calme à l'exception de quelques ridules provoquées par une feuille solitaire au centre de la piscine. Neni s'empara du plateau et se dépêcha de sortir.

« Désolée pour l'attente, madame, dit-elle en plaçant le plateau sur la table. Vous voulez autre chose ?

— Où est Mighty ?

— Il est allé à la baignade, madame, avec le voisin et le fils du voisin. Il a dit qu'il n'y avait pas de problème. Je lui ai donné un sandwich et une banane. »

Cindy souleva le pichet et versa du lait dans son café. Neni se tourna pour partir, mais alors qu'elle s'apprêtait à rentrer dans la maison, Cindy l'interpella.

« Neni ?

— Madame.

— Prenez une chaise et venez vous asseoir avec moi. »

Neni regarda Cindy, très étonnée, mais elle fit demi-tour et obéit.

Pendant la minute qui suivit, Cindy prit de petites bouchées de son omelette aux blancs d'œufs, de ses tranches d'ananas, et mangea quelques myrtilles. Assise en face d'elle, Neni fixait le sol en béton.

« Merci de m'avoir aidée hier », commença Cindy en posant sa tasse de café et en s'essuyant délicatement les lèvres.

Elle ramassa ses lunettes de soleil et les chaussa malgré le ciel voilé.

Neni la regarda avec un sourire, un sourire crispé par la gêne et la nervosité.

« Ce n'était rien, madame, répondit-elle avec lenteur et application, comme elle s'était entraînée à le faire pour s'adresser aux non-Africains. Vous avez été un peu malade, madame. Je suis contente d'avoir pu venir vous aider.

— Je n'étais pas malade, répondit Cindy. Je sais que vous le savez.

— J'ai cru simplement…

— Ça va, répondit Cindy en levant les mains pour la faire taire. Vous êtes une grande fille. Il n'est pas nécessaire de mentir. Je sais que vous avez vu ce qu'il y avait sur la table de nuit, et que vous n'avez pas cru que je faisais une simple sieste. Vous êtes assez intelligente pour faire le rapprochement. J'ai bien vu dans vos yeux que vous étiez terrifiée.

— Je n'ai rien vu du tout, madame.

— Si, vous avez vu. Pas la peine de me prendre pour une imbécile. »

Neni posa les mains sur ses genoux et commença à les pétrir. Elle baissa les yeux vers ses pieds qui, à cause de la grossesse, dépassaient maintenant de ses sandales bleues, avant de regarder de nouveau Cindy.

« Je n'ai rien vu, madame, je jure… J'ai cru simplement que vous étiez malade, c'est pour ça que je suis venue ce matin pour vous réveiller quand vous ne vous êtes pas réveillée à l'heure normale. »

Cindy répondit par un ricanement, puis elle secoua la tête.

« Je suis vraiment très désolée, madame, continua Neni, qui implorait maintenant Cindy du regard. Je ne voulais rien voir du tout. »

Cindy remua son café avec une petite cuillère en argent et la posa. La brise marine que Neni avait appréciée ce matin ne lui semblait plus si relaxante ; elle la percevait plutôt comme une nuisance à présent qu'elle soufflait plus fort, en lui envoyant ses tresses au visage.

Cindy enleva ses lunettes de soleil pour regarder Neni dans les yeux.

« J'imagine que quand vous me voyez, vous pensez que j'ai vécu toute ma vie comme ça, dit-elle. Vous devez penser que j'étais déjà riche quand je suis née, n'est-ce pas ? » Neni s'abstint de répondre. « Eh bien, vous vous trompez, poursuivit Cindy. Je viens d'une famille pauvre. D'une famille très, très pauvre.

— Moi également, madame... »

Cindy secoua la tête.

« Non, vous ne comprenez pas, répondit-elle. Être pauvre en Afrique, cela n'a rien d'exceptionnel. Tout le monde ou presque est pauvre là-bas. La honte d'être pauvre n'est pas la même là-bas. »

Neni ferma les yeux et hocha la tête, comme si elle comprenait et approuvait sans réserve.

« Alors qu'ici, c'est gênant, humiliant, profondément douloureux, ajouta Cindy en regardant au loin, par-delà les arbres. Faire la queue avec les sans-abri pour la soupe populaire. Vivre dans une maison mal chauffée l'hiver. Manger du riz et des conserves presque à chaque dîner. Subir des moqueries à l'école... » Une larme solitaire dévala sa joue. Elle essuya son sillon mouillé du bout du doigt. « Vous n'avez pas idée de ce que j'ai enduré.

— Non, madame.

— Je n'oublierai jamais le soir où j'ai demandé à ma mère d'avoir des légumes et des crevettes pour le dîner. Un luxe pareil ! Comment osais-je le demander ? Elle m'a giflée et m'a envoyée au lit sans manger. Voilà comment elle répondait. Une gifle, ou des mots blessants pour me dire que je n'étais rien. »

Elle se racla la gorge.

Neni baissa les yeux vers ses mains, les leva vers le visage de Cindy.

« Mais je me suis sortie de tout ça, comme vous le voyez. J'ai réussi à aller à l'université, à trouver un travail, à me loger, à apprendre comment me comporter et me fondre dans ce nouvel environnement pour que plus jamais personne ne me regarde de haut, ou comme une moins que rien. Parce que je sais d'où je viens et ce que j'ai accompli pour en arriver là. »

Neni acquiesça.

« C'est vrai, madame. »

Cindy ramassa sa petite cuillère, remua de nouveau son café, et la posa. Elle se tourna vers Neni, dont les yeux étaient maintenant baissés.

« Pourquoi je vous dis tout ça, Neni ? demanda-t-elle.

— Je… Je ne sais pas, madame, répondit Neni d'une voix basse dans laquelle se décelait sa peur.

— Je vous le dis parce que je veux que vous sachiez d'où je viens et pourquoi je me bats chaque jour pour rester où je suis. Pour que ma famille demeure soudée. Pour garder tout ça. » Elle étendit un bras et balaya d'un geste la maison, la piscine et le jardin. « Je vous le dis, répéta-t-elle, les yeux rivés sur le visage de Neni, parce que je veux que vous ne répétiez jamais à personne ce que vous avez vu hier.

— Je jure, madame, sur la tombe de ma grand-mère, que je ne le répéterai jamais à personne.

— Vous êtes une femme, Neni. Une épouse et une mère, comme moi. Je vous demande de me faire cette

170

promesse, non pas d'employée à employeur, mais de femme à femme qui sait qu'il n'y a rien de plus important que de protéger sa famille.

— Je vous jure, madame. Je vous promets, de femme à femme. »

Cindy ouvrit sa main droite posée sur la table et Neni posa la sienne dessus.

« Merci », lui dit Cindy en esquissant son premier sourire de la journée, et en serrant la main de Neni.

Neni lui rendit son sourire.

« Vous êtes une femme bonne. »

Neni courba la tête et opina. Cindy relâcha sa main, puis Neni se leva et prit le chemin de la cuisine.

« Au fait, l'interpella Cindy, vous faites quelle taille de vêtements ? Quand vous n'êtes pas enceinte, j'entends. »

Neni refit quelques pas en direction de Cindy.

« Taille trente-huit, madame, répondit-elle.

— C'est plus grand que moi, fit remarquer Cindy, toujours en souriant. Mais ça devrait aller. J'ai quelques affaires que je comptais donner.

— Oh, madame, oui, merci. Je les prendrai. Je sais retoucher les vêtements. Merci…

— Ce sont des vêtements de marque, dit Cindy en croisant les jambes et en ramassant son iPhone. Des robes et autres. Je ne suis pas sûre que ce soit votre style, mais prenez tout.

— Merci, madame ! Je prendrai tout. Je les retoucherai dans mon style. Merci vraiment beaucoup.

— J'aurais des choses pour votre fils, aussi. Des vieux habits de Mighty et des jouets. Vous pourrez les emporter quand vous partirez.

— Oh, madame, je suis tellement contente. Je ne sais même pas comment vous remercier.

— Et rappelez-moi de vous payer votre supplément quand vous partirez. Vous aurez besoin d'un peu d'argent en plus pour préparer l'arrivée du bébé.

— Oh oui, madame, j'en aurai besoin ! chanta Neni, plaçant une main sur sa joue, l'autre sur son ventre. Merci vraiment beaucoup, madame. Je suis très reconnaissante. »

Cindy leva les yeux vers cette femme rayonnante et sourit de nouveau.

Neni lui rendit son sourire.

C'était un arrangement gagnant-gagnant.

20

Liomi était assis à côté de lui sur le siège du passager, se cachant chaque fois qu'une voiture de police passait. Lorsqu'une femme blanche lui avait signalé, un matin, qu'il était illégal qu'un enfant de l'âge de Liomi voyage à l'avant, Jende, reconnaissant, lui avait répondu que oui, en effet, il le savait, merci vraiment beaucoup, madame.

Père et fils dormaient ensemble chaque soir dans leur chambre en face du funérarium, parfois au son des jurons et des heurts qui survenaient parmi les proches des défunts. Ils se réveillaient le matin venu le corps couvert de sueur, bien peu soulagés par leur faible ventilateur qui soufflait dans la chaleur du mois d'août. Après leur bain, ils faisaient frire des plantains bien mûres et des œufs. Jende forçait chaque fois Liomi à manger au moins une banane entière et deux œufs, en plus d'un grand verre de jus. Ils s'habillaient ensemble pour la journée, en jean et T-shirt, et Liomi s'assurait chaque fois d'assortir ses couleurs à celles de son père. Le ventre plein et leur déjeuner emballé, ils prenaient le chemin de la station main dans la main et s'engouffraient dans le métro pour se rendre dans le nord de Manhattan et récupérer le taxi dans le Bronx. Dans le wagon, ils s'asseyaient très près l'un de l'autre, la main de Liomi toujours dans celle de son père. Après quatre heures passées à prendre et déposer des passagers, ils sortaient leur déjeuner, de la nourriture que Neni avait préparée et congelée, et mangeaient sur la banquette arrière. Pour le dîner, ils allaient de temps à autre dans un restaurant africain de la 116ᵉ Rue, où ils commandaient de l'*attiéké* avec de l'agneau grillé, leur plat préféré de tous ceux proposés. Parfois, lorsqu'ils avaient fini de manger, ils allaient acheter une glace chez un marchand de la 115ᵉ Rue et descendaient à pied le boulevard Malcolm X, main dans la main, en léchant leur cône glacé. Ces journées étaient parfaites aux yeux de Jende, presque comme un paradis, et même si sa femme lui manquait, il était heureux de se retrouver seul avec son fils.

« Papa ? lui demanda Liomi tandis qu'ils dînaient dans le restaurant voisin de la bouche de métro de la 116ᵉ Rue, un soir.

— Eh ?

— C'est vrai qu'on va retourner au Cameroun ? »

Jende s'arrêta de mâcher. Il posa le bol d'*attiéké* qu'il tenait de sa main droite.

« Qui t'a dit qu'on allait retourner au Cameroun ? demanda-t-il en gardant la voix basse pour ne pas attirer l'attention, mais en arrondissant les yeux pour montrer à Liomi combien il l'avait fâché.

— Personne, papa, lui répondit Liomi en évitant son regard.

— Alors pourquoi tu demandes ?

— Pour rien, papa. C'est maman qui l'a dit au téléphone.

— Maman qui l'a dit, eh ? À qui ?

— Je ne sais pas, papa.

— Quand maman l'a dit ?

— Papa, je ne…

— Tu ne quoi ? Pourquoi tu écoutais la conversation de ta mère ? »

Le garçon devint muet, sa petite bouche couverte par les grains blancs d'*attiéké*. À côté, l'homme chauve qui avait commandé un *thiebou dieune* semblait s'être arrêté de manger pour regarder le père aux poings serrés sur la table et le petit garçon de sept ans qui paraissait sur le point de s'enfuir de terreur.

« On ne rentre pas au Cameroun, tu entends ça ?

— Oui, papa.

— On ne va jamais rentrer au Cameroun, est-ce que tu entends ça ?

— J'entends ça, papa.

— Finis ta nourriture. »

De retour dans leur appartement, Jende appela Neni et, sans lui poser la moindre question, la réprimanda sans ménagement pour avoir exposé leur problème à Liomi.

« Comment tu oses parler de ça devant lui ?

— Je pensais qu'il n'écoutait pas.

— Tu n'as pas besoin de penser, Neni. Tu n'as pas besoin de savoir qui écoute ou pas. Tu dois juste apprendre à fermer ta bouche parfois.

— S'il sait, ça fait quoi ? Si le juge décide de nous renvoyer chez nous, tu voudras qu'on lui ferme les yeux pour ne pas qu'il voie qu'on rentre au Cameroun ? »

Jende frappa sur le cadre du lit et se leva. Il refusait d'entendre ces paroles. Il cria :

« Eh, Neni ! C'est donc ça que tu crois ? Tu crois que nous devons dire à un enfant que son père peut être expulsé ? Tu veux que Liomi sache ce qu'il m'arrive à *moi* ? »

Neni resta silencieuse. C'était la première fois qu'il criait sur elle comme ça, la première fois en presque vingt ans, depuis qu'ils étaient adolescents à la National Comprehensive School.

« Boubacar nous a promis qu'il nous restait des années, même si les choses ne se passent pas comme on veut. Tu sais ça ! Tu sais qu'il nous reste encore beaucoup d'années dans ce pays. Tu sais ça !

— Je sais ce qu'il a dit.

— Alors pourquoi est-ce que tu parles comme si on partait dans un mois ?

— Personne ne connaît l'avenir. Tout peut arriver. Tu sais ça. »

Jende s'assit, ferma les yeux et secoua la tête, ne sachant plus quoi dire à sa femme.

« Est-ce que tu dis ça parce que tu crois que je vais être expulsé ? demanda-t-il finalement. C'est pour ça que tu me parles de cette façon-là ? »

Sa voix était maintenant calme et blessée, chargée de détresse.

« Non, *bébé**, s'il te plaît, répondit Neni, son embarras soudain palpable dans sa voix. Ce n'est pas ce que je disais.

— Alors tu disais quoi ?

— Je ne disais rien, *bébé**. Je suis désolée. Je ne veux même pas savoir ce que j'essayais de dire.

— Pourquoi tu mets la honte sur moi comme ça ?

— Je suis désolée, vraiment, *bébé**. Tu sais ce qui

176

est le mieux pour nous. Je ne parlerai plus de ça à la maison quand Liomi sera là.

— N'en parle plus jamais ! Il n'y a pas de quoi parler. J'aurai ma *green card* !

— Tu l'auras, *bébé**, répondit Neni, et sa voix dérailla. Simplement, j'ai peur parfois, et j'ai envie d'en parler avec ma sœur. J'ai trop peur. Je ne veux pas retourner à Limbé. Je ne veux pas…

— J'ai peur aussi, Neni. Tu crois que je n'ai pas peur ? Mais est-ce que la peur a déjà fait quelque chose pour quelqu'un ? Nous devons être forts et protéger Liomi.

— Tu as raison.

— Nous ne pouvons pas penser, même pendant une seconde, à l'expulsion. Nous devons continuer à vivre, voilà.

— Oui. Nous le faisons déjà, eh ?

— Alors quel est le problème ?

— Rien… rien. Je vais me souvenir de ne plus en parler. Tout ira bien. Pardon de t'avoir fâché, *bébé**. S'il te plaît, va te calmer et repose-toi. Et s'il te plaît, ne parlons plus de tout ça au téléphone. Tu sais, Boubacar a dit que le gouvernement écoutait. »

Jende était amer en allant au lit, ce soir-là, malgré les excuses de Neni, fâché contre elle qui avait exposé leur enfant à de blessantes contre-vérités, et encore plus contre lui-même, qui faisait face à tant d'échecs dans sa vie. Il fit dormir Liomi seul dans son petit lit cette nuit-là, parce qu'il ne voulait pas qu'un enfant qu'il pourrait un jour décevoir se blottisse contre lui. Mais le lendemain matin, lorsqu'il se réveilla, Liomi était là, ses petites mains sur le ventre de son père. Jende regarda son visage rond couvert de sueur

177

et sut qu'il n'avait pas d'autre choix que de laisser cet enfant se blottir contre lui et profiter du reste de cet été entre père et fils.

Le soir venu, ils assistèrent à un concert de musique classique à St Nicholas Park, où un quatuor de violonistes joua une mélodie si triste que les yeux de Jende s'embuèrent brièvement. Le lendemain après-midi, impatients de goûter à ce que l'été new-yorkais avait encore à offrir à ceux qui ne pouvaient ou ne voulaient pas partir, il fit une croix sur l'argent qu'il pouvait gagner dans le Bronx pour emmener son fils nager à la piscine municipale de Harlem.

« Papa, montre-moi comment tu nageais avec oncle Winston à Down Beach », demanda Liomi, et Jende s'exécuta, reproduisant le dos crawlé que lui et son cousin nageaient dans les eaux qui s'étalaient derrière le jardin botanique.

Après deux longueurs sous les yeux d'un Liomi hilare, Jende souleva le garçon et le plaça dans l'eau sur le dos pour lui apprendre les mouvements. En le regardant rire et battre des bras dans l'eau, Jende vit Liomi, peut-être pour la première fois, non pas seulement comme un enfant, mais aussi comme un homme en devenir, un homme jeune qui observait son père et apprenait de lui, un garçon voulant marcher dans les pas de son père afin de devenir un homme du même acabit, sinon du même rang. Cette nuit-là, ils dormirent ensemble comme de coutume, les bras de Liomi autour de son père, sa tête sur sa poitrine. Jende, qui n'était pas homme de religion, pria pourtant ce soir-là pour son petit, pour que Liomi vive une vie longue et heureuse.

21

Elle était arrivée à la moitié de son séjour à Southampton quand Vince Edwards débarqua dans sa chambre et se jeta sur le lit nouvellement fait en lui demandant, tandis qu'elle regonflait les oreillers, de deviner la nouvelle.

« Quelle nouvelle ? demanda-t-elle.

— C'est le grand jour aujourd'hui, annonça-t-il avec un immense sourire.

— Le jour… ?

— Le jour où je vais leur dire. »

Neni regarda avec hésitation ce visage qui rayonnait de joie.

« Leur dire quoi ? répondit-elle en se demandant pourquoi Vince présumait qu'elle était au courant de cela.

— Jende ne t'a pas… ?

— Jende ne m'a pas quoi ?

— Laisse tomber », dit-il en se levant.

Puis il sortit.

Une heure plus tard, aux environs de 17 heures, Vince et Cindy partirent rejoindre Clark dans un restaurant de Montauk. Le lendemain, Neni ne vit pas

Vince de toute la matinée et aperçut à peine Cindy, qui refusa de manger au petit déjeuner comme au déjeuner et passa la majeure partie de l'après-midi au téléphone, suppliant on ne savait qui d'être raisonnable et de penser aux conséquences de ses actes. Lorsque Neni appela Jende plus tard ce soir-là et lui demanda ce qui pouvait se passer, Jende lui répondit de ne pas se mêler des affaires d'autrui.

« Si tu sais quelque chose, pourquoi tu ne me le dis pas ? demanda-t-elle.

— Si je te le dis, que vas-tu faire, à part jaser avec tes amies ? »

Elle raccrocha, bien décidée à découvrir toute seule ce qu'il se tramait. Elle ne pouvait pas espionner Cindy, sortie faire une promenade nocturne sur la plage, et Mighty lui avait déjà dit que ses parents et Vince s'étaient disputés – sa mère ne lui avait pas dit pourquoi, et Vince était reparti en ville. Quand Mighty avait appelé Vince pour lui demander pourquoi leur mère était dans cet état, ce dernier lui avait répondu qu'ils en parleraient dès que le petit garçon serait rentré à New York, car il était difficile d'expliquer ces choses-là au téléphone.

Deux soirs plus tard, cependant, Neni n'eut plus à s'interroger : après avoir préparé du saumon et des frites au four à Mighty pour son dîner (ainsi que des *puff-puff*, que Mighty avait expressément demandés, car Neni lui avait raconté qu'elle mangeait ces beignets tous les matins avec ses frères et sœurs sur le chemin de l'école), elle joua aux jeux vidéo avec lui, le mit au lit, puis se rendit dans sa chambre pour lire un chapitre de son manuel de psychologie sociale, un cours auquel elle s'était inscrite à la rentrée. Absorbée qu'elle était par un passage sur la persuasion, elle ne remarqua pas immédiatement les voix qui s'élevaient de la cuisine. Ce ne fut qu'après trois minutes, peut-être, lorsque les remontrances et les accusations atteignirent le point d'orgue du crescendo, que Neni s'aperçut que M. et Mme Edwards criaient dans la cuisine, de retour du mariage auquel ils venaient d'assister.

Elle se leva du lit et, sur la pointe des pieds, gravit l'escalier du sous-sol, et colla fermement l'oreille contre la porte.

« Non ! entendit-elle crier. Va pleurnicher auprès d'elle si ça te chante ! Pour moi, c'est hors de question.

— Tu préfères voir ta famille se briser ? hurla Cindy en retour, avec des tremblements dans la voix. Tu préfères ça, plutôt que d'aller voir une thérapeute et reconnaître que tu as des problèmes et que tu détruis ta famille ?

— Des problèmes ? Ce n'est pas moi qui en ai, justement.

— Parce que c'est ma faute si notre fils a décidé d'aller vivre en Inde ? s'écria Cindy.

— Tu penses que Vince part en Inde à cause de moi ?

— Il part en Inde parce qu'il est malheureux, Clark ! Il ne se sent pas…

— À cause de moi ?

— Parce que nous n'avons pas réussi à lui offrir une vie qui le rende heureux ! Tout ce qu'il veut, c'est être heureux avec sa famille, et même ça, nous ne sommes pas capables de le lui donner. Tu ne le vois pas ?

181

— Quelles conneries.

— Quoi ?

— Tes théories à la con sur le bonheur de Vince et notre responsabilité ! cria Clark, par-dessus le fracas de la porte du réfrigérateur. C'est un grand garçon. Il est responsable de son bonheur. Qu'est-ce que j'y peux, s'il veut foutre sa vie en l'air ? *Rien !* »

Pendant quelques secondes, ils restèrent silencieux. Neni ferma les yeux et secoua la tête, ne sachant pour lequel des deux elle était le plus désolée. Elle imagina Clark en train de boire furieusement une bière ou du vin au goulot, pendant que Cindy pleurait sans un mot.

« Est-ce que ça t'intéresse, au moins ? » entendit-elle alors. La voix de Cindy, soudain plus faible, mais plus triste. « Est-ce que tu as quelque chose à foutre du mal que tu nous fais ?

— D'accord. C'est ça ! Bosser comme un chien pour vous offrir tout ça ? Mais quel salaud ! Tout faire pour être sûr que...

— Tu ne fais rien du tout ! Tu n'as jamais rien fait ! Jusqu'au jour où tu comprendras que la famille passe avant tout, tu...

— Il y a des moments où la carrière passe avant.

— Je ne me souviens pas d'une fois où notre mariage a été une priorité pour toi. Pas une fois où ta famille l'a été ! Pas une ! Et c'est pour ça que tu as peur de retourner en thérapie... parce que tu ne veux pas admettre à quel point tu es buté et égoïste !

— Qu'est-ce que tu attends de moi, Cindy ? cria Clark si fort que Neni crut sentir les murs trembler. Qu'est-ce que tu veux ?

— Je veux juste... Je veux, pleura Cindy. Je veux que tu... Que nous... Je veux que les garçons soient heureux, Clark… Tout ce que je veux, c'est que nous… que nous soyons heureux… C'est tout… »

Neni entendit des pas s'éloigner, ceux de Clark, devina-t-elle, qui laissait sa femme pleurer seule dans la cuisine. Puis elle entendit un grand boum suivi d'un long cri, et imagina Cindy glissant contre le muret du comptoir et s'effondrant. Elle l'imagina assise seule, pleurant sur le carrelage froid.

Neni s'écarta de la porte et s'appuya contre la rampe de l'escalier. Fallait-il faire quelque chose ? Était-ce approprié ? Que pouvait-elle faire, à part aller dans la cuisine et voir en quoi elle pouvait aider ?

Elle ouvrit la porte tout doucement et se glissa en silence dans la cuisine, craignant de faire peur à Cindy, assise là où Neni l'avait imaginé. Elle gémissait tout bas, la tête baissée, tellement noyée dans son malheur qu'elle ne remarqua même pas qu'on approchait. Ce ne fut qu'au moment où Neni s'accroupit tout près d'elle que Cindy leva son visage rougi de larmes, la regarda dans les yeux, et éclata de nouveau en sanglots.

« Je suis désolée, madame, souffla Neni. Je venais seulement… Je venais seulement voir si je pouvais faire quelque chose pour vous. »

Cindy, la tête toujours courbée, opina et renifla. Neni se releva, une main soutenant son ventre, et attrapa une boîte de mouchoirs sur l'îlot de la cuisine. Elle s'assit à côté de Cindy et lui en tendit un que celle-ci accepta avant de se moucher et de pleurer dedans.

« J'espère que vous et M. Edwards allez résoudre bientôt tous ces problèmes, madame.

— Il croit qu'il a le droit, vous comprenez ?

se lamenta Cindy, d'une voix à peine audible. Tous. Ils... Ils croient tous avoir le droit de me traiter comme ils veulent. »

Neni acquiesça, tâchant de toutes ses forces d'ignorer l'odeur d'alcool qui se déversait de la bouche de Cindy en même temps que ses paroles. Sa voix semblait rayée, et ses mots traînaient, preuve que madame Cindy avait bu plus de verres de vin qu'elle ne pouvait le supporter.

« Je peux vous apporter un verre d'eau, madame ? »

Cindy secoua la tête et demanda à la place un verre de vin, que Neni se dépêcha d'aller chercher avant de se rasseoir à même le sol.

Cindy avala une gorgée en pleurant.

« Tous, tous autant qu'ils sont... Ils croient tous qu'ils peuvent me traiter... comme ça... n'importe comment... »

Neni acquiesça de nouveau, la boîte de mouchoirs à la main.

« Mon père... Il pensait qu'il avait le droit, continua Cindy. Traîner ma mère dans cette maison abandonnée... Abuser d'elle, il se foutait bien de... il se foutait de savoir ce qui allait arriver à l'enfant. »

Elle renifla, prit une nouvelle gorgée de vin, pleura.

« Et le gouvernement... notre gouvernement, geignit-elle, la voix traînante, les larmes roulant sur ses joues, la morve lui coulant du nez. Eux aussi, ils avaient le droit. Forcer ma mère à porter le gamin d'un inconnu. La forcer à me donner naissance parce que... parce que... Je ne sais pas pourquoi ! »

Neni sentait sa gorge se serrer à la vue de cette femme en collier de perles dévastée, ne comprenant plus de quel enfant parlait Cindy.

184

« Je la haïssais… mais c'était de sa faute, peut-être ? Elle pensait qu'elle avait le droit, elle aussi… vous voyez ? De me battre, de m'insulter, de me traiter de grosse… parce que chaque fois qu'elle me regardait, elle repensait… Je lui faisais repenser… à ce qu'il lui avait fait… Mais pourquoi ? Qu'est-ce que j'avais fait, moi ? Ce n'est jamais la faute de l'enfant… jamais la faute d'un innocent… »

Neni détourna la tête lorsque Cindy ramassa son verre pour prendre une longue gorgée. Elle avait compris si subitement qui était cet enfant que ses sourcils s'étaient levés, ses yeux agrandis, et qu'elle fut obligée de mettre la main devant sa bouche pour ne pas s'exclamer. Elle garda le visage tourné, dans l'espoir que Cindy n'avait pas vu son regard, et pour s'empêcher de le river sur la désolante et chaotique masse trempée de pleurs qu'était devenue sa patronne. Quels mots fallait-il lui dire à présent ? Puisqu'elle ne pouvait la prendre dans ses bras, elle devait lui parler. Mais que répondre à quelqu'un qui vous confessait, sous l'emprise de l'alcool, porter le poids insupportable d'une vie conçue dans la violence ? Que répondre à des choses qu'elle n'aurait jamais pu penser ?

« Et maintenant, Clark aussi s'arroge le droit, poursuivit Cindy, qui regardait dans le vague tandis que sa voix chevrotait. Il se donne… il se donne le droit de m'aimer moins que son boulot. Il se donne le droit de me mettre de côté, de revenir me chercher quand ça l'arrange… Et Vince… » Elle sortit un autre mouchoir, enfouit son visage dedans et commença à geindre avec hystérie. « Et Vince qui fait pareil, maintenant ! Il croit… Il se croit en droit de m'abandonner alors que… alors que j'ai toujours été une très bonne

185

mère… moi qui n'ai jamais abandonné ma mère…
même après toutes ces années de… »

Ses épaules se mirent à trembler, et Neni, qui ne
savait toujours pas quoi faire, posa la boîte de mouchoirs par terre et leva une main prudente jusqu'à
l'épaule de Cindy, qu'elle commença à masser. Les
pleurs de Cindy se faisaient de plus en plus forts
à mesure que Neni la pétrissait doucement, tout en
pensant à ce qu'elle pouvait faire d'autre pour aider
madame. Il fallait que quelqu'un vienne au plus vite.
Mais qui ? Pas Clark. Ni Vince. Peut-être June ou
Cheri – leurs numéros étaient affichés sur le réfrigérateur. Mais comment allait-elle justifier de les appeler
à minuit ? En leur disant que Cindy, sérieusement
imbibée, ne pouvait plus s'arrêter de pleurer ? En leur
disant qu'elle ne savait ni quoi dire ni quoi faire pour
la réconforter ?

« Je suis vraiment très désolée, madame, murmura
Neni. Je suis vraiment désolée pour ce que votre père
a fait. »

Cindy continua de pleurer, ses épaules tressautaient
au rythme des sanglots.

« Est-ce que la police l'a arrêté, madame ? »

Cindy secoua la tête.

« Peut-être… Vous pourriez peut-être le retrouver,
madame ? Peut-être que si…

— Quand je marche dans la rue… je le cherche,
chaque fois… je cherche tous les hommes qui lui ressemblent… et je me demande, est-ce que ça pourrait
être lui ? Ma mère m'a dit que j'avais hérité de sa
sale gueule, parce que je n'ai rien de commun avec
elle… Partout où je vais, je pense à son visage, le
visage d'un monstre… et personne ne sait. Personne

ne sait comme ça fait mal ! Vince ne sait pas comme ça fait mal !

— Je suis désolée pour Vince, également, madame », répondit Neni.

Cindy ramassa son verre de vin et but le reste d'un trait. Neni continua à lui pétrir l'épaule tandis qu'elles restaient là, assises, dans un silence seulement brisé par le bruit des appareils ménagers dernier cri. Le carrelage de la cuisine s'était réchauffé sous leur poids.

« Je ne veux pas qu'il parte en Inde, déclara Cindy avec une détermination nouvelle dans la voix. Ce n'est pas le fait de le soutenir qui est si dur pour moi. Je pourrais trouver la force de soutenir mon fils, même si je n'approuve pas ses projets. Non, ce qui me blesse autant... c'est sa manière de se croire dans son bon droit simplement parce qu'il a eu cette illumination. Je lui ai dit : "Si tu veux aider les gens... si tu veux changer le monde, pourquoi ne pas aller à la fondation Lehman Brothers ?" Clark pourrait l'aider, mais oh, non, quelle idée ridicule ! Il m'a demandé si je pensais vraiment que l'objectif d'une fondation comme celle de Lehman Brothers était d'améliorer le monde. Il m'a demandé si je savais ce que faisait Lehman Brothers. Si je me rendais compte que les entreprises détruisaient le monde. J'ai essayé de comprendre sa colère... mais je n'y arrive pas. Qu'a-t-il contre le fait d'être riche ? Pourquoi les gens qui travaillent dur devraient-ils se sentir coupables d'avoir de l'argent simplement parce que d'autres n'en ont pas autant ? Nous étions amis, avant... mon fils et moi, nous étions de bons amis. Mais maintenant qu'il a trouvé la "Vérité", je ne suis plus à ses yeux qu'une femme crédule à l'esprit étriqué, une matérialiste, une paumée. D'après lui, la seule manière pour moi de voir la lumière serait de mettre mon ego de côté. »

Cindy soupira et pencha la tête comme pour chasser un mal de cou affreux.

« Je lui ai dit : "Dans ce cas, vas-y... va la trouver, ta Vérité, ton Harmonie... je ne veux que ton bonheur. Mais pourquoi l'Inde, alors qu'il existe des centres de retraite spirituelle en Amérique... J'ai entendu parler d'un endroit au Nouveau-Mexique... Ta Vérité, elle doit bien exister ici, non ? Pourquoi ne pas te trouver une école pour terminer tes études près de ton centre de retraite ?" Je... Je ne peux pas supporter qu'il parte si loin. Si quelque chose lui arrivait, je... j'en mourrais. »

22

Elle revint des hamptons avec plus de vêtements de luxe qu'elle n'avait jamais imaginé en posséder ; des chaussures et des accessoires également. Cindy lui avait demandé d'en prendre le plus possible dans les armoires du grenier. De toute manière, elle comptait donner ce qui ne serait pas emporté. Neni s'était exécutée avec diligence, les bourrant, comme des cacahuètes dans un bocal, dans une vieille valise à roulettes Louis Vuitton au zip cassé qu'elle dut nouer à l'aide d'une tunique pour le fermer. À Penn Station et dans les rues de Harlem, elle fut obligée de s'arrêter une dizaine de fois au moins pour poser le sac Vuitton accroché à son épaule droite, le grand sac en papier qui lui servait à transporter les habits et les jouets de Liomi accroché à son épaule gauche, la valise à roulettes qu'elle tirait d'une main et le reste des habits et des jouets pour Liomi qu'elle tenait dans l'autre.

« Tu as souffert comme ça juste pour des vêtements gratuits ? lui demanda Jende plus tard ce soir-là, en riant, après qu'elle lui eut raconté son périple avec tous ses sacs, pendant que le bébé dans son ventre donnait des coups frénétiques.

— Eh quoi, "juste pour des vêtements gratuits"?

Ce ne sont pas juste des vêtements gratuits, *bébé**. Si tu savais combien ça coûte, tout ça ! » répondit-elle.

Jende, qui ne prenait pas ces choses au sérieux, lui dit qu'il s'en moquait. Les vêtements étaient des vêtements, ajouta-t-il, peu importait combien ils coûtaient ou quelle griffe était inscrite sur l'étiquette. Mais Betty qui, elle, prenait ces choses au sérieux – et qui comprenait l'indéniable différence de style et d'allure qu'il y avait à porter du Gucci ou du Tommy Hilfiger –, Betty, contrairement à Jende, savait que tous les vêtements n'étaient pas créés égaux, bien que fabriqués avec le même tissu et la même machine.

« Tu marches dans la rue, là, avec un haut Valentino ! s'exclama Betty en regardant la griffe d'un chemisier en soie blanche lorsqu'elle rendit visite à Neni, quelques jours après son retour.

— Tu imagines ça ? lui répondit Neni.

— Mais tu ne peux pas porter ça juste pour marcher dans la rue.

— Jamais de la vie. Un vêtement comme ça ? Je ne sais même pas où je vais le porter. Peut-être à un mariage. Ou peut-être que je vais le garder pour qu'on m'enterre avec quand je vais mourir.

— Alors, en attendant, laisse-moi le porter à ta place, eh ! répondit Betty avec un rire, en dépliant le chemisier sur sa poitrine. Je vais faire la belle dedans avec une jupe en cuir et mes bottes à talons hauts, et je te le rapporte dès que j'entends que tu es morte pour que tu…

— Ma parole, elle est folle ! Rends-moi mon chemisier ! » s'exclama Neni, hilare, en l'arrachant des mains de Betty.

Elle se leva pour se placer devant le miroir en pied accroché à la porte de la chambre et posa le chemisier contre elle, sentant la belle soie et les boutons délicats sous ses doigts.

« La femme, là, tu as dû bien lui plaire, eh ?

— Pourquoi "bien lui plaire" ?

— Pour qu'elle te donne tout ça. »

Neni eut un haussement d'épaules et s'agenouilla près du sac Louis Vuitton afin de remballer tous les vêtements qu'elle et Betty avaient admirés.

« Je ne lui plais rien du tout, dit-elle après avoir replié robes et chemisiers. J'ai fait ce qu'elle m'a demandé, et elle m'a payé avec de l'argent et des habits.

— Quand même…

— De toute façon, elle ne voulait plus les porter. Si tu avais vu ses placards ! Je n'ai jamais connu quelqu'un avec autant de vêtements et de chaussures dans une seule maison.

— Moi, je lui aurais pris une ou deux paires de chaussures aussi.

— Tu n'aurais pas fait ça, rétorqua Neni en levant les yeux à cette bêtise.

— Si, j'aurais pris, insista Betty en écarquillant les yeux et en riant. Et peut-être aussi un ou deux jeans DKNY ou Calvin Klein, si j'avais pu faire rentrer ces grosses fesses dedans. Elle ne va pas voir qu'elle les a perdus si elle en a tellement !

— Elle ne va pas le voir, non. Comment tu veux savoir qu'il te manque une paire de chaussures, quand tu en as cinquante ? Et je ne dis pas cinquante comme ça. Je jure, Betty, je suis allée dans son placard et j'ai compté. Cinquante !

— Plus cinquante ou cent paires dans son appartement à Manhattan.

— C'est certain.

191

— Et elle est malheureuse avec tout ça, remarqua Betty en soupirant. L'argent n'est rien, vraiment.

— Elle a trop souffert elle aussi, mais on ne peut pas comprendre, répondit Neni en se levant pour aller s'asseoir sur le lit près de Betty. Elle essaie de le cacher, mais ce n'est pas facile…

— Si ton père est un violeur, que tu ne connais pas sa tête, que tu ne connais pas son nom, comment tu veux que l'argent t'aide à résoudre ce genre de problème ? Tu ne sais même pas si c'est un Noir, un Blanc ou un Latino.

— Ah, Betty, toi et ton imagination. Son père était forcément blanc.

— Tu connais l'homme pour dire ça ?

— La femme est une femme blanche !

— C'est ce que tu crois, eh ? Viens voir sur Internet, je vais te montrer avec Google. Il y a plein de Blancs qui croyaient qu'ils étaient blancs, et un jour, ils apprennent que quelqu'un de la famille est noir ; leur père, leur grand-père…

— Ah, d'après moi, ce n'est pas ce genre de question qui doit la travailler le plus.

— Ça me travaillerait, moi. Si un jour j'apprends que je ne suis pas cent pour cent black… »

Betty tourna sa bouche vers le bas et secoua la tête. « Toi, tu n'auras jamais à t'inquiéter pour ça, répondit Neni en riant. Avec ta peau cramée et tes grosses fesses, on ne peut pas trouver autre chose à l'intérieur de toi que du sang africain !

— La jalousie va te tuer, répliqua Betty, qui se pencha sur le côté en riant pour souligner la beauté de son imposant fessier. Mais, sérieusement, ajouta-t-elle. Je ne sais pas ce que je ferais si mon père…

— Moi non plus. J'aurais peur qu'on m'ait jeté un sort, parce que c'en est un, eh ? Tu nais bâtard, et en plus, tout le monde sait que ton père était un violeur.

— *Kai !* Pas étonnant qu'elle boive, cette femme-là. Tu l'as revue comme ça ?

— Comme ce jour-là ? Non, oh, merci, *Papa God.* Mais j'ai trouvé un tube de pilules vide dans la poubelle de la salle de bains d'amis. La même que ce jour-là.

— Des antidouleurs, eh ? »

Neni eut un haussement d'épaules.

« Je ne sais pas.

— Forcément. J'étais en train de lire quelque chose là-dessus pour mon cours de pharmacologie…

— Toi, tu prends un petit cours de pharmacologie, là, et tu connais tout sur les médicaments ? Va ouvrir une pharmacie tout de suite si tu en sais tellement !

— Ah, ne fais pas la jalouse, ma fille, répondit Betty avec son faux accent américain. Tu n'as qu'à aller prendre ce cours quand tu pourras. Mais je jure, ça doit être ça, une sorte d'antidouleur.

— À cause de quoi ?

— "À cause de quoi" ? C'est toi qui m'as dit à quoi elle ressemblait quand tu l'as trouvée avec ses médicaments et son vin ! J'ai déjà pris des antidouleurs, moi, je sais comment ça…

— Non, coupa Neni en secouant la tête. Moi aussi, je pensais ça, qu'elle avait pris ces mauvaises choses, mais…

— Mais quoi ?

— Mais elle est peut-être vraiment malade.

— Malade de quoi ? Si elle était malade, pourquoi elle t'aurait dit de ne jamais répéter ?

— Je ne sais pas. Tout est bizarre avec cette femme-là.

— Alors pourquoi tu me contredis ? Je vais te montrer le chapitre de mon manuel, moi. Elle a pris des antidouleurs et elle a ajouté du vin... Les femmes comme ça, elles commencent à prendre des pilules parce qu'elles ont mal quelque part, et comme ça leur fait du bien, elles en prennent encore, et puis encore...

— Moi, j'ai pris du Tylenol, dit Neni avec un rire, et je n'ai rien senti de particulier.

— Le Tylenol, ça n'a rien à voir, petite ignorante, fit Betty en riant elle aussi, mais son ton se fit tout à coup plus sérieux. Je te parle d'antidouleurs sur ordonnance, pour les douleurs très fortes, comme celles que j'ai eues quand... Les antidouleurs qu'on m'a donnés l'année dernière à l'hôpital Roosevelt. Du Vicodin et...

— C'était le nom sur le tube ! Vicodin. Attends, je ne suis pas sûre de...

— C'était sans doute ça, dit Betty en se levant pour plier l'écharpe Burberry et la robe longue Ralph Lauren que Neni lui avait données. Moi, je me sentais mieux chaque fois que j'en prenais. Même après la...

— Mais tu ne les aurais quand même pas mangés comme des bonbons, alors que Mme Edwards...

— Tu crois ça ? N'en sois pas si sûre, oh. L'hôpital m'avait seulement donné de quoi prendre pendant dix jours, mais si j'avais pu, j'en aurais pris encore. Pendant une semaine, peut-être. Avec ce médicament, je me sentais beaucoup mieux, mais dans ce pays, les docteurs ont trop peur des addictions. Mme Edwards, elle doit connaître quelqu'un qui lui donne des tubes, un ami docteur ou bien un pharmacien. On peut aussi en racheter à d'autres gens, parfois... Je me demande juste combien elle en prend chaque jour. »

23

Chaque fois que Clark montait en voiture – matin, après-midi et soir –, il criait sur quelqu'un, se disputait pour on ne savait quoi, donnait des ordres qui devaient être exécutés très rapidement. Il semblait furieux, contrarié, perdu, résigné. « C'est le bordel ici, lui avait dit Leah lorsque Jende lui avait parlé au téléphone. Il devient fou, il me crie dessus, il me rend dingue, ils deviennent tous dingues ici, je te jure, c'est viral. » Jende lui avait répondu qu'il était vraiment désolé d'apprendre que la situation devenait si critique et lui avait assuré à de multiples reprises qu'il ne savait rien de plus que ce qu'elle avait déjà appris grâce aux notes que Tom envoyait aux employés de Lehman, des notes dans lesquelles il leur disait que la société traversait une période quelque peu difficile, mais que tout serait rentré dans l'ordre en un rien de temps. Jende se sentait mal pour Leah, mal de la voir continuer ce travail qu'elle n'aimait plus, car il lui restait cinq ans avant de pouvoir toucher la retraite. Il se sentait mal de savoir qu'elle ne pouvait arrêter ce travail alors que sa tension grimpait, que ses cheveux tombaient et qu'elle ne dormait plus que trois heures par nuit. Pourtant, il ne lui revenait pas de dévoiler ce que Clark disait. Ou faisait. Il ne pouvait pas lui dire que Clark dormait parfois à son bureau ou se rendait au Chelsea Hotel certains soirs pour des rendez-vous qui souvent ne duraient pas plus d'une heure. Il ne pouvait pas lui dire qu'après ces rendez-vous, il raccompagnait en général son patron au bureau, où celui-ci continuait probablement de travailler pendant plusieurs heures, soulagé de son stress. Son devoir, comme Jende se le rappelait constamment, était de protéger Clark, et non Leah.

« Où allons-nous, monsieur ? » lui demanda Jende ce dernier jeudi d'août, en lui tenant la portière devant le Chelsea Hotel.

Le rendez-vous de Clark ce jour-là avait duré une heure exactement, mais il était remonté en voiture avec le même air inquiet, le visage toujours tiré d'épuisement. Comme si ce rendez-vous n'avait qu'à moitié agi.

« Hudson River Park, répondit Clark.

— Hudson River Park, monsieur ? répéta Jende, surpris de ne pas entendre qu'ils retournaient au bureau.

— Oui.

— À un endroit précis du parc, monsieur ?

— Allez du côté de la 12e ou de la 10e Rue. Ou bien des quais.

— Bien, monsieur. »

Jende déposa Clark au bout de Christopher Street et le regarda traverser la Douzième Avenue pour se rendre sur le quai, ses épaules déjà maigres comme écrasées par la chaleur et le soleil. Dix minutes plus tard, Jende reçut un appel.

« Vous êtes où ? lui demanda Clark.

— Au même endroit, monsieur. Je suis allé me garer sur une place qui s'est libérée un peu plus loin.

— Vous pourriez peut-être me rejoindre ? Ce sera mieux que d'attendre dans la voiture.

— Sur le quai, monsieur ?

— Oui, je suis sur un banc juste au bout. Venez donc me retrouver. »

Jende ferma la voiture et se dépêcha de traverser l'avenue pour se rendre sur le quai, où il aperçut Clark au loin sur un banc, sans veste, le visage levé vers le ciel. Lorsqu'il le rejoignit, Jende se rendit compte que Clark avait les yeux fermés. La brise abondante qui soufflait vers eux semblait le ressourcer ; pour la première fois depuis des mois, Clark paraissait détendu sous ce vent qui balayait ses cheveux et lui fouettait le front. Jende leva les yeux vers le ciel bleu, qui ne ressemblait en rien à l'air lourd qui flottait plus bas. Quelques jours encore, et le mois d'août serait fini ; pourtant, l'humidité était toujours dense, même s'il l'appréciait, cette humidité mêlée au vent soufflant de ce fleuve uni à l'Atlantique.

Sur le banc, Clark prenait de grandes respirations. Inspirer, expirer. Inspirer, expirer. Encore et encore. Pendant cinq minutes. Debout près de lui, Jende attendit, se gardant de faire le moindre mouvement susceptible de le déranger.

« Vous êtes là, déclara finalement Clark lorsqu'il ouvrit les yeux. Asseyez-vous. »

Jende prit place à côté de lui et retira également sa veste.

« C'est beau, hein ? » déclara Clark tandis qu'ils regardaient le fleuve s'écouler.

Jende hocha la tête, ne sachant trop pourquoi il se trouvait là, assis sur un banc du quai, à contempler l'Hudson avec son patron.

« C'est très beau, monsieur.

— Je me disais que ça vous ferait plaisir de voir ça plutôt que d'attendre dans la rue.

— Merci, monsieur, j'apprécie bien l'air frais. Je ne savais même pas que cet endroit existait à New York.

— Ce parc est très agréable. Si je le pouvais, je viendrais ici plus souvent pour regarder le coucher de soleil.

— Vous regardez les couchers de soleil, monsieur ?

— C'est ce qui me détend le plus au monde. »

Jende acquiesça sans rien dire, même s'il trouvait drôle que Clark et Vince aiment tous les deux les couchers de soleil — Jende n'avait jamais rencontré d'autres personnes qui prenaient sur leur temps pour aller s'asseoir devant une masse d'eau et contempler l'horizon. Il se demanda si Vince connaissait cette particularité de son père et ce qu'il ressentirait s'il ne le savait pas et qu'il le découvrait par hasard ; si l'opinion qu'il avait de son père changerait en apprenant qu'ils partageaient une passion profonde pour cette chose que seule une infime partie des humains prenaient la peine de regarder.

Pendant quelques minutes, les deux hommes restèrent assis en silence, regardant le fleuve qui coulait tranquillement vers l'océan.

« Vous devez savoir que Vince part en Inde dans deux semaines, dit Clark.

— Non, monsieur, je ne savais pas. En Inde ? »

Clark hocha la tête.

« Terminé, l'école de droit. Il a décidé de sillonner la planète.

— C'est un bon garçon, monsieur. Il reviendra sain et sauf en Amérique quand il sera prêt.

— Ou pas. Il compte partir un certain temps. Mais ça va. Je ne suis pas le premier père à avoir un fils rebelle, qui décide d'aller vivre sa vie autrement que comme tout le monde.

— J'espère que vous n'êtes pas trop fâché contre lui, monsieur.

— À vrai dire, Cindy trouve que je ne le suis pas assez. Et ça la met en rogne, comme si je le laissais tomber, que je ne l'aimais pas suffisamment. Alors qu'en réalité, je l'admire presque.

— Il n'a pas peur.

— Non, et c'est tout à son honneur. Moi, tout ce dont je rêvais à son âge, c'était d'avoir la vie que je mène actuellement. Exactement cette vie. C'était tout ce que je voulais.

— C'est une bonne vie, monsieur. Une très bonne vie.

— Parfois. Mais je peux comprendre pourquoi Vince n'en veut pas. Moi-même, ces derniers temps, je n'ai plus envie de ça. Avec tout ce que traverse Lehman, tous ces trucs que nous n'aurions jamais faits il y a vingt ans... À croire que l'immoralité est devenue la norme, maintenant. Partout à Wall Street. Mais essayez de faire preuve de bon sens, de leur parler des conséquences, de voir les choses à long terme, et on vous regarde comme le dernier des illuminés. »

Jende opina.

« Et je sais que Vince a raison quelque part, mais le problème, ce n'est pas le système. C'est nous.

Nous tous. C'est nous qu'il faut replacer sur le droit chemin si nous voulons remettre ce foutu pays sur les rails. Ce n'est pas grâce à Wall Street que les choses vont bouger. Ni à Washington. Ni à aucune institution ! Enfin, il n'y a rien de neuf là-dedans. Le problème, c'est que la situation ne fait qu'empirer, et ce n'est pas un homme, ni deux, ni trois, qui pourront l'arranger.

— Non, monsieur.

— Il n'empêche : tout ce que j'ai, j'ai travaillé dur pour l'obtenir. J'en suis fier, et je me battrai pour le garder. Parce que quand elle est belle, la vie, elle l'est sacrément. J'en paie le prix, mais le jeu en vaut la chandelle.

— C'est très vrai, monsieur, répondit Jende en hochant la tête. Quand on est un mari et un père, on en paie plusieurs fois le prix.

— Ce n'est pas tout. Au-delà du devoir de mari et de père, il s'agit aussi d'un devoir envers vos propres parents. Vos frères et sœurs. Quand je suis entré à Stanford, j'avais l'intention de faire de la physique pour devenir professeur, comme mon père. Et puis, j'ai vu ce que pouvait gagner un prof pendant sa carrière et ce qu'on pouvait gagner dans une banque d'investissement, et j'ai choisi cette voie-là. Loin de moi l'idée de jouer les moralisateurs hypocrites ; je reconnais que je n'ai pas choisi ce métier pour de nobles raisons. Bien sûr que je rêvais de voitures de sport et de jets privés. Mais ce n'est plus pareil maintenant. Maintenant, ce qui compte le plus pour moi, c'est de m'occuper de ma famille. J'aurai beau passer une journée atroce au boulot, je sais qu'à la fin de la journée je pourrai rentrer chez moi et envoyer mes parents en vacances, payer toutes leurs factures d'hôpital, que ma sœur n'ait pas de difficultés financières, elle qui a perdu son mari, que ma femme et mes fils aient plus que ce dont ils ont besoin. C'est ça que Vince ne comprend pas : qu'on ne fait pas que ce qui nous rend heureux dans la vie. Il faut penser aux autres, aussi.

— Vince ne vous voit pas comme ça, monsieur. Il vous voit comme un père qui travaille dans une banque et qui fait de l'argent. Mais je lui dis : "Écoutez, vos parents ont d'autres côtés que vous ne voyez pas, car vous êtes leur enfant." Moi, c'est en grandissant que j'ai pu regarder derrière moi et comprendre tout ce que mon père avait fait.

— C'est ce que je lui dis. "Je ne te demande pas de faire ton droit et devenir avocat pour me ressembler. Je te le demande parce que je sais ce qu'apporte la réussite dans un pays comme le nôtre. Arrête de tout ramener aux études, à l'idée de faire un métier qui rapporte." J'ai lu un article sur des gens qui ne pensaient qu'à profiter de la vie quand ils étaient jeunes, et vous les verriez maintenant... Parce que c'est comme ça, dans ce pays : sans un minimum d'argent, la vie peut être brutale. Et je ne veux pas qu'il se retrouve dans ce cas, vous comprenez ? Je ne veux pas que mon fils soit obligé de vivre comme ça un jour. »

Jende acquiesça, le regard lointain.

Pendant une minute, les deux hommes restèrent silencieux, tandis que le soleil se couchait derrière les tours du New Jersey. Ils le regardèrent décliner doucement, comme pour leur dire au revoir, comme pour dire au revoir à la ville tout entière avant de se lever une nouvelle fois, derrière le fleuve, pour apporter un nouveau jour, et avec lui ses peines et ses promesses.

« *Weh*, lâcha Jende, subjugué par ce spectacle. Je savais que le soleil se levait et se couchait, mais pas qu'il le faisait si joliment.

— C'est extraordinaire, n'est-ce pas ? »

Quelques nouvelles secondes de silence passèrent.

« Monsieur, dit alors Jende. Si vous voulez mon avis, je pense que Vince va rester en Inde quelques mois et qu'il va revenir en courant à l'école de droit.

— Ça ne me surprendrait pas, répondit Clark dans un éclat de rire.

— Je ne sais pas comment est l'Inde, monsieur Edwards, mais s'il y a la même chaleur et les mêmes moustiques qu'au Cameroun, je vais devoir aller le chercher à l'aéroport avant le Nouvel An. »

Les deux hommes rirent ensemble.

« Je ne m'inquiéterais pas une minute pour Vince si j'étais vous, monsieur. Même s'il reste là-bas, il sera heureux. Regardez-moi, monsieur. Je vis dans un autre pays que le mien, et je suis heureux.

— C'est une façon de voir les choses.

— Un homme peut trouver sa maison partout, monsieur.

— C'est drôle, aujourd'hui, en pensant à Vince, j'ai écrit un poème sur ce sujet-là.

— Vous écrivez des poèmes, monsieur ?

— Oui, mais je ne suis ni Shakespeare ni Frost. »

Jende se gratta la tête.

« Je suis désolé, monsieur. J'ai un peu entendu parler de Shakespeare, mais je ne connais pas le deuxième nom. Je ne suis pas allé assez longtemps à l'école.

202

— Ils étaient de grands poètes tous les deux. Ce que je voulais dire, c'est que la poésie est une échappatoire pour moi, elle m'aide à tenir bien souvent. »

Jende acquiesça, mais, il s'en rendit compte, Clark avait vu qu'il n'avait pas bien compris ce dernier point non plus.

« Vous avez appris à écrire des poèmes à l'école, monsieur ? demanda-t-il.

— Non, en fait, j'ai commencé il y a quelques années seulement. Un collègue m'avait offert un petit recueil de poésie, un drôle de cadeau, m'étais-je dit sur le coup – je me demandais ce qui lui était passé par la tête pour m'offrir un cadeau pareil. Je pensais qu'il m'avait donné ça comme un truc qu'on prend sur son étagère et qu'on refourgue à n'importe qui.

— Un cadeau de Noël, monsieur ?

— Oui, mais quoi qu'il en soit, je l'ai gardé sur mon bureau et je l'ai ouvert un jour. J'ai tellement aimé ces poèmes que j'ai décidé d'en écrire un. Ça fait un bien fou, vous savez, d'écrire des vers pour exprimer ce que vous ressentez. Vous devriez essayer.

— Ça semble très bien, monsieur.

— J'en ai écrit un pour Cindy, mais elle ne l'a pas beaucoup aimé. Alors j'écris pour moi, maintenant.

— Je serais heureux d'en lire un, monsieur.

— Vraiment ? Je peux vous montrer… Mince alors. » Clark regarda sa montre. « Je n'ai pas vu l'heure tourner.

— Oh, je suis désolé, monsieur, c'est moi qui aurais dû veiller. Je parle, je parle, et je ne fais pas attention à l'heure.

— Non, non, ça m'a fait plaisir d'avoir cette discussion. Merci d'être venu, sincèrement. J'espère que

que je ne vous ai pas mis mal à l'aise, à vous raconter ma vie.

— Non, monsieur. Ma parole, monsieur Edwards, merci vraiment beaucoup de m'avoir invité à venir ici.

— Eh bien, merci de m'avoir écouté, dit Clark en souriant. Et je serais très heureux de vous réciter mon poème. Il s'intitule "Une maison". Et si vous ne l'aimez pas, je vous conseille de ne pas le dire.

— Bien, monsieur, répondit Jende, en souriant lui aussi. Je ne dirai rien du tout.

— Alors voilà :

Une maison jamais ne s'en va
À chaque retour, une maison est là
Que tu partes pour trouver fortune
Que tu partes pour fuir l'infortune
Que tu partes pour partir
À chaque retour
Ton retour que nous tous espérons
Ta maison toujours sera là

24

Une seule chose des Hamptons lui manquait (à part les garçons, Mighty en particulier) : ce qu'elle avait mangé là-bas, les succulents mets de traiteur servis aux cocktails que donnaient les Edwards. Toute sa vie, elle avait pensé que la cuisine du Cameroun était la meilleure du monde, mais elle s'était apparemment trompée : les riches Américains étaient des connaisseurs, eux aussi. Elle avait beau devoir travailler quinze heures les jours où Cindy organisait des soirées autour de la piscine, elle avait toujours hâte que commencent ces réceptions, car la nourriture y était délectable, si incroyablement bonne qu'un soir elle avait appelé Fatou pour lui dire qu'elle pensait avoir péri et être montée au paradis des petits plats. À quoi Fatou avait répondu : « Comment tu es sûre que le cuistot n'a pas pissé dans ton repas pour lui donner bon goût ? » Le cuistot n'avait rien fait de tel à son repas, Neni en était sûre, puisque les trois chefs que Cindy embauchait chaque fois préparaient l'essentiel du menu sur place, dans la cuisine, et que les trois serveurs, qu'elle était chargée d'aider, allaient tout chercher là-bas. Toutes sortes de mets étaient servis, des choses qu'elle avait vues dans les magazines et qu'elle rêvait de pouvoir goûter simplement en regardant leurs photos, des créations culinaires cruellement exquises telles que le thon mi-cuit au sésame, vinaigrette citron-wasabi ; le filet de bœuf aux olives et son pain frotté à l'ail, sauce au raifort ; les toasts à la ciboule et au caviar de Californie ; les champignons farcis à la chair de crabe ; le steak tartare, gingembre et échalote, qu'elle aimait par-dessus tout et mangeait avec délices, elle qui n'avait jamais imaginé se retrouver un jour à dévorer de la viande crue comme un animal des bois.

Neni avait eu la chance de pouvoir tout goûter grâce à tout ce qu'il était resté après les trois réceptions des Hamptons, mais cela ne l'empêcha pas de se réjouir lorsque Anna l'appela afin de lui demander de servir d'extra pour un brunch que Cindy organisait chez une amie, à Manhattan.

« Elles vont prendre les mêmes chefs que dans les Hamptons ? lui demanda-t-elle.

— Non, répondit-elle. C'est juste un brunch, cette fois. Il n'y aura que deux des chefs, sans serveurs. Toi et moi, nous serons là pour faire le service et ranger. Il y avait une autre fille qui travaillait chez l'amie de Cindy avec moi depuis des années, mais elle a arrêté la semaine dernière. C'est pour ça que Cindy m'a demandé de t'appeler.

— Nous deux pour servir tout ce monde et tout ranger après ?

— Ne t'inquiète pas, ils ne seront pas trop nombreux. Il n'y aura qu'elles et cinq de leurs amies, avec maris et enfants. Cindy a dit cent dollars pour toi, trois heures de boulot seulement. Pas mal, non ? »

Plus que pas mal, approuva Neni.

Elle arriva chez June, dans un appartement de West End Avenue, le dimanche après-midi suivant. Elle trouva là-bas une demi-douzaine d'enfants, parmi lesquels Mighty, à sa plus grande joie. Il courut à sa rencontre dès qu'il la vit arriver et la serra si fort que Neni dut lui rappeler qu'il n'était pas son seul petit chéri : un autre grandissait dans son ventre.

« Comment s'est passée la fin des vacances ? lui demanda-t-elle dans la cuisine, pendant qu'elle et Anna préparaient les premiers plateaux d'amuse-bouches.

— Je me suis ennuyé, répondit Mighty.

— Tu ne t'es pas amusé quand je suis partie ?

— Pas trop.

— Je me sens coupable, maintenant, Mighty ! dit Neni en gonflant les joues pour le faire rire. Ta maman m'avait dit de prendre les deux derniers jours, mais la prochaine fois, je resterai, si c'est ce que désire monsieur Mighty.

— Je le désire ! s'écria-t-il.

— Bien, monsieur. Sinon, je vous emmènerai à Harlem avec moi. Comme ça, nous pourrons continuer à préparer des *puff-puff* le matin pour le petit déjeuner et à jouer au foot sur la plage le soir. Ça vous plairait, monsieur Mighty ?

— C'est vrai ? Ce serait trop cool d'aller à Harlem... mais, attends, il n'y a pas de plage là-bas !

— Alors nous... Je...

— On regardera des films et je te battrai à la PlayStation et à la lutte chaque fois ! fit Mighty, ses yeux noisette brillant d'excitation.

— Tu ne devrais jamais te vanter de gagner contre une femme, lui dit Neni en prenant un faux air indigné, tandis qu'elle s'emparait d'un plateau. Viens, on va commencer à manger. »

Elle circula dans la pièce pour servir les amuse-bouches avant de poser le plateau sur la table, souriant et adressant des signes de tête aux amis de Cindy qu'elle avait déjà rencontrés dans les Hamptons. Tous s'étaient montrés polis et aimables envers elle, lui livrant des conseils sur le yoga prénatal et les meilleures salles où pratiquer (« Merci beaucoup pour cette information, madame », disait-elle chaque fois) ; l'invitant à les appeler par leur prénom (chose à laquelle elle ne put jamais se résoudre, car c'était là une offense à Limbé) ; la complimentant sur sa jolie peau et son beau sourire (« Votre peau aussi est très lisse et très belle, madame » « Vous aussi, vous avez un joli sourire, madame ») ; lui demandant combien de temps lui était nécessaire pour faire ses tresses toute seule (« Huit heures seulement, madame »). Leur gentillesse l'avait étonnée – elle qui ne s'était attendue qu'à de l'indifférence de la part de ces femmes qui se baladaient avec d'authentiques sacs Gucci et Versace et ne parlaient que de spas, de vacances et de sorties à l'Opéra. Se fiant aux films qu'elle avait vus, dans lesquels les Blancs riches mangeaient, buvaient et riaient sans le moindre regard pour les bonnes et les serveurs qui s'affairaient autour d'eux, elle avait imaginé que ces femmes qui possédaient des maisons de vacances dans les Hamptons n'auraient rien à dire à quelqu'un comme elle, à part des ordres, évidemment. Mais lorsque, quatre fois d'affilée, les amies de Cindy lui avaient souri et demandé à combien de mois en était sa grossesse, Neni avait fait part de cette bonne surprise à Betty, qui fut d'accord avec elle pour conclure que ce comportement était certainement dû au fait que ces femmes ne rencontraient pas tous les quatre matins de jolie Camerounaise de Harlem enceinte. Des femmes comme ça ne pouvaient pas être aussi gentilles et polies avec toutes les bonnes à tout faire qu'elles rencontraient, présumèrent-elles. Cindy, en ce dimanche après-midi, se montrait la plus gentille et polie de toutes, rappelant sans cesse à Neni de n'accomplir que les tâches les plus faciles et s'assurant qu'elle ne se fatiguait pas. En la regardant bavarder et rire à gorge déployée avec ses amies, Neni avait peine à croire que ces étranges épisodes s'étaient réellement produits dans les Hamptons, mais, de retour dans la cuisine, Anna lui murmura à l'oreille :

« Il faut qu'on parle de Cindy.

— Pourquoi ? s'empressa de demander Neni. Qu'est-ce qui ne va pas ? »

Anna la tira par le bras, à l'écart des chefs et des invités qui entraient et ressortaient avec des assiettes d'omelettes au blanc d'œuf et des verres de smoothie.

« Elle a des problèmes, murmura Anna.

— Des problèmes ?

— Tu n'as pas vu qu'elle avait des problèmes dans les Hamptons ? »

Neni ouvrit la bouche, mais aucun mot ne sortit.

« Tu as vu quelque chose dans les Hamptons, non ? insista Anna, en secouant la tête rapidement. Tu as vu ?

— Je ne sais pas…, bredouilla Neni, déstabilisée par la tournure que prenait la conversation.

— Quand j'arrive le matin pour travailler, elle sent l'alcool, souffla Anna en agitant la main devant son visage comme pour chasser une odeur.

— Oui, répondit Neni. Elle aime le vin. »

Anna secoua la tête.

« Je n'appelle pas ça aimer le vin. J'appelle ça un problème.

— Mais…

— La semaine dernière, j'ai regardé dans les poubelles : trois bouteilles de vin. Ce n'est pas Mighty qui boit du vin. Et Clark n'est jamais là. Je ne le vois qu'une fois ou deux par semaine.

— Peut-être que…

— Il faudrait resservir du jus de fruits aux enfants et apporter des serviettes ! » cria soudain l'un des chefs.

Anna fit signe à Neni de ne pas bouger et s'en alla.

« Pour dire la vérité, lui murmura Neni à son retour, je l'ai vue dans les Hamptons, moi aussi.

— Ah ! Je savais que je n'inventais rien.

— Je n'avais pas idée qu'une femme pouvait boire comme ça.

— Cette famille a des problèmes. De gros problèmes.

— Elle n'était pas comme ça avant ?

— Non, non. Vingt-deux ans que je travaille pour eux et je n'avais jamais vu ça. Ils avaient des soucis, mais comme tout le monde. Pas grand-chose à se dire pendant le dîner… Pas l'air vraiment heureux, ni vraiment malheureux…

— Il sait, à ton avis ? » lui demanda Neni en regardant par-dessus son épaule.

Anna secoua la tête.

« Rien du tout. Personne ne sait rien. Regarde comme elle se conduit là-bas. Comment veux-tu que les gens sachent, s'ils ne voient pas les bouteilles ? »

Neni soupira. Elle voulait parler à Anna des médicaments, mais se ravisa. Il n'était pas utile de l'alarmer davantage. L'alcool était un problème suffisant.

« Peut-être qu'un jour elle va finir par arrêter, avança-t-elle.

— Les gens n'arrêtent pas de boire comme ça, répondit Anna. Ils boivent, boivent, et c'est tout.

— Alors on ne peut rien faire.

— Non, ne parle pas comme ça, dit Anna en secouant la tête si vigoureusement que les deux queues de rat qui lui servaient de mèches se balancèrent de part et d'autre de son front. Il ne faut pas dire qu'on ne peut rien faire. Imagine qu'il lui arrive quelque chose : qu'est-ce qu'on va devenir ? Il y a un homme, là d'où je viens, il buvait, il buvait, et puis un jour il est mort. Si elle meurt, qui va me donner mon chèque ? Et tu as pensé à ton mari ? »

Neni faillit lui éclater de rire au nez, aussi bien à cause de cette réflexion que de ses craintes, aussi terribles qu'infondées. Beaucoup de gens buvaient de l'aube au crépuscule à Limbé, et elle n'avait jamais entendu dire que l'alcool en ait jamais tué un. L'un de ses oncles était même connu pour être le pire buveur de Bonjo – il cassait les oreilles de tout le quartier avec des chansons d'Eboa Lotin dans ses meilleurs jours de beuverie –, mais cet homme-là était toujours bien vivant.

« Tu penses que ce n'est pas grave, poursuivit Anna, mais je connais des filles qui ont perdu leur place parce que la famille qui les embauchait avait des problèmes. Mon amie qui bossait à Tribeca, elle a perdu son boulot le mois dernier...

— Oh *Papa God* ! s'exclama Neni, portant une main à sa poitrine. Tu me fais peur maintenant.

— Je connais Cindy depuis très longtemps, insista Anna. Quatre ans avant la mort de sa mère, j'étais déjà…

— Tu as connu sa mère ?

— Oui, je l'ai connue. Elle est venue à la maison trois, quatre fois. Une mauvaise femme. Mauvaise, mauvaise femme. Tu aurais dû voir comment elle parlait à Cindy, toujours énervée. Rien ne pouvait la rendre heureuse. »

Pas étonnant…, songea Neni.

« Mais avec la sœur de Cindy, elle, la fille du mari de la mère qui est mort il y a très longtemps, avec elle, la mère a toujours été très gentille. Quand elles venaient ensemble, c'était "ma chérie ci", "ma chérie ça". Alors qu'avec Cindy… »

Anna secoua la tête.

« À sa place, j'arrêterais de voir une personne comme ça, répondit Neni.

— Cindy a continué d'aller lui rendre visite chaque année pour la fête des Mères, jusqu'à ce que la mauvaise femme meure.

— Pourquoi ?

— Tu me demandes ça à moi ? Je ne sais pas pourquoi. Et là, à la dernière fête des Mères, Mighty vient me voir, et il me dit qu'il est triste que sa famille n'aille plus en Virginie pour la fête des Mères. Il voulait retrouver ses cousins là-bas. J'ai bien failli le disputer, lui dire : "Pourquoi tu veux retourner en Virginie ?" La sœur de Cindy, elle, je ne la vois plus jamais à la maison depuis que leur mère est morte.

Cindy n'a plus de famille maintenant – à part Clark et les garçons.

— Mais elle a beaucoup d'amis. »

Anna secoua la tête.

« Les amis, ce n'est pas la famille. »

De l'autre côté, dans le salon, Cindy riait, amusée, peut-être, par une histoire que racontait un ami. Comment une même personne pouvait-elle renfermer tant de bonheur et de malheur à la fois ?

« Il faut parler à Clark de l'alcool, conclut Anna.

— Non, on ne peut pas ! »

Le second chef annonça alors que les desserts étaient prêts à être servis. Neni s'empressa de les apporter pendant qu'Anna débarrassait.

« Ce n'est pas à nous d'aller parler de ça, lui dit-elle, de retour dans leur coin. Il s'en rendra compte tout seul. Peut-être que tu peux laisser des bouteilles vides sur la table pour qu'il voie.

— Comment veux-tu qu'il voie alors qu'il n'est jamais chez lui ? Et elle, elle soupçonnera quelque chose si je vais récupérer les bouteilles dans la poubelle pour les poser sur la table. Tu dois aller lui dire, toi.

— Moi !

— On lui dira ensemble. Si je lui dis toute seule, il ne me prendra pas au sérieux. Il faut que tu lui dises aussi. Dis-lui juste que quelqu'un buvait trop de vin quand tu étais dans les Hamptons. Mais que tu ne sais pas qui. C'est un homme intelligent, il fera le lien.

— Mais il va aller lui répéter, et elle va comprendre que ça vient de moi !

— Aucun homme n'est bête à ce point. Quand tu lui auras dit, moi aussi, la semaine prochaine, j'irai lui

213

rapporter que quelqu'un a bu du vin dans l'appartement. Comme ça, il saura que ce n'est pas n'importe quoi. Ensuite, il fera ce qu'il veut. Nous, on aura la conscience tranquille. »

Neni se rendit jusqu'à l'îlot de la cuisine, attrapa une bouteille d'eau, en ingurgita la moitié. Peut-être qu'Anna avait raison, pensa-t-elle. Peut-être qu'il était de leur devoir de prévenir Clark. Mais elle doutait d'avoir le droit de se mêler du mariage des autres, car le mariage était déjà une chose compliquée, qui causait son lot de soucis. Anna avait raison sur un point : Clark travaillait tout le temps et ne pouvait pas se rendre compte de la gravité de la situation. Pendant les semaines que Neni avait passées dans les Hamptons, elle n'avait jamais vu Clark que les jours de réception, où lui et Cindy se comportaient comme s'ils dormaient toutes les nuits dans le même lit. Lors du premier cocktail, qu'ils avaient donné pour les cinquante ans de Cindy, elle les avait vus circuler autour de la piscine, main dans la main, souriant et embrassant leurs invités à la lumière chaude des bougies et au son de l'orchestre de jazz qui jouait derrière eux. Cindy, en robe dos nu orange, les cheveux lissés, ressemblait à Gwyneth Paltrow ce soir-là, peut-être plus belle encore, et pas beaucoup plus vieille, assurément. Peu avant la fin de la fête, Clark et Cindy s'étaient étreints devant tout le monde, leurs fils à leurs côtés, et tous les amis de Cindy avaient porté un toast en son honneur, s'émerveillant d'avoir une amie si extraordinaire et généreuse. Cheri, la larme à l'œil, avait raconté le soir où elle avait appelé Cindy en pleurs, car sa mère était tombée dans sa maison de santé à Stamford et devait être opérée le lendemain alors que Cheri était bloquée à San Francisco par son travail. En tant que fille unique, avait expliqué Cheri devant les invités, cela avait été un coup dur, très dur, mais Cindy avait été là pour l'épauler. Cindy s'était proposé de se rendre au chevet de sa mère et avait pris le train pour Stamford à 5 heures du matin à Grand Central. Elle avait attendu à l'hôpital pendant toute l'opération, qui avait duré trois heures, puis le temps que la mère de Cheri regagne sa chambre. Cindy n'était pas simplement sa meilleure amie, avait dit Cheri en ravalant ses larmes, Cindy était pour elle une sœur. Les autres invités, bronzés et parés de vêtements de luxe, avaient alors regardé avec des sourires et des applaudissements Cheri marcher jusqu'à Cindy pour une longue étreinte avec elle et ses meilleures amies. Clark avait demandé à tout le monde de lever son verre. Il ne pouvait pas ajouter grand-chose à ce qui venait d'être dit, avait-il déclaré, à part que tout était vrai, que Cindy était une perle rare, et super bien foutue, avec ça, pour une nana de trente-cinq ans ! Tout le monde avait ri, même Vince, qui n'avait presque pas souri de toute la soirée. « À Cindy ! avaient-ils crié en chœur. À Cindy ! »

Neni n'avait pas vu si Clark avait passé la nuit là-bas, mais il avait en tout cas disparu le lendemain matin, tout comme le sourire de Cindy. Lorsque Neni avait demandé à Mighty, pendant le déjeuner, où était parti son père, le petit garçon, sans lever les yeux de son assiette, n'avait répondu qu'un mot : « Travail. » Mighty avait alors terminé son repas en silence avant de dire tout bas, tandis que Neni débarrassait la table : « J'espère qu'il va être renvoyé. » Neni avait secoué la tête, incapable de cerner Clark Edwards. Pourquoi travaillait-il tout le temps ? Comment pouvait-on aimer le travail à ce point ? Travailler non-stop, comme ça, cela n'avait aucun sens, surtout quand une si merveilleuse famille vous attendait à la maison. Clark était forcément conscient de manquer à sa famille et devait avoir ses raisons... mais tout de même : lui rappeler combien sa femme était malheureuse ne serait pas une mauvaise chose, car il ne pouvait y avoir d'autre explication à son alcoolisme. Neni avait toujours entendu sa mère dire que le malheur était la *seule* raison qui poussait les gens à boire trop, la seule raison pour laquelle son oncle buvait lui aussi, même si personne ne comprenait comment un homme, mari de deux femmes et père de onze enfants, pouvait être si malheureux.

« Va lui parler maintenant, lui souffla Anna. Après le dessert, quand tout le monde commencera à partir. »

Neni hocha la tête et se dirigea vers le salon. Elle ne comptait pas parler des médicaments à M. Edwards. Les médicaments semblaient être le plus grand secret de Cindy, et Neni devait tenir sa promesse. Elle ne comptait dire que ce qu'Anna lui avait demandé. Parler du vin à M. Edwards. Rien de plus, rien de moins.

Mais alors qu'elle s'apprêtait à entrer dans le salon, elle se souvint d'une chose : Jende. Elle fit demi-tour et revint voir Anna.

« Jende va me tuer, lâcha-t-elle.

— Pourquoi ?

— Pour avoir mis le nez dans leurs affaires. Il n'arrête pas de m'avertir : "Fais ton travail et va-t'en, et ne parle jamais de ce qui ne te concerne pas."

— Alors, ne dis rien à Jende. Ça reste entre toi et moi. Vas-y, maintenant. »

Clark se tenait près de la fenêtre, seul, guettant la circulation sur West End ou les kayakistes sur le fleuve.

Neni s'empara d'un plateau de scones et marcha vers lui.

« Bonjour, monsieur Edwards, dit-elle. Désolée de ne pas vous avoir dit bonjour depuis tout à l'heure.

— Bonjour, Neni, répondit Clark en souriant. Merci d'être venue aider. » Il baissa les yeux vers les scones. « Je crois que je vais passer mon tour pour cette fois.

— Je peux vous apporter d'autres desserts ? »

Il secoua la tête. Voilà deux semaines qu'elle ne l'avait pas vu, et il semblait être une personne différente. Ses cheveux paraissaient plus gris, il n'était pas rasé et avait l'air d'un homme ayant grand besoin d'affection, d'un bon lit et d'au moins quinze heures de sommeil. Il se retourna vers la fenêtre et recommença à contempler l'extérieur.

Neni resta plantée là, son plateau à la main, le regard fixé sur le mur blanc à gauche de la fenêtre, sans savoir elle-même ce qu'elle voulait dire. Cindy se trouvait dans la pièce d'à côté ; elle bavardait sur le sofa avec deux amies. Les maris pianotaient sur leur BlackBerry et leur iPhone. Les enfants jouaient dans une autre pièce – le timing était parfait, toutes les conditions étaient réunies.

« Euh… monsieur Edwards, je, euh…, bredouilla-t-elle.

— Oui ? dit-il sans quitter le paysage des yeux.

— Je, j'ai… Je voulais vous poser une question.

— Je vous en prie, répondit-il sans se retourner.

— C'est juste que… euh… j'ai toujours voulu

savoir… Est-ce que John Edwards est de votre famille ? »

Clark se retourna en gloussant de rire.

« Non, pas que je sache, répondit-il. Mais c'est curieux. Vous êtes la première personne à me demander ça.

— Je pensais que, peut-être, vous lui ressemblez un peu, dit Neni en passant son coude sur son ventre, à l'endroit où le bébé donnait des coups, sans doute pour lui faire savoir à quel point elle était bête.

— Très curieux », répéta-t-il avant de lui suggérer d'aller proposer des scones aux autres invités.

Neni acquiesça et courut dans la cuisine.

« Alors ? » lui demanda Anna.

Mais elle secoua la tête et appuya son front contre le réfrigérateur.

« Tu ne lui as pas dit ? »

Elle soupira, secoua de nouveau la tête.

« Bon, conclut Anna. On aura essayé. »

25

Elle passa la journée à faire le ménage, les courses, et à préparer cinq plats pour le dîner d'adieu de Vince. Tout l'après-midi, elle resta dans la cuisine à mitonner un ragoût d'*egusi* à la dinde fumée, un potage de *garri* et gombo, ses plantains frites aux haricots, du riz *jollof* aux foies de volaille et de l'*ekwang*, mais ce dernier plat lui prit deux heures de préparation, car il fallait peler les *macabos*, les râper, puis les rouler bien serrés dans des feuilles d'épinard avant de les faire cuire pendant une heure à la marmite avec de l'huile de palme, du poisson séché, des écrevisses, sel, poivre, *maggi* et une botte d'oignons. Neni regrettait que Jende ne lui ait pas donné plus de temps pour tout préparer, mais il ne l'avait prévenue que la veille que Vince venait dîner. Il avait demandé à Clark, en le déposant chez lui, si cela ne le dérangeait pas que lui et Neni invitent Vince pour un petit dîner, simplement pour lui dire au revoir et lui faire découvrir la cuisine camerounaise, que Vince avait très envie de goûter. Clark avait répondu qu'il n'y voyait pas d'inconvénient si Vince en avait manifesté l'envie. Clark et Cindy avaient eu le projet d'emmener Vince et

Mighty dîner, le dimanche, mais étant donné l'atmosphère du moment, Vince pouvait tout aussi bien aller célébrer son départ dans une ambiance plus joyeuse. Lorsque Jende avait appelé Vince pour l'inviter, Vince avait répondu bien sûr, et qu'il disposait justement de quelques heures ce soir-là et viendrait avec plaisir déguster de bons plats camerounais.

À 15 heures, soit deux heures avant que Vince ne soit censé arriver, le téléphone de Jende sonna.

« Je ne sais pas, Vince, entendit Neni depuis la cuisine. Laissez-moi d'abord demander à ma femme. »

Ses mains sur l'écouteur, Jende arriva.

« Vince veut savoir s'il peut venir avec Mighty.

— Non !

— C'est ce que j'ai répondu.

— Bon Dieu ! Tu veux que Mme Edwards nous tue ? Ramener son bébé à Harlem ? À 5 heures du soir ? Ma parole, mon Dieu, je ne me mêle pas à ça. Non, non, non. Je n'ai pas envie d'avoir des ennuis. »

Jende retourna dans le salon, parla avec Vince trente secondes encore, puis revint dans la cuisine.

« Il dit que ses parents n'ont pas besoin de savoir. M. Edwards est au bureau et Mme Edwards à un dîner. Ils ne sauront rien. Il dit que Mighty avait invité un petit copain à jouer, mais que le petit copain a annulé, et qu'il va passer la soirée tout seul avec sa baby-sitter, sinon.

— Qu'il fasse ça, c'est très bien. »

Jende se tourna pour sortir de la pièce, mais il hésita.

« Neni, laisse l'enfant venir.

— J'ai dit non.

— Mais il n'a jamais pris le métro, il n'est jamais monté à Harlem. Laisse son grand frère l'emmener. Vince s'en va dans une semaine, qui sait quand ils

220

vont se revoir ? En plus, ils ne vont rester qu'une heure.

— Et d'après toi, rien ne peut arriver en une heure ? répliqua Neni, qui transpirait devant la cuisinière en récurant les taches laissées par la friture.

— S'il arrive quelque chose, Vince sera responsable, répondit Jende. Je lui ai dit ça.

— Tu vas expliquer ça quand ils nous mettront en prison ?

— Ne t'inquiète pas, j'irai en prison pour nous deux », lui dit-il avec un clin d'œil.

Neni se retourna et continua à récurer la cuisinière avec une plus grande ardeur encore. C'était bien lui, de croire qu'il avait réponse à tout. Elle l'entendit dire à Vince que tout était arrangé, qu'ils avaient très hâte de les voir à 17 heures, avant d'annoncer un peu plus tard à Liomi que l'invité spécial dont ils lui avaient parlé allait venir avec un autre invité, et qu'il devait, en conséquence, aller revêtir un plus bel habit encore. Quand Vince et Mighty arrivèrent, Neni s'était douchée et changée, elle aussi. Sa peur avait laissé place à l'excitation.

« Neni ! cria Mighty dès qu'elle ouvrit la porte, en lui sautant dessus.

— Mais qu'est-ce que vous faites chez moi ? se moqua-t-elle gentiment pendant que Vince lui donnait l'accolade et s'accroupissait pour taper dans la main de Liomi.

— J'y crois pas ! Je suis à Harlem ! s'exclama Mighty. Est-ce que tu as fait des *puff-puff* ? »

Neni et Jende rirent tous les deux.

« C'est pour le petit déjeuner, répondit Jende.

221

Ce soir, quand tu vas manger la nourriture, ton ventre va être si plein qu'il va exploser.

— Cool ! »

Si les deux frères furent surpris par les indices de pauvreté visibles dans l'appartement (le tapis marron usé ; le vieux poste de télé sur une table basse, devant le sofa ; le ventilateur qui n'était d'aucun effet ; les fleurs en plastique qui pendaient au mur et n'égayaient en rien le salon), ils ne le montrèrent pas. Ils se comportèrent comme dans les appartements qu'ils fréquentaient sur Park ou Madison Avenue, comme si cet habitat était lui aussi un bel appartement, mais d'un genre différent, dans un quartier différent. Mighty courut dans la chambre avec Liomi pour voir ses jouets et cria à son frère : « Oh, la, la, tout le monde dort dans la même chambre, trop bien ! » Vince s'assit près de Jende sur le vieux sofa vert avec une Malta Guinness et des cacahuètes salées et discuta avec lui de l'Amérique, ce bon pays, ce mauvais pays, ce pays qui, sans conteste, était le plus puissant du monde.

Lorsque Neni eut fini de transférer la nourriture dans des plats et de tout apporter, Jende annonça qu'il était temps de manger.

« Nous allons manger comme au pays, dit-il à Vince et Mighty. Au Cameroun, en général, on ne mange pas autour d'une table comme vous en Amérique. Tout le monde prend son assiette et va s'asseoir où il veut, sur une chaise, par terre… Et tout le monde mange comme il veut, avec une fourchette ou avec les doigts…

— Moi, je veux m'asseoir par terre et manger avec les doigts ! » s'écria Mighty, sur quoi Liomi s'empressa de dire qu'il voulait faire pareil.

Alors Neni étala une nappe par terre, posa là tous

les plats, et tout le monde s'assit en cercle et mangea, riant la bouche pleine tandis que Jende racontait des histoires de son enfance, comme celle des mangues qu'il allait voler avec Winston quand ils avaient onze ans, ou le jour où il s'était coincé le pied dans un piège pour animaux et avait dû rentrer chez lui dans cet état, mais son père, le voyant arriver, l'avait battu avant d'aller chercher l'homme qui avait posé le piège pour le lui faire enlever. Vince n'arrêtait pas de s'esclaffer, et Mighty et Liomi riaient si fort qu'ils faillirent s'étouffer. Neni, elle, roulait seulement des yeux, car ces histoires, elle les avait entendues mille fois, même si la fin changeait toujours.

« Papa raconte les meilleures histoires ! s'exclama Liomi.

— Encore, encore ! » renchérit Mighty.

Mais Vince regarda sa montre, puis Jende et Neni, avant de secouer la tête.

« Désolé, p'tit gars, mais on va devoir y aller.

— Pourquoi ?

— Pardonne-moi, mais j'ai d'autres choses à faire. Il faut que je te ramène à la maison, avec Stacy.

— Mais Neni ! » pleurnicha Mighty en se tournant vers elle, qui évita son regard.

Vince se leva et se rendit dans la cuisine pour se laver les mains.

« Je ne veux pas rentrer maintenant, supplia Mighty en regardant tour à tour Jende et Neni. S'il vous plaît, est-ce que je peux rester un peu ?

— Ta mère et ton père ne vont pas être contents, Mighty, lui répondit Jende.

— Mais ils ne rentrent jamais avant minuit. Et peut-être que papa rentrera même demain, et maman a dit qu'elle serait là vers 2 heures du matin. Je l'ai entendue le dire à Stacy ! Je peux au moins rester jusqu'à 10 ou 11 heures, ils ne le sauront pas !

— Désolé, mon gars, lui dit Vince en revenant de la cuisine. J'ai des trucs de prévus. Mais on s'est bien amusés, hein ? Je viendrai te chercher lundi et on ressortira tous les deux. Qu'est-ce que tu dis de ça ? »

Mighty ne répondit pas. Il prit un air boudeur et se retourna en se triturant les mains, toutes grasses à cause de l'huile de palme que Neni avait mise dans l'*ekwang*.

« Et moi, je pourrai venir jouer chez toi ? » lui demanda Liomi, peut-être dans l'intention de lui redonner le sourire, ou peut-être parce que Mighty lui avait dit qu'il possédait le dernier modèle de jouet qu'adorait Liomi, découvert parmi ceux que lui avait donnés Cindy.

Quelle que fût son intention, Liomi s'exprima avec une telle gentillesse et une telle sincérité que Neni faillit rire tout haut, mais elle se retint, parce que Mighty était contrarié et surtout parce qu'il n'était pas bon de rire de l'innocence de son fils qui espérait un jour être invité à jouer chez les Edwards. Mais, pensa-t-elle ensuite, Cindy serait peut-être d'accord pour inviter Liomi, elle qui, après tout, lui avait déjà envoyé des jouets et des vêtements, neufs pour certains. Et lorsque Liomi avait attrapé une pneumonie, un mois à peine après les débuts de Jende au service de la famille, Cindy avait fait porter chez eux une corbeille de fruits accompagnée de thés et de bons biscuits. Elle avait envoyé une lettre à Liomi, en réponse à sa carte de remerciement qu'il avait lui-même fabriquée, le complimentant sur sa belle écriture et disant que Jende l'avait bien élevé.

« Pourquoi ? Jende pourrait me raccompagner après,

insista Mighty sans cesser de bouder, ignorant Vince qui le priait de se lever et d'aller se laver les mains. Je ne veux pas rentrer, en plus je vais m'ennuyer avec…

— Tu m'avais dit que tu t'amusais bien avec Stacy, lui rappela Neni.

— Oui, mais pas comme ici. S'il te plaît, Neni. On n'a même pas fait les *puff-puff*.

— Peut-être que je reviendrai l'été prochain dans les Hamptons, répondit Neni. On pourra en refaire toi et moi, eh ?

— Ouais, ouais… »

Jende se leva et tendit la main pour aider Mighty à faire de même.

« Il y aura d'autres occasions, Mighty, dit-il au garçon. Grâce à Dieu, il y aura beaucoup d'autres occasions. »

Mighty se leva et suivit Jende jusqu'à l'évier.

Après une heure et demie de bon temps, les Jonga étreignirent les fils Edwards pour leur dire au revoir et souhaitèrent un bon voyage en Inde à Vince ; les fils Edwards les remercièrent en retour pour ce dîner d'adieu vraiment très réussi.

Ils étaient sur le point de partir quand Mighty remarqua quelque chose.

« Comment on va recommencer si Vince s'en va ? demanda-t-il à Neni. Ma mère et mon père ne m'emmèneront jamais ici. »

En souriant, Neni lui dit qu'il devrait apprendre à prendre le métro pour venir comme un grand dans ce cas, ce qui fit sourire Mighty à pleines dents – prendre le métro tout seul de l'Upper East Side à Harlem pour aller manger camerounais, quelle idée géniale !

26

Ce qui devait arriver arriva la deuxième semaine de septembre, quand l'air du soir commence à balayer les souvenirs de l'été et que le tintement autrefois joyeux du marchand de glaces résonne désormais comme une élégie.

Deux semaines plus tôt, il avait eu un rêve agité, le genre de rêve qu'il se rappelait en détail même des mois après. Il était de retour à Limbé, flânant avec son ami Bosco, qui, étrangement, était plus grand et plus mince et ne ressemblait aucunement au tronc d'arbre qu'il était dans la réalité. C'était jour de marché, un jeudi ou un vendredi – il le voyait à la foule et à la lenteur des voitures qui traversaient le marché, les conducteurs klaxonnant d'impatience et sortant leur tête par la vitre pour s'envoyer des jurons et des *Commot for my front before I cam jambox ya mouth, ya mami ya, ya mami pima*[1] !

Ils flânaient donc, passant devant les grandes échoppes en briques qui vendaient de la pâte à tartiner,

---

1. Dégage de là ou je te fais fermer ta grande gueule, ta mère, va, ta mère la pute ! *(N.d.T.)*

des biscuits et autres bons produits d'épicerie, quand Bosco remarqua que les multiplicateurs de billets de banque étaient absents du marché ce soir-là.

« Peut-être qu'ils ont enfin compris que personne ne les désirait », déclara-t-il, visiblement content.

Jende regarda l'endroit où les multiplicateurs de billets de banque avaient coutume de se poster, près des femmes qui vendaient du *jaburu*, du *strong kanda* et autres poissons fumés. Il n'y avait personne là-bas. Pas d'hommes venus d'un lieu inconnu, portant de longues et gracieuses tuniques, qui tapaient sur leur djembé en chantant en chœur pour appâter les passants, qu'ils poussaient à dépenser quelques billets afin de récolter plein d'argent.

« Peut-être qu'ils ont changé d'endroit, répondit Jende à Bosco. Aujourd'hui, c'est jour de marché. Ils ne peuvent pas manquer de venir quand tout le monde arrive avec les poches bien remplies.

— Non, ils ne sont pas là. Ils ne vont jamais revenir. Je hais les multiplicateurs de billets de banque.

— Il ne faut haïr personne, répondit Jende.

— Je les hais ! Vraiment, je les hais ! cria Bosco, la bouche tordue comme celle d'un enfant qui pique une colère. Ma mère leur a donné l'argent pour mon école afin qu'ils le doublent. Elle voulait payer l'école de ma sœur avec la deuxième moitié, mais elle n'a jamais revu son argent. Ma mère a tout perdu ! C'est pour cette raison que je n'ai jamais fini l'école. Ils ont volé l'argent destiné à la payer. Je hais les multiplicateurs de billets de banque !

— Mais c'est de la faute de ta mère, qui leur a donné l'argent.

— Non, ce n'est pas de sa faute ! C'est de leur

faute à eux. Ils lui avaient promis de doubler son argent. Ils n'ont pas doublé son argent ! Ils l'ont pris et l'ont dépensé et sont partis en nous laissant sans rien. »

Bosco s'assit sur le bord du trottoir et se mit à gémir. Jende tenta de le calmer en lui massant les épaules, mais il refusait d'être consolé, il repoussait les mains de Jende en pleurant avec hystérie et maudissait les multiplicateurs de billets de banque sans pouvoir s'arrêter. Un attroupement commença à se former autour d'eux, demandant ce qui n'allait pas. « Les multiplicateurs de billets de banque, les multiplicateurs de billets de banque ! » criait Bosco. Des rires s'élevèrent parmi la foule. *Stupid man, ei di cry like small baby*, disaient-ils. *Money doublers them know how for talk sweet talk. If they want we money, we go give them*[1].

« Non ! implora Bosco. Ne donnez pas votre argent aux multiplicateurs de billets de banque. Les multiplicateurs de billets de banque sont des mauvaises gens. Le bon Dieu les punisse ! Qu'ils attrapent la diarrhée perpétuelle pour ce qu'ils ont fait à ma mère ! Qu'ils ne dorment plus de la nuit ! Que leurs enfants meurent dans d'atroces souffrances ! »

Pris de gêne, sans savoir comment dire à la foule de laisser son ami tranquille, Jende s'enfuit en courant. Il courut à travers le marché, donnant un coup de coude à une fille qui portait sur la tête une cagette de poivrons jaunes, et à un homme trapu qui transportait

---

1. L'imbécile, il va pleurer comme un petit bébé. Les multiplicateurs savent appâter les gens. S'ils veulent notre argent, nous le leur donnons. *(N.d.T.)*

des rouleaux de tissu sur l'épaule. Le vent soufflait contre lui, comme pour l'arrêter, comme pour l'empêcher d'abandonner son ami, le laissant en pâture aux moqueurs, mais il continua d'avancer, courant plus vite que celui qui tente d'échapper à des chats sauvages affamés, espérant voir l'océan et que cette vision l'apaiserait. Finalement, à bout de souffle, il atteignit la plage. Mais il n'y avait pas d'eau là-bas, seulement un monceau d'ordures nauséabondes qui s'étiraient jusqu'à l'horizon.

Il se réveilla en sueur.

Pendant qu'il se douchait, ce matin-là, il repensa à son rêve et conclut que c'était parce qu'il n'avait pas tenu sa promesse à Bosco. Bosco l'avait appelé deux mois plus tôt pour lui demander de l'argent afin d'emmener sa femme consulter un spécialiste à l'hôpital Bingo Baptist, à cause d'une douleur accompagnée d'une enflure de son sein droit. Le docteur de l'hôpital public du Mile Un n'avait pas su expliquer quel était le problème avec ce sein, et la femme de Bosco avait pleuré sans arrêt pendant des jours, incapable de bouger sa main droite. *The bobbi dey like say ei don already start rotten for inside*[1], lui avait dit Bosco, sa voix déraillant alors que sa femme hurlait derrière lui. Jende lui avait promis de voir ce qu'il pouvait faire. Il n'avait rien fait. La nuit avant son rêve, il avait parlé à Sapeur, qui lui avait annoncé que la Faucheuse pouvait emporter la femme de Bosco à tout moment maintenant. C'était donc un rêve de culpabilité, conclut Jende. Il songea à appeler Bosco pour lui

---

1. On dirait que le sein est en train de pourrir de l'intérieur. *(N.d.T.)*

demander ce qu'il pouvait faire, mais il n'avait plus d'argent sur sa carte de téléphone et, en outre, il ne pensait pas que l'argent pouvait sauver la vie de la femme de Bosco. Et puis, il fallait qu'il se dépêche de partir travailler.

Au travail, il continua à penser à son rêve tandis qu'il conduisait Mighty à son entraînement de hockey, aux autres significations qu'il pouvait renfermer. Peut-être que l'un de ses amis au pays avait donné de l'argent aux multiplicateurs de billets de banque. Cela ne l'aurait pas surpris. Les gens ne retenaient jamais la leçon, même après toutes les histoires qui circulaient à Limbé sur les multiplicateurs qui avaient encore berné Maman-ci ou Papa-ça. Pourquoi les gens n'apprenaient-ils pas de leurs erreurs ? pensa Jende. Jamais personne qui avait confié de l'argent aux multiplicateurs de billets de banque n'avait vu son argent doubler. Jamais personne qui avait confié de l'argent aux multiplicateurs de billets de banque n'en avait revu le *moindre*. Et pourtant, les gens continuaient à leur donner leur argent, tombant dans le piège de ces jeunes hommes habiles qui les poursuivaient sur le marché ou visitaient les maisons de ceux dont ils avaient entendu dire qu'ils étaient d'excellents épargnants. Une femme de Sapa Road avait été tellement convaincue par les deux charmeurs venus la voir chez elle qu'elle leur avait donné ses économies de toute une vie pour qu'ils les multiplient par deux en trois mois. Son espoir, comme le disait la légende à Limbé, était d'utiliser la somme doublée pour acheter un billet d'avion à son fils et lui permettre de partir en Amérique. Mais les multiplicateurs de billets de banque n'étaient pas revenus le jour dit. Ni le suivant.

Pas même le mois d'après. Détruite, la femme avait mangé de la mort-aux-rats et avait péri, laissant son fils l'enterrer.

Lorsque Jende se réveilla, en ce jour où Lehman Brothers s'effondra, il avait chassé son rêve et Bosco aux confins de son esprit. Plus rien dans sa tête ne lui parlait des multiplicateurs de billets de banque et de leurs innombrables victimes, heureux qu'il était de ne pas devoir aller travailler un lundi. Cindy lui avait donné sa journée, disant que Clark serait trop occupé au bureau pour avoir à se déplacer, l'assurant qu'elle et Mighty se débrouilleraient parfaitement en taxi étant donné qu'elle n'avait qu'un seul rendez-vous et que la professeure de piano du petit était en congé.

Jende accepta avec reconnaissance ce cadeau de Cindy ; un jour de congé en semaine l'arrangeait bien. Liomi étant à l'école, il pourrait passer du temps tout seul avec Neni et l'aider dans ses tâches : nettoyer la salle de bains, faire la lessive et, s'il en avait le temps, cuisiner et congeler quelques repas d'avance pour que Neni n'ait plus à s'embarrasser de préparer à manger jusqu'à la fin de la semaine suivante au moins.

Son dos lui faisait mal tout le temps depuis son retour des Hamptons. Jende lui avait demandé d'arrêter de travailler et de n'assister qu'au minimum de cours nécessaires pour conserver son visa d'étudiante. « Les femmes enceintes ne doivent rien faire de fatigant pendant les derniers mois », lui avait-il dit, même si sa propre mère avait continué à travailler à la ferme jusqu'au jour où elle avait donné naissance à chacun de ses cinq enfants, et sous un goyavier dans le cas de son plus jeune frère, dans leur ferme derrière Marwoh Quarters.

« Mais j'aime travailler », avait-elle protesté.

Elle s'était maudite pendant des jours après avoir appelé l'agence qui l'embauchait pour dire qu'elle ne serait plus disponible pendant quelques mois. « Ils te reprendront dès que tu seras prête », lui avait-il assuré. Il l'écoutait patiemment chaque fois que commençaient ses longues lamentations sur son état et son travail qui lui manquait, se plaignant d'avoir l'impression d'être grosse, oisive et inutile, et il lui rappelait alors combien elle détestait parfois son travail et lui garantissait que d'avoir arrêté était la décision la plus sage, car la santé passait avant tout. « Je vais y aller moi et prendre quatre boulots avant de te laisser bosser dans la douleur et l'incommodité », lui promettait-il.

Une semaine après le début de son congé, sa sollicitude augmenta d'un cran encore et il lui annonça souhaiter qu'elle renonce aux semestres de cours à venir, celui de printemps et celui d'été, pour rester à la maison après l'arrivée du bébé, prévue en décembre.

« Non ! s'écria-t-elle immédiatement en bondissant du sofa où ils se câlinaient tous deux. Je ne vais pas rater les cours.

— J'y ai déjà réfléchi et j'ai décidé, lui répondit-il calmement, en s'adossant dans le sofa, les jambes croisées.

— Tu as décidé, eh ? dit-elle en lui faisant les gros yeux, les mains écartées, tandis qu'il ramassait la télécommande et allumait la télé. Comment ça, tu as décidé ? Tu as décidé ça quand ? Tu sais que je n'aime pas ça. Que je n'aime pas ça le moins du monde quand tu décides quelque chose pour moi sans me demander. Je ne suis pas ton enfant !

— Tu es ma femme et tu portes mon enfant,

répondit-il sans la regarder, pressant avec nonchalance les boutons de la télécommande comme si lui et sa femme discutaient de ce qu'ils allaient manger pour le dîner. *Je veux que ma femme reste à la maison avec mon nouveau-né pendant un certain temps.*

— Pourquoi ?

— Je pense que c'est mieux pour toi et pour le bébé.

— Et tu te fiches de savoir ce que je pense, moi ? rétorqua-t-elle, visiblement fâchée de le voir prendre une décision concernant sa vie avec une telle arrogance et, pire, en la forçant à ajouter un an au temps qu'il lui fallait pour devenir pharmacienne. Comment tu peux décider de me faire rater deux semestres sans me demander si cette décision me convient ?

— Tu vas rester à la maison avec le bébé pendant quelques mois, affirma-t-il de nouveau, d'un ton encore plus décidé. Les bébés doivent commencer leur vie entre les mains de leur mère, et je veux que tu profites du bébé pendant que tu te remets après ta grossesse.

— Personne n'a besoin de se remettre après la grossesse ! Je ne peux pas rater deux semestres entiers !

— C'est déjà décidé.

— Je ne veux pas ! Tu sais que je ne peux pas !

— Si, tu peux.

— Je ne peux pas ! Tu sais que je ne vais pas valider mon année et je perdrai mon visa, et je ferai quoi après ? »

Elle allait valider son année, lui répondit-il. Il avait déjà discuté du problème avec Boubacar, qui allait contacter le Bureau international des étudiants de la faculté pour lui obtenir des papiers à présenter à l'Immigration afin qu'elle ne perde pas son visa.

« Comment tu peux me faire ça ? s'écria-t-elle tandis qu'il continuait à presser les boutons de la télécommande, sans trouver aucun programme à son goût, insensible à ses larmes. Pourquoi je ne pourrais pas au moins suivre quelques cours comme je le fais maintenant ? Pourquoi tu agis toujours comme si je t'appartenais ? »

Ayant anticipé sa réaction, il l'ignora, preuve qu'il avait déjà réfléchi en long, en large et en travers à la question et qu'il ne comptait pas changer d'avis. En fin de compte, elle se calma et partit se coucher, vaincue, car il n'y avait rien d'autre à faire. Il l'avait fait venir en Amérique. Il avait payé ses frais de scolarité. Il était son protecteur et son garant. Il prenait les décisions pour leur famille. Quelquefois, il se concertait avec elle pour les prendre. La majorité des fois, il faisait ce qu'il jugeait être le mieux. Chaque fois, elle n'avait pas d'autre choix que d'obéir. Ainsi fonctionnait-il.

Tandis que ses pieds grandissaient et que son ventre grossissait, ses amies l'entendirent de plus en plus souvent se plaindre de lui – il y avait trop de choses qu'il lui demandait de faire/ne pas faire pour son bien-être et celui de l'enfant. Il insistait pour lui faire manger du saumon et des sardines qu'il lui préparait pour le dîner, leur disait-elle, parce qu'il avait lu dans un vieux magazine de Mme Edwards que les femmes enceintes devaient manger ce genre d'aliments et que les fœtus dont les mères mangeaient des poissons gras devenaient par la suite des êtres intelligents. Il lui demandait de bien laver les feuilles qu'elle allait manger avant de faire la salade, au cas où des microbes s'y cacheraient. Elle ne pouvait plus porter de talons, de peur d'entendre un sermon sur le risque qu'elle prenait pour elle-même et pour le bébé – cela valait-il la peine de risquer la vie d'un enfant simplement par coquetterie ? Elle n'était, semblait-il, plus qu'un œuf prêt à éclore. « Et pourquoi tu vas te plaindre de ça ? » lui disait Fatou. Betty et Olu, une autre de ses amies de l'école, disaient pareil. « Pourquoi tu fais du bruit alors qu'il prend juste soin de toi ? disaient-elles. Tu racontes que tu as souffert quand tu as été enceinte les deux premières fois, quand tu as donné naissance alors que tu vivais dans la maison de ton père, lui rappelait Betty ; et maintenant que ton mari te traite comme une reine pour que tu n'aies plus à souffrir, tu protestes ? Si tu aimes tellement la vie dure, viens prendre ma place, et je prendrai la tienne pendant les prochains mois. »

Finalement, et honteusement, elle décida de s'en remettre à leur sagesse, sachant que peu de femmes (y compris les femmes riches) avaient le privilège d'être mariées à un homme si protecteur, qui non seulement faisait tout son possible pour garantir le bien-être de sa femme, mais passait aussi des heures à nettoyer les murs couverts de poussière de leur appartement et à tuer les cafards qui détalaient d'un bout à l'autre du salon comme des coureurs du cent mètres, pour assurer confort et sécurité à leur futur enfant. Même si elle ne pouvait se résoudre à comprendre ni à approuver sa décision de lui faire rater deux semestres de cours, elle prit lentement son parti de ne plus ressentir de culpabilité à être une femme au foyer au milieu de cette ville remplie de femmes indépendantes et de faire une croix, au moins provisoirement, sur son désir de mener une brillante carrière comme Oprah ou Martha Stewart. Ainsi décida-t-elle de savourer le privilège, quoique involontaire, de rester toute la journée à la maison et de passer trop de temps à regarder des émissions, des séries et les informations – ce qu'elle faisait en ce lundi matin quand, sur CNN, la nouvelle tomba.

« Jende, cria-t-elle depuis le salon. Jende, oh !

— Eh ? » répliqua-t-il en accourant depuis la chambre, où il pliait le linge propre qu'il venait de rapporter du Lavomatic.

La panique dans sa voix l'avait alarmé. Chaque fois qu'elle l'appelait par son prénom comme ça, Jende craignait qu'il ne soit arrivé quelque chose au bébé.

« Regarde, dit-elle en pointant la télé. Ils parlent de Lehman Brothers. Ce n'est pas là où travaille M. Edwards ? »

Si, c'était ça, dit-il, n'ayant pas encore cédé à la panique, ne voulant pas penser que ces nouvelles avaient le moindre rapport avec ce que redoutait Leah. Il entendit un journaliste dire que l'effondrement était un véritable tremblement de terre dont les conséquences allaient se répercuter dans le monde entier durant les mois à venir. Il entendit un autre journaliste parler d'une chute catastrophique de la Bourse et d'une possible récession. Une ancienne employée de chez Lehman Brothers était interviewée. Elle n'avait rien vu venir, disait-elle. Les gens avaient des soupçons, mais personne ne pensait réellement que les choses finiraient ainsi. Ils venaient d'apprendre que tout était fini. Elle ne savait pas ce qu'elle allait faire maintenant qu'elle n'avait plus d'emploi. Personne ne savait.

Neni posa une main sur sa poitrine.

« Alors M. Edwards a perdu son travail lui aussi ? » demanda-t-elle.

Ni l'un ni l'autre n'osa poser la question qui découlait de celle-ci – cela voulait-il dire que Jende avait également perdu le sien ? La peur qui s'empara d'eux les empêchait de prononcer le moindre mot. Des questions similaires allaient germer dans bien des esprits à New York durant les semaines à venir. Beaucoup seraient convaincus que le malheur qui s'était abattu sur les foyers des anciens salariés de Lehman menaçait à présent le leur. Restaurateurs, artistes, professeurs particuliers, éditeurs de magazines, directeurs de fondations, chauffeurs de belles voitures, nounous, gardiens, agents de recrutement, tous ceux ou presque qui côtoyaient la route où circulait l'argent qui entrait à Wall Street et en sortait furent pris de peur et de panique ce jour-là. Pour certains, ces craintes s'avérèrent : leur pain et leur vin allaient effectivement disparaître avec les milliards de dollars qui s'envolèrent le jour où Lehman Brothers mourut.

« Il faut que j'appelle M. Edwards », dit Jende en se précipitant sur son téléphone posé sur la table du coin repas.

Clark ne répondit pas sur son portable, mais Cindy décrocha lorsqu'il appela chez eux.

« Vous avez toujours un emploi, déclara-t-elle.

— Oh, merci, madame, merci vraiment beaucoup.

— Rien ne va changer. Clark va vous appeler pour vous dire quand revenir travailler », ajouta-t-elle avant de mettre rapidement un terme à la conversation pour prendre un autre appel.

Il replaça son téléphone sur la table du coin repas et alla s'asseoir près de Neni, tout étourdi, soulagé mais stupéfait. Il ne s'était jusqu'alors jamais rendu compte que son destin était si étroitement lié à celui d'un autre homme. Que se passerait-il si quelque chose arrivait à M. Edwards ? Son permis de travail avait expiré et ne pouvait être renouvelé, maintenant que la procédure d'expulsion avait été déclarée. Sans papiers pour travailler, jamais il ne décrocherait un boulot qui payait aussi bien. Comment s'occuperait-il de sa femme et de ses deux enfants ? Dans combien de restaurants devrait-il faire la plonge pour gagner assez ?

« S'il te plaît, ne pensons pas à ça, lui dit Neni. Tu as un travail pour le moment, eh ? Tant que nous avons M. Edwards, nous avons un travail. Nous sommes dans une meilleure situation que tous ces gens qui sortent de chez Lehman. Regarde-les. Ils me font peine. Nous ne savons pas ce qui se trouve sur notre chemin. Nous ne savons pas. Alors, soyons heureux d'avoir été épargnés aujourd'hui. »

27

Ni l'un ni l'autre ne parla beaucoup en ce premier jour qu'ils passèrent tous les deux après l'effondrement de Lehman Brothers. Il n'y avait pas grand-chose à dire, et sans doute pas suffisamment d'occasions non plus, étant donné que Clark passait son temps à soupirer et à frapper le clavier de son *laptop* comme si les touches étaient bloquées. Il semblait avoir vieilli de dix ans en sept jours – une ride profonde était soudain apparue sur son front –, et Jende ne cessait de se demander pourquoi cet homme s'infligeait cela, pourquoi, avec tout l'argent qu'il s'était fait, il ne pouvait pas quitter le navire et s'en aller vivre une existence paisible quelque part loin de New York City. Jende n'aurait pas hésité à la place de M. Edwards. Aurait-il été millionnaire ou même moins, Jende aurait une bonne fois pour toutes dit adieu à la souffrance. Comment un homme pouvait-il délibérément vivre une vie de stress permanent ? Mais les hommes comme Clark ne réfléchissaient pas comme ça, comprit-il. Cela ne paraissait plus être une question d'argent. Sa vie à Wall Street, tout étouffante qu'elle était, semblait d'une certaine façon être son oxygène.

« Je suis très désolé, monsieur, se força-t-il finalement à dire, dix minutes après qu'ils eurent commencé à rouler en direction des nouveaux bureaux de Clark, chez Barclays, le géant britannique qui avait avalé Lehman Brothers après que la firme avait officiellement été déclarée morte.

— Merci, répondit Clark sans lever les yeux de son ordinateur.

— J'espère que tout va bien se passer pour tout le monde, monsieur.

— Avec le temps, ça ira. »

Jende savait ce que signifiaient ces réponses laconiques : Tais-toi. Ce fut donc ce qu'il fit. Il garda les yeux rivés sur la route et conduisit en silence pendant le restant de la semaine – de leur résidence, le Sapphire, dans l'Upper East Side, à chez Barclays, à Midtown East ; d'une réunion avec les anciens directeurs de Lehman à une réunion avec les directeurs de Barclays ; d'un déjeuner avec les agents du Trésor à Washington, DC, à un dîner avec des avocats dans un restaurant chic de Long Island. Clark ne desserrait presque jamais les dents, hormis pour le saluer rapidement, lui dire de se dépêcher ou lui rappeler d'être de retour à telle ou telle heure pour aller chercher Cindy ou déposer Mighty. Une fois, il aboya sur Jende pour lui faire doubler une voiture, mais il restait la plupart du temps cloué sur la banquette arrière, marmonnant dans sa barbe lorsqu'il ne parlait pas au téléphone, se déplaçant d'un côté à l'autre, s'adressant à diverses personnes sur des tons et avec des débits différents, compulsant des piles de documents, ouvrant et refermant son *laptop* comme il ouvrait et refermait le *Wall Street Journal*, et griffonnant sur son

calepin. Jende ne comprenait rien à ce qu'il entendait
– lui qui avait pourtant passé des mois à potasser
le *Wall Street Journal*, et qui avait fini par saisir le
concept « acheter bas pour vendre haut ». Depuis des
jours, Clark employait des mots comme « dérivés » et
« régulations », « notation » et « surnoté », des mots
insaisissables. Seuls l'épuisement et le désespoir présents dans sa voix demeuraient transparents.

« Tu l'aurais vu le jour où c'est arrivé ! dit Cindy
à Cheri lorsque Jende les conduisit à Stamford pour
rendre visite à la mère de cette dernière. Je ne l'avais
jamais vu aussi terrifié.

— Pas étonnant, répondit Cheri. Tout ce pour quoi
il a travaillé est parti en fumée. Et que ça arrive chez
Lehman ! J'étais sur les fesses !

— Comme moi et le monde entier.

— Je ne sais pas pourquoi, ce genre de chose
arrive toujours quand je suis à l'étranger. Regarde : le
11 Septembre. Je n'étais pas là. L'attentat d'Oklahoma
City. Pas là. Et ça. Pas là.

— Ce n'est peut-être pas plus mal, commenta
Cindy. Mieux vaut se trouver loin du cœur de l'action,
parfois.

— Non, protesta Cheri. J'aurais préféré être chez
moi. Il n'y a rien de plus désagréable que de devoir
traverser tout Florence en courant pour aller se coller
devant la télé de sa chambre d'hôtel et regarder ce
qui se passe dans son pays. Non, j'aurais préféré être
chez moi et aller m'endormir avec la boule au ventre
dans mon propre lit, ce soir-là.

— Je te crois.

— J'ai essayé de t'appeler dès que je suis descendue de l'avion, hier soir.

241

— Je sais. Je suis désolée, mais je n'étais pas d'humeur à parler. Je t'ai envoyé un SMS. Tu ne l'as pas vu ?

— Non, je n'ai reçu aucun SMS. Si tu ne m'avais pas appelée ce matin, je serais toute seule dans le train à l'heure qu'il est. Je me disais que tu avais dû changer d'avis, avec tout ce qui s'est passé.

— Oh, non, il fallait que je vienne, répondit Cindy. Justement, j'avais besoin de sortir de la ville. Tout ça, c'est trop pour moi.

— Tu l'as dit.

— S'il n'y avait pas eu Mighty, je serais partie hier pour un long week-end en solitaire, mais c'était le jour de notre soirée resto-cinéma, et il fallait que je l'aide à préparer les auditions pour sa chorale. En plus, j'avais promis à ta mère que je reviendrais. Il faut que je m'aère un peu la tête. Cette histoire est tellement atroce. Sans parler de Clark. Il est devenu *impossible* à vivre.

— Il ne devait pas en mener large quand c'est arrivé », remarqua Cheri, à quoi Cindy acquiesça.

Clark était rentré plus tôt que d'habitude deux jours auparavant, avait-elle raconté à Cheri, autour de 21 heures. Il avait enlevé sa chemise et s'était assis sur le bord du lit, la tête courbée, son dos nu voûté comme celui d'un homme tiré par un poids. Il n'avait rien dit, n'avait pas bougé, pas même lorsqu'elle était entrée, lui avait dit bonsoir et s'était mise au lit. Elle avait rendez-vous, tôt le lendemain matin, pour une mammographie et devait passer une bonne nuit ; aussi n'avait-elle pas cherché à lui parler ni à lui demander pourquoi il restait assis de la sorte, d'un air lugubre, muet et immobile. À la place, elle avait attrapé son

New Yorker – elle n'avait pas encore eu l'occasion de lire le portrait d'Obama – et l'avait ouvert.

« Lehman va être déclaré en faillite », annonça Clark d'un coup, la tête toujours courbée. Elle avait lâché un cri d'étonnement et laissé tomber son magazine en se couvrant la bouche d'une main. Elle s'était redressée sur le lit, le regard rivé sur l'arrière de sa tête. « Tu m'as bien entendu, avait-il repris sans se retourner. Ils ont tout essayé. La banque ne peut pas être sauvée. L'annonce va sortir d'ici quelques jours. Ils sont encore en train d'essayer de l'empêcher, de s'accrocher, mais… » Puis il avait soupiré en secouant la tête.

« Le pauvre, commenta Cheri.

— Je n'ai même pas su quoi répondre », dit Cindy. Elle n'avait rien su faire d'autre que de lâcher un nouveau cri d'étonnement, tandis qu'elle digérait la nouvelle. Elle avait regardé ses mains – elle ne s'était pas rendu compte qu'elles tremblaient. Cent questions lui traversaient l'esprit : Combien allaient-ils perdre ? Qu'allaient-ils devenir s'ils perdaient trop ? Qu'allait devenir sa carrière ? Comment allait-il ? Que ressentait-il ? Comment cela était-il possible ? Y avait-il une chance que la Réserve fédérale décide à la dernière minute d'intervenir et d'empêcher la faillite ? Ils l'avaient bien fait avec BS, n'est-ce pas ? Elle avait failli se rapprocher de lui et le serrer dans ses bras pour ne faire plus qu'un face à ces peurs, mais elle n'était pas certaine qu'il le désirait, alors elle s'était simplement glissée au bord du lit et assise à côté de lui.

« Tu avais idée de tout ça ? lui demanda Cheri. Que c'était si grave ?

— Pas vraiment », répondit Cindy. Elle avait eu vent des problèmes que rencontrait Lehman, mais pas en détail, et certainement pas au point d'imaginer un dénouement pareil. Clark lui avait seulement dit que la banque jouait avec le feu et lui avait demandé de se montrer compréhensive lorsqu'il avait annulé certains de leurs projets pour travailler à la place. Mais comment se serait-elle doutée qu'il y avait là une différence avec toutes les fois où elle s'était vue obligée d'annuler un dîner, de reporter des vacances ou de se rendre seule à une soirée parce qu'il devait travailler ?

« C'est ça le danger, avec les accros au travail, fit remarquer Cheri. C'est dur de leur faire confiance.

— Bienvenue dans ma vie, dit tristement Cindy. Ou ce qu'il en reste.

— Écoute, Cindy, ça va aller. Tout va s'arranger. C'est ce que Sean n'a cessé de me dire. D'arrêter de vérifier nos portefeuilles d'actions vingt fois par jour – mais je ne peux pas m'en empêcher. À Florence, je me réveillais tous les matins complètement angoissée d'avoir tout perdu. Pendant ce temps-là, Sean, lui, dormait à poings fermés, évidemment. Je me demande comment il fait pour dormir sur ses deux oreilles. Moi, je ne dors pas plus de quatre heures par nuit. »

Cindy ne répondit pas tout de suite ; elle semblait perdue dans un labyrinthe de pensées.

« J'aimerais bien être aussi zen que lui, lâcha-t-elle finalement. On dirait que rien ne peut l'ébranler.

— C'est vrai, mais tu ne devineras jamais ce qu'il m'a proposé de faire hier, répondit Cheri.

— Quoi ?

— De renvoyer Rosa pendant quelques mois, pour faire des économies.

— Quoi, tu plaisantes ? Il était sérieux ? »

Cheri eut un rire.

« Complètement dingue, répondit-elle. Je n'ai même pas pris la peine de lui répondre !

— Comme si on avait besoin de ça par les temps qui courent ! renchérit Cindy. Faire la cuisine, le ménage et la lessive alors qu'on perd notre argent, et le sommeil avec. Mais bien sûr ! »

Les deux femmes rirent en chœur.

« N'empêche, quand on y pense…, reprit Cheri, soudain plus sérieuse. J'entends des gens qui envisagent de virer leur coach, de vendre leur maison de vacances…

— Ça fait peur, mais ils peuvent faire ce qu'ils veulent pour survivre et la situation peut empirer autant qu'elle voudra, mon Anna n'ira nulle part. Je ne sais pas ce que je deviendrais sans elle, dit Cindy.

— Pareil pour Rosa. Il ne nous reste plus qu'à croiser les doigts pour que les choses s'arrangent, même si c'est mal parti. »

Cindy l'approuva. Clark disait la même chose, ajouta-t-elle. Lorsque, ce soir-là, elle lui avait demandé si cette faillite imminente allait avoir un impact sur l'économie, Clark avait répondu que oui, qu'il pensait que l'économie allait en prendre un sacré coup ; que tout était sur le point de changer dans le pays, d'une manière ou d'une autre, pour tous les citoyens, au moins pour quelque temps. Lorsqu'une maison aussi puissante que Lehman s'effondrait, lui avait-il dit, les gens commençaient à douter de la puissance des concurrents. Cette faillite allait semer la panique sur le marché, disait-il. Une panique terrible. Des portefeuilles d'actions perdraient la moitié de leur valeur. Ce seraient des catastrophes en série, à même de détruire les investissements et les vies de millions d'honnêtes gens innocents. La situation serait sans doute très grave. Mais pour eux, tout allait rentrer dans l'ordre. Les gens comme eux allaient perdre de l'argent à court terme, mais tout rentrerait dans l'ordre, tôt ou tard, contrairement au sort de ces pauvres diables que l'on voyait dans les rues.

« J'espère qu'il a raison, dit Cheri. J'espère sincèrement que tout va rentrer dans l'ordre au plus vite.

— Qui sait, répondit Cindy dans une sorte de murmure, après un silence. Nous n'avons pas beaucoup parlé depuis ce soir-là – Clark est tellement à cran que je n'ose quasiment pas ouvrir la bouche. Je ne l'ai pas vu pendant trois jours la semaine dernière.

— Faire la transition chez Barclays doit lui prendre un temps fou.

— Je sais… C'est ce qu'il me dit. Mais… On ne peut jamais savoir. J'espère seulement que c'est ça, et pas qu'il…

— Arrête, Cindy.

— C'est dans ces moments-là, Cher, chuchota Cindy. C'est dans c'est moment-là que les hommes… »

Mais elle s'interrompit brusquement, réalisant sans doute que Jende pourrait les entendre – à raison, celui-ci tendait l'oreille comme un forcené.

« Tu te fais du mal toute seule, lui répondit Cheri. Ça va aller, ne t'inquiète pas. Il n'est pas le seul à devoir affronter la crise. Nous ne sommes pas les seules. Il reste encore beaucoup de chemin à faire, mais tout va s'arranger. Pour Clark aussi. »

Jende se sourit à lui-même en entendant ces mots, espérant lui aussi, priant avec ferveur pour que Clark Edwards sorte de cet abattement qui le tenaillait depuis des mois.

La veille au soir, après le travail, Clark avait appelé son ami Frank pour lui dire qu'il réfléchissait à l'idée de se retirer de Wall Street. Ce boulot ne valait plus la peine, avait-il dit, et tous les problèmes engendrés par cette crise le fatiguaient. Alors qu'il ne s'était jamais soucié de ce que les autres pensaient de lui, il y prêtait maintenant attention – il regardait ces imbéciles qui passaient sur MSNBC, et il était d'accord avec eux, il comprenait que le pays tout entier en veuille aux gens comme lui. Il ne pouvait pas s'empêcher de se sentir en partie responsable de tout ce merdier, disait-il à Frank, non pas à titre personnel, mais parce qu'il faisait partie de ce système, même s'il détestait l'admettre, même s'il déplorait que Lehman ait perdu ses principes, même s'il regrettait qu'il n'existe pas davantage de morale à Wall Street. Il faisait partie de ce système et, parce qu'il avait été impliqué dans ces foutues histoires, qu'il n'approuvait d'ailleurs pas, même à un degré infime, pour cette raison-là, le pire était arrivé. Il n'était pas sûr de son avenir chez Barclays ; cela n'avait rien à voir avec le milieu financier, mais avec lui. Qui vieillissait, peut-être. Ou qui, peut-être, commençait à se poser des questions sur le sens de la vie. Pourquoi avait-il l'impression de parler comme Vince ? dit-il à Frank.

En entendant ce prénom, Jende se demanda comment se passait la vie du jeune homme en Inde. Il pensait à lui chaque fois qu'un journal parlait de ce pays, mais n'osait pas demander de ses nouvelles à Clark, de peur de rouvrir Dieu sait quelle blessure.

Il pensa à Leah, également, pendant ces jours qui suivirent la chute de Lehman, mais il n'avait aucun moyen de la joindre en dehors de son bureau. Appeler là-bas aurait été un peu comme appeler un ami mort, au cimetière. Pourtant, il s'inquiétait pour elle, pour sa tension, pour ses pieds qui gonflaient. Il s'était ainsi résolu, quelques jours après sa reprise, à téléphoner à son bureau, espérant entendre un message qui lui dirait où la joindre.

« Leah ! s'exclama-t-il, choqué, lorsqu'elle répondit au téléphone. Qu'est-ce que tu fais là ? Je pensais… J'avais peur que…

— Oh, si, mon chou, répondit-elle. On m'a foutue à la porte, moi aussi. C'est demain le dernier jour. Ils m'ont demandé de mettre de l'ordre dans deux trois trucs avant de partir. À part ça, je n'ai aucune raison de rester une minute de plus.

— Je suis vraiment désolé, Leah.

— Moi aussi… Mais que veux-tu ? C'est mieux comme ça, tu sais. Quand tu passes des mois sans dormir, avec une épée de Damoclès au-dessus de la tête… Au moins, maintenant, c'est fait et… Je ne sais pas… Je vais enfin pouvoir fermer l'œil et me barrer d'ici.

— C'est la peur qui nous tue, Leah, dit Jende. Parfois, il nous arrive de mauvaises choses, mais la peur est encore pire. C'est la leçon que j'ai apprise de cette vie. C'est la peur qui nous tue. »

Leah partageait son point de vue, mais elle lui dit qu'elle n'avait pas beaucoup de temps. Elle donna à

Jende le numéro de chez elle afin qu'il la rappelle plus tard, ce que Jende fit le soir venu.

« Qu'est-ce que tu vas faire maintenant ? lui demanda-t-il.

— Quelque chose de grandiose », répondit-elle. Elle avait une meilleure voix que le matin. « J'ai plus de vingt ans d'expérience, Jende. Je ne m'en fais pas. Je vais commencer par prendre un mois avant d'attaquer mes recherches d'emploi.

— C'est une bonne idée.

— Et j'irai peut-être voir ma sœur en Floride. C'est ça, l'avantage quand tu n'as ni mômes ni mari – il n'y a rien qui me retienne, je peux partir où je veux, quand je veux, et faire ce que je veux. Je vais aller m'amuser à Sarasota, et quand je reviendrai, je dépoussiérerai mon CV.

— Tu vas trouver un boulot très rapidement quand tu vas rentrer, lui dit Jende. M. Edwards va sûrement dire à tout le monde que tu étais une très bonne secrétaire.

— Il a intérêt.

— Quand tu reviens, tu m'appelles, ma parole. Tu m'appelles pour me dire que tout va bien. »

Leah promit qu'elle le ferait, et Jende lui souhaita un bon voyage en Floride.

Le lendemain, tandis qu'il allait et venait chez les Edwards, Jende pensa à Leah et aux ex-employés de Lehman. Il pensa à l'état dans lequel se trouvait la ville et l'état dans lequel se trouvait le pays. Il pensa qu'il était terriblement étrange, triste et effrayant que les Américains, ce peuple-là, parle de « crise économique », une expression que les Camerounais avaient entendue à la télé et à la radio presque quotidiennement à la fin des années 80, à l'époque où le pays avait plongé dans la récession. Peu d'habitants à Limbé comprenaient la cause de cette récession, ou ce que le gouvernement mettait en œuvre pour en sortir et empêcher son retour, mais tout le monde savait que ce phénomène rendait très difficile l'achat de nourriture et autres produits de première nécessité, en raison de la disparition de sommes d'argent considérables. La même chose se produisait maintenant en Amérique. L'affaire était grave. Très grave. Personne ne pouvait dire combien de temps le pays mettrait pour émerger de ce chaos que l'effondrement de Lehman avait causé. Cela pouvait prendre des années, disaient les experts à la télé. Cinq ans peut-être, disaient certains, qui plus est, maintenant la crise s'étendait au monde entier et les gens, partout, perdaient leur argent, leur emploi, leur famille, la tête.

Mais lui… Merci, mon Dieu, lui avait toujours un boulot.

Jende était gonflé de gratitude tous les jours lorsqu'il prenait la voiture au parking, sachant que lui aussi aurait pu se retrouver sans emploi, comme beaucoup de gens à travers le pays. Quotidiennement, il lisait dans les vieux *Wall Street Journal* de Clark des histoires de licenciement et en entendait à la télévision, sur CNN, après le travail.

Chaque soir, il priait pour que les choses aillent mieux, seulement pour les voir empirer dans les semaines qui suivirent.

De nouveaux emplois furent perdus, sans espoir d'être remplacés dans l'immédiat. Le Dow Jones comptabilisa des baisses records. Il ne cessa d'augmenter puis de baisser, d'augmenter puis de baisser comme une vague infernale. Le Plan 401(k)[1] fut divisé par deux, amputé comme par magie. Le versement des retraites fut reporté ; des rêves de bons moments à la plage s'envolèrent en fumée ou furent mis entre parenthèses pour des années. Des bourses scolaires furent retirées, ôtant à un grand nombre de mains la possibilité de tenir un jour un diplôme. Des maisons ne furent jamais achetées. Des vacances furent annulées, en dépit du nombre de jours travaillés dans l'année, en dépit de la fatigue que les gens avaient accumulée.

Par bien des aspects, cette crise allait être un événement sans précédent, une calamité de la teneur de celles qui avaient frappé les Égyptiens dans l'Ancien Testament. La seule différence entre les Égyptiens d'autrefois et les Américains de maintenant, songea Jende, était que les Égyptiens avaient été maudits à cause de leur méchanceté. Ils avaient semé l'horreur sur leur propre terre en vénérant des idoles et en asservissant leur prochain, tout cela pour vivre dans la grandeur. Ils avaient choisi le riche au détriment du juste, la rapacité au détriment de la justice. Les Américains n'avaient rien fait de tel.

Et pourtant, partout sur leur terre, les saules allaient continuer de pleurer la fin de bien des rêves.

---

1. Système d'épargne retraite par capitalisation très largement utilisé aux États-Unis. *(N.d.T.)*

28

Ils firent le trajet jusqu'au Chelsea Hotel une dizaine de fois au moins pendant les cinq semaines qui suivirent la chute de Lehman Brothers. Clark semblait avoir de plus en plus besoin de ces rendez-vous, à mesure que la panique sur les marchés grandissait et que le fardeau sur ses épaules s'alourdissait ; il semblait en avoir un besoin désespéré, comme une terre assoiffée a besoin d'eau. Tout se passait comme si ces rendez-vous étaient pour lui le seul recours pour se maintenir en vie, son seul moyen de se sentir encore sain d'esprit dans ce monde dément – son ton ne changeait jamais qu'aux moments où il confirmait ces rendez-vous au téléphone, sa voix morose devenant soudain tout excitée. Toujours, il donnait confirmation sur le chemin. Toujours, il vérifiait avec la personne qu'il appelait que la fille ferait bien ce qu'elle avait promis sur le site web. Toujours, il hochait la tête, en souriant parfois, tandis que la personne lui assurait qu'il en aurait pour son argent et que la fille le rendrait très, très heureux.

Sur le siège du conducteur, Jende feignait de ne rien entendre du tout. Son travail était de conduire,

non d'entendre. Avant chaque rendez-vous, il s'arrêtait devant l'hôtel, déposait Clark, puis allait chercher
une place dans la rue. Là-bas, il attendait de recevoir
son appel le prévenant de venir le chercher dans cinq
minutes. Lorsque Clark rentrait dans la voiture, Jende
voyait un homme d'apparence détendue, mais autrement, identique à celui qui en était sorti plus tôt. Ses
cheveux étaient peignés en arrière, comme lorsqu'il
était parti. Sa chemise bleue n'avait pas un pli, son
col n'était pas corné. Aucune culpabilité ne transpirait
dans son comportement.

Jende le conduisait alors là où il demandait d'aller sans poser de questions. Il n'avait aucun droit de
poser des questions. Parfois, lorsque Clark remontait
en voiture, il faisait une remarque sur le temps, sur
les Yankees ou les Giants. Jende répondait toujours
prestement, en acquiesçant à tout ce que disait son
patron, comme pour lui signifier : Ce n'est pas grave,
monsieur ; ce que vous faites, monsieur, n'a aucune
espèce d'importance pour moi. Et Jende voyait que
Clark se comportait comme si le message était passé ;
que Clark lui faisait confiance et savait que personne à
part lui ne saurait. Sans même avoir besoin de parler,
un lien solide s'était tissé entre eux – ils étaient deux
hommes unis par ce secret, se reposant l'un sur l'autre
pour chaque jour avancer et parvenir à remplir les
objectifs du quotidien et de la vie, par le truchement
de cette relation qu'ils avaient forgée depuis presque
un an qu'ils arpentaient les autoroutes et perdaient
leur temps dans les bouchons.

Ce lien était aussi solide que pouvait l'être un lien
entre un homme et son chauffeur, pas suffisamment,
cependant, pour s'aventurer sur des terrains glissants.

Ce fut la raison pour laquelle Jende décida de ne pas intervenir le soir où Clark remonta dans la voiture sans sa cravate autour du cou.

N'importe quel autre jour, Jende n'aurait pas remarqué la disparition de la cravate, puisque de cravates il se souciait peu. Winston lui en avait donné une (après que Jende lui eut rapporté ce que Clark avait dit lors de son entretien : « Si vous comptez faire ce métier, procurez-vous une vraie cravate »), mais il avait refusé la proposition de Winston quand celui-ci avait souhaité lui apprendre comment la nouer, croyant se souvenir de la technique, qu'il avait déjà pratiquée une fois ou deux à Limbé. Cependant, le matin de son premier jour, ni lui ni Neni n'étaient parvenus à faire le nœud. Neni avait émis l'idée de regarder sur Google, mais le temps pressait. Il était alors parti travailler avec sa cravate à clips, et Clark l'avait néanmoins complimenté sur sa tenue, « plus professionnelle » – commentaire que Jende avait pris comme une validation de l'ensemble des vêtements qu'il portait. Plus tard cette même semaine, Winston avait de nouveau proposé de lui apprendre à la nouer, mais il avait encore refusé, n'en voyant pas la nécessité ; en outre, pourquoi un homme aurait-il dû s'attacher le cou telle une chèvre ? Une cravate valait rarement le désagrément qu'elle causait, mais celle que M. Edwards portait ce matin-là, une cravate bleue, avait attiré l'attention de Jende lorsqu'il était venu le chercher le matin.

C'était une cravate avec des drapeaux dessus, sur lequel Jende avait reconnu, dans le rétroviseur, à un feu rouge, l'Union Jack britannique, les étoiles et les bandes du drapeau américain, le *drapeau tricolore** de

la France et celui de l'Italie, tous ces drapeaux rete-
nus au fil de nombreuses années à regarder la Coupe
du monde. Il avait cherché le drapeau camerounais,
vert, rouge et jaune avec une étoile jaune au milieu,
mais pas de drapeau camerounais, alors que le drapeau malien, on ne savait trop pourquoi, était quant
à lui présent. Pendant qu'il attendait Clark devant
le Chelsea Hotel, ce soir-là, il pesa l'idée d'engager
la conversation sur cette cravate lorsque son patron
remonterait dans la voiture, en partie pour dissiper
la gêne qui souvent s'installait entre eux durant les
premières minutes après le retour de Clark et en
partie parce que Jende, s'il faisait un jour l'acquisi-
tion d'une vraie cravate, en voulait une identique et
espérait que M. Edwards lui dirait où s'en procurer
une, mais moins chère, étant donné que celle-ci provenait certainement d'une boutique pour gens riches
de la Cinquième Avenue.

Mais Clark était rentré dans la voiture sans la cravate.

Jende avait ouvert la bouche, prêt à intervenir,
mais l'avait aussitôt refermée. Il n'avait aucun droit
de commenter l'apparence de son patron. Et ce n'était
pas son rôle de demander où pouvait bien se trouver la cravate, même s'il ne cessa d'y penser. Elle
ne pouvait pas être dans l'attaché-case de Clark – il
n'emportait jamais son attaché-case à l'hôtel. Elle ne
pouvait pas être dans sa poche – il n'y avait aucune
logique là-dedans. Et il ne pouvait pas non plus en
avoir faire don à la personne qu'il venait de…

« Nous rentrons au bureau, monsieur ? demanda
Jende en sortant de sa place devant l'hôtel, s'inter-
rogeant sur le genre de plaisirs que pouvait bien avoir
éprouvés un homme pour en avoir oublié sa cravate.

— Non, à la maison.

— À la maison, monsieur ?

— C'est ce que je viens de vous dire. »

Aussitôt, Jende vit la tournure qu'allaient prendre les événements. Clark allait rentrer dans son appartement et Cindy, étant une femme, et étant aussi curieuse que les femmes pouvaient l'être, allait lui demander où se trouvait sa cravate. Clark allait bégayer et bredouiller un mensonge que Cindy ne croirait pas. Une dispute éclaterait, peut-être la troisième de la journée, et le lendemain de nouveaux détails effroyables sur leur mariage se déverseraient dans les oreilles de Jende. Comme s'il ne souffrait pas assez comme ça, le pauvre Clark devrait affronter une nouvelle bataille.

Mais Cindy ne remarquerait peut-être rien.

Il était 22 heures, peut-être serait-elle déjà au lit. Clark allait rentrer, se déshabiller, prendre une douche et, heureusement pour lui, la pauvre femme n'en saurait rien.

29

Cindy lui demanda de monter la voir un soir au début du mois de novembre, une semaine après l'histoire de la cravate. Cela se passa trois jours après l'élection de Barack Obama, où les New-Yorkais avaient dansé à Times Square, trois jours après que Neni et lui eurent sauté et pleuré des larmes de joie en apprenant que le fils d'un Africain dirigeait désormais le monde. Cela se passa un jour après que Clark lui eut annoncé qu'il percevrait une prime de deux mille dollars pour avoir été un employé d'exception durant cette année.

« Je vous en prie, asseyez-vous », lui dit Cindy en désignant la table de la cuisine.

Jende s'installa sur une chaise en cuir noir. Il y avait un vase transparent de lys roses sur la table en marbre nue ; un carnet bleu à côté. Jende jeta un regard au carnet relié de cuir, puis à Cindy. Il le sentait : elle avait remarqué la cravate. Elle avait *forcément* remarqué la cravate. Ils s'étaient forcément disputés à cause de cette histoire, ou peut-être d'autre chose. Cela avait dû être une grosse dispute, peut-être aussi violente que celle à laquelle Neni avait assisté dans les Hamptons au sujet du départ de Vince en Inde. Il était toujours facile de deviner qu'une personne mariée s'était disputée avec son époux ou son épouse – cette personne-là semblait seule au monde, comme n'ayant plus personne ni plus rien. Voilà de quoi avait l'air Cindy ce soir-là.

Elle n'était plus aussi belle que la Mme Edwards de ses débuts. Sa peau était toujours parfaite, sans rides ni taches, mais il y avait un vide dans ses yeux, que même son mascara et son trait d'eye-liner bien appliqués ne pouvaient masquer ; il voyait aussi que quelque chose était arrivé à madame Cindy, que quelque chose était en train de lui arriver. Même avec ses longues mèches blondes brillantes et ondulées ramenées d'un côté, le collier de perles qui ornait sa poitrine, ses lèvres peintes en rouge, Jende voyait la souffrance qu'elle endurait et qu'il devait se produire quelque chose qui lui ramènerait la paix.

« Votre journée s'est bien passée ? lui demanda-t-elle.

— Je remercie Dieu, madame. »

Elle hocha la tête, ramassa sa tasse de café sur la table et, en la tenant à deux mains, prit une gorgée.

« Votre femme et votre fils vont bien ?

— Ils vont très bien, madame. Merci de me demander. »

Cindy hocha la tête une nouvelle fois. Elle resta silencieuse pendant dix secondes, peut-être, puis courba la tête, les mains toujours accrochées à la tasse.

« Je vais devoir vous demander une faveur, lui dit-elle tout bas, en levant la tête pour regarder Jende dans les yeux. Une grande faveur. J'aimerais que vous me la rendiez dès demain.

— Tout ce que vous voudrez, madame. Tout ce que vous voudrez.

— Bien, bien. »

De nouveau, elle s'arrêta, acquiesçant, la tête courbée. Il attendit, regardant le col de son chemisier en coton jaune plutôt que son visage. Elle gardait la tête baissée. Il jeta un regard autour de lui, dans la cuisine, aux plans de travail et au trio de suspensions en verre qui éclairaient l'îlot. Et au moment où une minute entière sembla s'être écoulée ainsi, elle releva la tête, repoussa sa chaise et le regarda dans les yeux.

« Je voudrais que vous écriviez là-dedans, dit-elle en poussant vers lui le carnet bleu, le nom de tous les endroits où vous conduisez Clark. De toutes les personnes que vous voyez avec lui. Je voudrais que vous écriviez tout là-dedans. »

Jende se tortilla sur sa chaise et se redressa.

« Vous n'aurez pas besoin de lui dire ce que je vous ai demandé, d'accord ? Cela restera entre vous et moi. Contentez-vous de faire ce que je vous dis. Et tout se passera pour le mieux. Il ne vous arrivera rien. »

Elle avait une voix gutturale et le bout du nez rouge. Elle tira un mouchoir d'une boîte sur la table, s'essuya le nez, se leva, jeta le mouchoir à la poubelle, se rassit. Jende ramassa le carnet et l'examina. Il feuilleta ses pages vierges, le retourna comme pour s'assurer qu'il était bien réel. Avec précaution, il le reposa, prit une grande respiration, joignit les mains en les posant sur ses genoux, et attendit que le courage monte en lui afin de pouvoir fournir la réponse appropriée.

« Madame Edwards, dit-il. Ce que vous me demandez de faire est très difficile.

— Je sais.

« — Ce que vous me demandez de faire est... En toute vérité, madame, je peux perdre mon travail avec M. Edwards si je fais quelque chose comme ça. M. Edwards m'a dit très clairement que...

— Vous ne perdrez pas votre emploi, répondit-elle. J'y veillerai personnellement. Vous travaillez pour toute la famille, pas seulement pour lui. Donnez-moi ce que je vous demande, et je ferai en sorte que vous gardiez votre emploi.

— Mais madame... » Sa voix s'éteignit, soudain trop lourde pour s'élever. « Madame, essaya-t-il à nouveau. J'en suis sûr, vous savez que les temps sont très durs pour M. Edwards. Je vois à quel point il travaille, madame. Je vois comme les temps sont durs pour lui. Je vois sa fatigue. Il travaille très dur, toujours sur son téléphone, toujours sur son *laptop*, toujours à une réunion.

— Je sais que mon mari est un homme qui travaille dur, merci.

— Oui, madame. Bien sûr, madame.

— Il y a une autre femme », déclara Cindy.

Elle se tut et se tourna à moitié, comme honteuse de se confesser à un simple chauffeur.

« Dites-moi ce que vous savez, lui demanda-t-elle.

— Je ne sais rien, madame.

— Où est-ce que vous l'emmenez ?

— Je jure, madame...

— Ne me mentez pas ! »

Les mains de Cindy tremblaient. Les siennes aussi ; d'aussi loin qu'il s'en souvenait, il n'avait jamais tremblé si fort de sa vie. L'envie le démangeait de tendre ses mains par-dessus la table, d'attraper celles de Cindy, de lui dire qu'il ne fallait pas avoir peur.

Il ne put se résoudre à le faire – il n'avait aucun droit de toucher madame Cindy. Toutefois, il devait la prévenir.

« Madame, lui dit-il. J'espère que vous n'allez pas le prendre mal, madame. Mais, s'il vous plaît, il ne faut pas vous inquiéter de trop. »

Cindy secoua la tête dans un rire, un rire faible et narquois.

« Je pense seulement, madame, que quand vous croyez que M. Edwards se trouve je ne sais où, ou qu'il fait je ne sais quoi, en réalité, votre mari est en train de travailler, de travailler tout le temps. Ce n'est pas facile pour une femme, madame. C'est difficile pour ma femme, aussi, quand je rentre tard à la maison et que je suis parfois obligé de passer les week-ends à travailler. Mais elle comprend que si je fais ça, c'est parce que je dois m'occuper de ma famille, comme le fait M. Edwards.

— Votre femme est enceinte, n'est-ce pas ? demanda Cindy.

— Oui, madame, répondit-il avec un faible sourire. Le bébé va naître dans un mois.

— C'est bien. Vous savez si c'est une fille ou un garçon ?

— Non, madame, nous ne savons pas. Nous allons savoir le jour de la naissance du bébé. »

Elle opina.

« Eh bien, Jende, conclut-elle. Pensez à votre femme enceinte et à votre futur bébé. Pensez à votre famille et à votre situation. Pensez-y très attentivement, et dites-moi si vous estimez avoir besoin d'un travail pour subvenir à leurs besoins. »

Elle se leva, lui souhaita bonne nuit, et s'en alla.

30

Il rentra tôt chez lui ce soir-là, vers 20 heures environ. Winston était assis à leur table, en train de manger du *quacoco* avec un ragoût de *banga*. Deux saladiers en céramique bleue étaient posés là également – l'un contenant de longues tiges de taro de vingt-cinq centimètres de long, pelées et blanchies, l'autre une sauce de noix de palme, agrémentée de cous de dinde fumée que l'on voyait flotter sous la surface huileuse. Il y avait aussi une assiette d'escargots frits avec de la tomate, de l'oignon, de la ciboule et des champignons shiitakés.

« Tu ne devineras jamais qui je vais voir la semaine prochaine, lui demanda Winston tandis que Jende se lavait les mains pour le rejoindre à table et que Neni dressait un autre couvert.

— Maami ? hasarda Jende.

— Comment tu as deviné ?

— Tu crois que je viens de te rencontrer ? Quelle autre femme ferait briller tes yeux comme ça ? »

Winston sourit.

« Je l'ai trouvée sur Facebook, dit-il.

— Facebook ? C'est quoi, ce truc-là, eh ? dit Jende.

Neni, ce n'est pas là que tu as vu que ton cousin avait déménagé en Tché, Tchéc, Tchécoslo… »

Depuis le sofa, Neni hocha la tête sans détacher ses yeux de son magazine *Oprah*.

« Il ne téléphone jamais et n'envoie pas d'argent au pays, dit-elle, et pourtant, ce *mbutuku* trouve le temps de montrer à toute la planète des photos de ses nouvelles chaussures et de ses vêtements sur Facebook.

— Moi, je te dis, Facebook, c'est autre chose que ce *wahala*, intervint Winston. Quand j'ai fait l'inscription, en une minute, j'ai vu un ami de la Baptist High School qui m'a connecté à un autre ami, et je suis tombé en un rien de temps sur la photo de Maami, avec son *makandi* toujours aussi *manyaka ma lambo* qu'au lycée. *Kai !* » Il se frappa les mains et les étendit devant lui pour montrer la largeur du fessier en question. « Le même jour, je l'appelle, et on parle jusqu'à 2 heures du matin.

— Elle n'est pas mariée ?

— Elle dit qu'elle a un petit ami, un petit Blanc, là, dans le Texas. On verra ça quand elle me découvrira maintenant avec ses deux yeux. »

Jende se mit à pouffer de rire, la bouche pleine.

« Quand tu la vois, dit-il après avoir avalé, dis-lui juste de comparer les serpents. Celui qui a le serpent le plus long et qui glisse le plus vite a gagné.

— Jende ! s'exclama Neni avec de gros yeux, en désignant Liomi.

— Oncle Winston a un serpent ? demanda le garçon en détournant la tête de l'écran de télé.

— Oui, répondit Winston en riant, mais je n'ai pas le droit de te le montrer.

— Mais, oncle Win…

— Arrête de poser des questions bêtes aux grands et va faire tes devoirs, se fâcha soudain Jende.

— Tu n'as pas besoin de lui crier dessus pour ça, lui reprocha Neni quand Liomi s'en fut allé dans sa chambre. Vous alors ! C'est vous qui avez commencé.

— Alors il aurait dû fermer ses oreilles.

— Pourquoi tu veux qu'il ferme ses oreilles ?

— Parce que les enfants…

— Ah, les gens mariés ! s'exclama alors Winston, projetant en l'air ses mains huileuses. Arrêtez vos fâcheries avant que je renonce au mariage pour de bon. Ma parole ! »

Neni lança un regard mauvais à Jende et retourna à son magazine.

« Quoi *bolo*, sinon, Bo ? demanda Winston à Jende.

— Situation critique », répondit ce dernier avant de lui dérouler son rendez-vous avec Cindy.

Neni posa son magazine pour écouter.

« Tu dois lui dire ce que tu sais, intervint-elle, une main posée sur son ventre, ses pieds enflés sur un pouf. Moi, je crois qu'il est de mon droit de tout savoir sur toi. C'est son droit à elle de tout savoir sur son mari. »

Winston hocha la tête tout en grattant la peau et la viande d'un cou de dinde.

« Ah, vous les femmes, soupira Jende. Vous vous inquiétez trop. Pourquoi vous voulez tout savoir des affaires d'un homme, eh ? Moi, je ne demande pas ça de toi. Parfois, je t'entends parler au téléphone avec tes amies et je ne veux même pas entendre ce que tu leur dis.

— Tu crois que tout le monde est comme toi ? répondit Neni. Moi, je ne demande pas à savoir où

264

tu es toute la journée et qui tu vois, mais il y a des femmes qui veulent savoir ça. Et des maris aussi. Moi, ça ne me choque pas.

— Alors je peux poser des questions à tes amies sur toi ?

— Tu peux les appeler maintenant et leur demander ce que tu veux sur moi. Je n'ai rien à cacher. Tout ce que mes amies savent est fidèle à l'image que tu as de moi.

— Eh, vraiment ?

— Quoi, "Eh, vraiment" ?

— Si je demande à tes amies, elles ne vont pas me raconter qu'elles t'ont vue en compagnie d'un de ces Afro-Américains qui portent un pantalon trop large ? » dit-il en souriant, avec un clin d'œil.

Winston se mit à rire.

« Eh, écoutez un peu ! s'exclama Neni en levant les mains. Pourquoi tu veux que j'aille faire ça ? Pourquoi tu veux que j'aille avec un homme au chômage qui a déjà engrossé cinq filles là ? Ma parole, oh. Si j'ai envie de nouveauté, je me trouverai plutôt un bon vieux Blanc avec beaucoup d'argent et des tuyaux dans le nez pour respirer.

— Cette idée n'est pas bête, répondit Winston. On pourra tous partager son argent quand il mourra. »

Neni et Winston se mirent à glousser de concert et firent semblant de se taper dans la main.

« Mais sérieusement, dit Jende, les femmes doivent apprendre à faire plus confiance que ça. Elles ne doivent pas douter en permanence de ce que fait leur mari.

— Moi, je suis d'accord avec Neni, Bo, répondit Winston. Tu dois le dire à madame Cindy.

— Vous avez bu le *quacha* vous deux, ou quoi ? Je ne peux rien dire du tout, jamais de la vie. À qui que ce soit ! Ce n'est pas mon travail de parler de lui. Quand il m'a embauché, j'ai signé un contrat. Vous vous souvenez, ou quoi ?

— Oui, répondit Neni en se levant pour débarrasser la table. Et ?

— Et le contrat disait que je ne devais rien dire à personne, même pas sa femme.

— Oublie le contrat, répondit Winston.

— Ah, Bo, comment tu peux dire ça, toi qui es avocat ? Comment tu peux me dire de faire quelque chose qui me fera perdre mon travail ?

— Mais tu as peur de lui dire quoi ? demanda Neni en revenant de la cuisine. Ce n'est pas comme s'il avait quelque chose à cacher ? »

Jende ne répondit pas ; cela faisait longtemps qu'il songeait à lui en parler.

Le jour où Jende avait compris qu'il y avait des femmes, il avait été tenté de lui raconter pour pouvoir jaser avec elle tard le soir et se moquer de M. Edwards lorsqu'il prenait rendez-vous avec la grande femme ou la femme blonde. Jende avait songé à en rire avec elle chaque fois qu'il déposerait M. Edwards au Chelsea Hotel, certain que Neni serait contente de savoir que lui ne ferait jamais une chose pareille, en bon mari qu'il était, en homme intègre. Mais plus il y avait réfléchi, plus il s'était dit que sa réaction pourrait être tout autre. Que Neni pourrait devenir méfiante, ou même avoir peur. Qu'elle allait penser : « Et si M. Edwards lui offre une prostituée à lui aussi, comme bonus ou Dieu sait quel cadeau ? Et si M. Edwards l'embobine, le contamine, en lui faisant croire que le

Seigneur donne à tous les hommes le droit de prendre du bon temps comme ça ? » Il la voyait d'ici, inquiète et angoissée, surtout maintenant que son visage avait grossi, que ses jambes avaient grossi et que son corps tout entier avait l'air d'un corps qui resterait gros pendant des années. Ce qui ne le dérangeait pas. Loin de là. Mais il savait que Neni pensait autrement, raison pour laquelle elle achetait tous ces magazines avec en couverture des femmes maigres et faisait attention à la quantité d'huile de palme qu'elle mettait dans ses plats. Elle parlait maintenant de perte de poids, de cholestérol, de calories et d'acheter *light* par-ci et *light* par-là, des choses bêtes dont personne ne parlait à Limbé. Et toutes ces bêtises commençaient vraiment à la préoccuper. Elle devenait une femme apeurée.

Jende l'aimait plus que tout (pour rien au monde il ne l'aurait échangée, pas même contre un passeport américain), mais il comprenait d'où venaient ses craintes. Il était le seul homme qu'elle ait jamais aimé, de même que son père était le seul homme que la mère de Neni avait jamais aimé. Et après, quoi ? Au bout de vingt-quatre ans de mariage, un an après que son père eut perdu son boulot au port de commerce, sa mère avait découvert qu'il avait engrossé une femme qui vivait à Portor-Portor Quarters. Sa mère s'était fait humilier ; et Neni encore plus, même si cela semblait difficile à croire. Car sa mère, qui l'avait surprise en train de pleurer, l'avait fortement grondée. « Essuie ces larmes, avait-elle dit. Les hommes sont gouvernés par une chose qu'ils ne peuvent pas contrôler. » Neni avait été tentée de crier à son tour sur sa mère et lui dire de cesser de justifier le comportement de son mari, comme si tout le monde était responsable de son malheur. Elle avait été tentée de crier qu'elle avait tort de rester mariée à un homme coléreux qui la houspillait devant ses enfants, mais elle savait qu'avec huit enfants et un job de secrétaire à mi-temps, sa mère ne s'en serait pas sortie. Alors elle avait séché ses larmes et avait décidé à compter de ce jour qu'elle trouverait un homme doté d'une qualité : la loyauté. Et cette qualité-là était celle de Jende, qui plus que tout autre homme pouvait se targuer d'une chose : savoir tenir ses promesses.

« Est-ce qu'il a un secret ? lui demanda-t-elle à nouveau.

— Pourquoi tu veux qu'il partage ses secrets avec moi ? lui répondit-il. Je suis son chauffeur, pas son ami.

— Et quoi ? dit-elle. Dans ce cas, dis-le à madame Cindy. Si j'étais toi, j'éviterais de déclencher sa colère.

— Je suis d'accord avec Neni », intervint Winston. Il était maintenant assis sur le sofa à côté d'elle, pendant que Jende était resté seul à table. « À la minute où Neni m'a parlé du problème de cette femme avec les médicaments, j'ai su qu'il y avait quelque chose de louche.

— Ça ne veut pas dire que…

— Si, précisément, Bo. Cette femme est capable de te faire perdre ton boulot.

— Mensonge !

— Ce n'est pas un mensonge, Jends, lui dit Neni.

— Les femmes savent être déterminées, continua Winston. Si tu ne donnes pas à celle-là ce qu'elle veut, tu risques de perdre ton emploi. C'est lui qui t'a embauché, mais c'est elle qui peut te renvoyer, je te le dis.

— Mais quoi ? demanda Jende. Pourquoi elle ne parle pas directement à son mari de ce qui la préoccupe ?

— Qui sait comment ils mènent leur mariage ? Le mariage entre les gens dans ce pays est une chose très étrange, Bo. Ce n'est pas comme chez nous, où un homme fait comme bon lui semble et la femme lui obéit. Ici, c'est l'inverse. Les femmes disent à leur homme ce qu'elles veulent et les hommes le font, parce qu'ils disent : "Épouse heureuse, vie heureuse." C'est une drôle de société.

— Donc, tu penses que je dois faire quoi ? » lui demanda Jende.

Winston regarda sérieusement son cousin en lui faisant les gros yeux.

« Je viens d'avoir une idée, dit-il en croisant jambes et bras.

— Quoi ? » demanda Jende.

Winston décroisa les jambes, se leva, sortit sa chemise de son pantalon.

« Il fait tellement chaud ici qu'on pourrait faire frire des *puff-puff* dans l'air », remarqua-t-il. Il s'avança jusqu'à la fenêtre et l'entrouvrit. « Eh, pourquoi vous n'ouvrez pas…

— Laisse la fenêtre tranquille et dis-nous quelque chose d'utile ! s'écria Neni.

— OK, OK, voilà ce que je crois, dit-il avec un grand sourire tandis qu'il retournait sur le sofa et s'asseyait à côté de Neni, desserrant sa cravate au passage. Voilà ce que tu dois faire… Mais tu dois le faire sans *jamais* t'inquiéter.

— Ce bougre-là ? dit Neni en s'esclaffant. Ne nous

parle pas de ses inquiétudes. Dis-nous. S'il ne peut pas le faire, je le ferai moi.

— Non, il faut qu'il le fasse lui. »

Jende hocha la tête.

Winston se leva et se pencha en avant.

« Voilà ce que tu fais, dit-il en se tournant vers Jende. Tu vas voir la dame. Pas demain, mais dans deux jours, comme ça elle sait que tu as eu le temps d'y penser, eh ? »

Jende hocha une nouvelle fois la tête.

« Tu la trouves et tu la regardes dans les yeux. Et ne fais pas comme d'habitude, là, quand tu bouges les yeux dans tous les sens comme un *mbutuku* parce que tu es impressionné.

— Dis-moi juste ton idée, insista Jende.

— Tu lui dis : "Madame, j'ai pensé à ce que vous voulez et je comprends. Mais je suis désolé, madame, je ne peux pas le faire." » Sur ces mots, Winston ouvrit les bras, haussa les épaules. Puis il plissa le front. « Elle va répondre : "Comment vous osez, vous êtes fini, plus de boulot." Et c'est là que tu la regardes tout droit et que tu dis : "Madame, je ne veux pas vous blesser, mais si vous me virez, je dis à tout le monde pour les médicaments."

— Quoi ! s'exclama Jende.

— *Mamami* eh, Winston ! s'écria Neni en tapant dans la main du cousin.

— Vous avez perdu la tête vous deux ?

— Tu veux garder ton boulot ou pas ?

— Je veux garder mon boulot, mais…

— Mais quoi ? fit Neni.

— Je ne vais pas faire ça à une pauvresse qui a

déjà des problèmes à gérer. Quand je vous entends, j'ai l'impression que vous me parlez d'une inconnue.

— Elle ne représente rien pour toi ! affirma Neni. Tu crois que si demain tu perds ton boulot, elle se souviendra de ton nom ?

— Pour elle, tu n'es qu'un Black qui la conduit partout, ajouta Winston. Bo, je te le dis : si tu savais tous les trucs que j'entends sur ces Blancs, alors tu ne t'inquiéterais pas pour elle comme ça.

— Je ne m'inquiète pas pour elle ! » protesta Jende. Un trait de sueur ruissela soudain sur son visage. « Vous croyez que je suis bête ou quoi ? Je sais bien que je ne suis qu'un chauffeur. Mais j'ai quand même de la peine pour elle. Ma parole, l'autre fois, quand elle me parlait, mes yeux se sont remplis de larmes.

— Eh ? se moqua Neni en levant le coin de sa lèvre supérieure. Alors comme ça, tu as de la pitié pour elle ? Tu sais quoi, *bébé** ? Si elle décide de te virer, devine quels yeux vont se remplir de larmes ? Les miens !

— M. Edwards ne va jamais me virer à cause de sa femme, protesta Jende.

— Espérons-le, répondit Winston en regardant son portable.

— Jamais de la vie. Ce n'est pas un homme comme ça.

— Ne fais pas confiance aux gens comme lui, Bo. Bien des couleurs existent chez les humains.

— Ma parole, parlons d'autre chose maintenant. Je vais gérer tout ça. Je ne perdrai pas mon boulot. »

Les lèvres retroussées, Neni marmonna quelque chose, puis s'adossa, les bras croisés.

« Je vous ai montré la photo de Maami, eh ? » leur

demanda Winston en tapotant sur son iPhone pour afficher le portrait de Maami, un joli visage maquillé avec une longue crinière et un ample décolleté.

Il tendit le téléphone à Neni, qui hocha la tête et passa le téléphone à Jende. Sentant le regard mauvais de Neni sur lui, Jende répondit vaguement que Maami ferait une bien bonne Mme Winston Avera.

« Tu dois faire ce que Winston dit, insista Neni, les bras toujours croisés sur son ventre proéminent. La seule manière de gagner, c'est de fermer sa bouche à Mme Edwards, parce que si tu lui racontes quelque chose que M. Edwards n'a pas envie d'ébruiter, M. Edwards va te virer parce que tu n'auras pas respecté le contrat. Et si elle découvre que tu lui as caché quelque chose que tu savais, alors c'est elle qui va te virer parce que tu lui auras menti. Et tu pourras toujours lui dire que tu as une famille, que...

— Neni, ma parole ! Laisse-moi me reposer. Tu me donnes la migraine, OK ?

— Moi aussi j'ai la migraine, OK ? Je n'aime pas du tout cette situation. Je connais Mme Edwards. Je sais quel genre de femme elle est. Elle a l'air faible comme ça, mais quand elle veut quelque chose, elle l'a, peu importe le moyen. Je vais te dire : une erreur, et c'est fini pour toi. Une toute petite erreur, et tu peux dire adieu à ton job alors que nous...

— Tu crois que je ne le sais pas ?

— Du calme, les amis ! intervint Winston. Et, Bo, ma parole, ne parle pas à ta belle comme ça. Surtout quand elle porte ton beau bébé américain.

— Peut-être qu'une femme qui porte un bébé devrait savoir quand la fermer. »

Neni toisa Jende de la tête aux pieds, sans déguiser

son dédain. Elle se redressa et tenta de se soulever du sofa. Winston se leva pour l'aider.

« Mets-moi un peu de bon sens dans cette noix de coco-là, lui demanda-t-elle. Parce que si je lui dis un mot de plus, ma bouche va se mettre à saigner comme une vache qu'on égorge. »

Jende et Winston gloussèrent tous les deux pendant que Neni disait au revoir au cousin et se dirigeait vers la chambre en se balançant comme un gros paquet.

« Comment j'ai fait pour me retrouver dans les histoires d'un couple marié comme ça ? déclara Jende à Winston quand il entendit la porte de la chambre se fermer. Je suis dépassé, oh.

— Les femmes peuvent être très perfides, répondit Winston. Si tu ne donnes pas à celle-là ce qu'elle veut, elle va aller le voir et raconter des histoires pour se débarrasser de toi. »

Jende secoua la tête.

« Et je serai après comme Joseph en Égypte, dit-il.

— C'est ça, répondit Winston. Comme Joseph. Mais au lieu de voir dans un rêve sept années d'abondance et sept années de famine, tu verras sept années de dur labeur. »

31

Au matin de son trente-huitième anniversaire, il
sortit de la voiture et tint la portière à Clark Edwards,
comme il le faisait au travail chaque matin. Il avait
revêtu le costume que Neni lui avait acheté chez
Target comme cadeau, un ensemble en laine grise
qu'il avait assorti avec une chemise blanche, sa cravate à clips rouge et une paire de chaussures de ville
marron. Quelques heures plus tôt, alors qu'il s'admi-
rait devant la glace, Neni était entrée dans la chambre
et lui avait dit qu'elle ne l'avait jamais vu plus beau.
Jende l'avait approuvée, avant de lui donner un long
baiser reconnaissant.

« C'est aujourd'hui mon anniversaire, monsieur,
dit-il à Clark.

— Bon anniversaire, dans ce cas, répondit Clark
sans quitter des yeux son *laptop* qui démarrait. Je ne
vous demanderai pas quel âge vous avez.

— Merci, monsieur », répondit Jende en souriant.

Tandis qu'ils attendaient au feu, à l'angle de Park
Avenue et de la 70ᵉ Rue, Jende réfléchit à la meilleure
façon d'amener le sujet.

« Je sais que c'est une période très chargée pour

vous, monsieur, commença-t-il, mais il y a quelque chose dont je voudrais vous parler.

— Allez-y, répondit Clark, toujours sans lever les yeux.

— C'est à propos de Mme Edwards, monsieur. »

Clark continua à fixer son ordinateur.

« Oui, et ?

— Monsieur, je pense qu'elle veut savoir où vous allez. Et qui vous voyez. Et tout ce genre de choses, monsieur. Elle veut que je lui dise ce que je vois quand vous me demandez de vous emmener. »

Clark regarda Jende dans le rétroviseur.

« Vraiment ? »

Jende acquiesça.

« Je ne sais pas quoi faire, monsieur. C'est la raison pour laquelle je vous demande. »

Jende fut tenté de se retourner pour voir la réaction qui se dessinait sur le visage de Clark – rage ? déception ? colère ? –, mais il n'osa pas ; il ne parvint qu'à entrevoir dans le rétroviseur les yeux de son patron.

« Dites-lui ce qu'elle veut savoir, répondit Clark.

— Je peux lui dire, monsieur ? Si vous voulez, monsieur… si vous voulez, je peux…

— Vous pouvez répondre à ses questions.

— C'est-à-dire, je peux tout raconter, monsieur ?

— Bien sûr que vous pouvez tout lui raconter. De quel endroit où vous m'emmenez ne pourriez-vous pas lui parler ? De quelle personne ?

— C'est ce que je lui ai répondu, monsieur. Je lui ai répondu que je vous emmenais seulement à vos bureaux près de Central Park et dans le sud de Manhattan…

— Ne parlez jamais de Chelsea.

— Je n'ai jamais parlé de Chelsea, monsieur. Je n'en parlerai jamais. »

Les deux hommes restèrent silencieux, digérant sans mot dire ce qu'ils venaient de comprendre. Jende brûlait d'en dire plus à Clark ; de lui réaffirmer sa loyauté, de lui promettre à nouveau que son secret serait bien gardé avec lui. Jende brûlait de dire à M. Edwards que, parce qu'il lui avait donné un bon travail qui avait changé sa vie et parce qu'il était maintenant capable de s'occuper de sa famille, de faire étudier sa femme, d'envoyer du cash à son beau-frère tous les trimestres au moins, de remplacer le toit et les murs en bois de la maison de ses parents qui menaçaient de s'effondrer et d'économiser pour l'avenir, eh bien, pour toutes ces raisons, Jende le protégerait toujours par tous les moyens qu'il pourrait.

Il ne dit rien de tout cela, mais Clark Edwards le remercia malgré tout.

La transpiration qui coulait dans le dos de Jende sécha.

« Merci vraiment beaucoup, monsieur, pour votre compréhension, dit-il. Je ne dormais pas bien. Je ne savais pas quoi faire. Je suis heureux de pouvoir vous contenter, vous et Mme Edwards.

— Bien sûr.

— J'avais très, très peur de ne pas faire ce qu'il faut et de perdre mon travail.

— Vous n'avez pas à avoir peur, le rassura Clark. Votre poste ne craint rien. Vous êtes un employé exemplaire. Continuez à faire ce que je vous demande, et vous n'aurez pas de souci à vous faire. »

Les deux hommes retombèrent dans le silence tandis que la voiture traversait le tumulte du quartier d'affaires où se croisaient touristes, employés de bureau pressés, vendeurs à la sauvette, bus, cars, taxis jaunes, taxis noirs, poussettes et mille autres choses encore.

« Monsieur, demanda alors Jende, est-ce que Mme Edwards va bien ?

— Oui, très bien, répondit Clark. Pourquoi ?

— J'ai cru voir, monsieur... Comme si... », commença-t-il.

Mais le téléphone de Clark sonna.

« Tu as parlé à Cindy ? demanda-t-il à son inter- locuteur. Très bien... Je crois qu'elle vous a réservé des chambres au Mandarin oriental, je ne sais pas pourquoi... Non, si ça vous va comme ça... » Il écouta pendant quelques secondes puis éclata de rire. « Du maman tout craché ! dit-il. De toute façon, pour papa, New York n'est pas New York sans une balade à Central Park... Oui, je ferai en sorte que Jende vienne vous chercher à l'aéroport... Moi aussi, j'ai hâte ; ça va être super... Moi non plus, je ne me souviens pas de la dernière fois. Ça remonte sûrement à la naissance de Mighty et Keila ! Personne ne se sentait de partir en vacances avec des nouveau-nés... Non, n'apportez rien surtout, et dis-le à maman aussi. Cindy et June s'occupent de tout. Elles ont déjà fait le menu... Non, elles n'auront pas besoin d'aide ; ça fait des années qu'elles font ça... Oh, je vois. Oui, d'accord, dans ce cas. Je ne savais pas que tu lui avais déjà proposé. Tout le monde est sur la même longueur d'onde, c'est formidable. Écoute, Cece, il faut que j'y aille... Oui, c'est parfait comme ça.

» Pardonnez-moi, dit Clark à Jende après avoir

raccroché. Ça fait des années que nous ne nous sommes pas tous retrouvés ici.

— Je comprends votre enthousiasme, monsieur.

— Vous disiez ? À propos de Cindy…

— Oui, monsieur, répondit Jende. Je disais juste, monsieur… Je ne sais pas si c'est à moi de le dire, mais j'ai l'impression qu'elle a perdu du poids, alors je voulais juste savoir si tout allait bien. Je serais très heureux de pouvoir aider si elle n'est pas bien et… si vous avez besoin de mes services à la maison, monsieur.

— Ce ne sera pas nécessaire, mais merci. Cindy se porte très bien.

— Je suis content, monsieur, car j'étais un peu inquiet…

— La crise financière a été dure pour tous, mais elle va bien.

— Par la grâce de Dieu, monsieur, nous irons tous bien prochainement. »

Clark ramassa son *Wall Street Journal*. Il lut pendant quelques minutes, puis leva la tête et regarda Jende.

« Vous devriez lui dire qu'elle a perdu du poids, fit-il remarquer. Ça lui fera plaisir d'entendre ça. »

Jende sourit et acquiesça.

« J'essaierai, monsieur, répondit-il. Mme Edwards est une femme bien.

— Oui, répondit Clark en retournant à son journal. Une femme bien. »

32

Deux fois par jour, pendant sa pause déjeuner et avant de ranger la voiture au parking, le soir, il écrivit tout ce qui, selon lui, ferait plaisir à Cindy : des informations bénignes, des anecdotes anodines. Il truffa ses comptes rendus de détails loin d'être indispensables ; inclut des heures, des lieux et des noms qui ne servaient pas à grand-chose ; ajouta des descriptions de gens dont les actes et le comportement n'apportaient strictement rien. C'était la première fois que Jende écrivait régulièrement depuis ses années d'études à la National Comprehensive School. Il profita ainsi de l'occasion pour employer des tournures et des expressions qu'il n'avait pas l'occasion de manier tous les jours ; pour glisser des mots qu'il avait appris en lisant le dictionnaire qu'il possédait depuis l'école élémentaire ; pour user de phrases et de verbes empruntés aux journaux et qui, espérait-il, montreraient à madame Cindy qu'il réfléchissait consciencieusement à ce qu'il écrivait.

Un jeudi après-midi, il écrivit :

Suis allé chercher M. Edwards à 7 h 05, mais les bouchons ont grandement courroucé M. Edwards car il avait rendez-vous à 7 h 45. Ai déposé M. Edwards au bureau à 7 h 42. Avant ça, quand nous étions toujours dans la voiture, il appelle sa nouvelle secrétaire (je continue à oublier son nom) et il lui dit qu'il va être en retard. Quand je le dépose devant le bureau, une femme noire qui porte un tailleur est dehors. On dirait qu'elle vient de sortir d'une voiture elle aussi. Je la vois et M. Edwards dit bonjour et ils marchent ensemble jusqu'à l'entrée du bureau. J'ai déjà vu cette femme. Mon cerveau est en ébullition toute la journée et je finis par me souvenir de l'endroit où je l'ai vue. Elle travaillait chez Lehman Brothers aussi. Il est 14 h 30 maintenant et je n'ai pas vu M. Edwards car il a consacré tout ce temps à être dans son bureau.

Un vendredi soir, après avoir emmené Clark du Chelsea Hotel à son bureau, il écrivit :

À 16 heures, M. Edwards et moi quittons Washington, DC. Il reçoit des coups de téléphone à foison, mais rien d'étrange ni de suspect. Tous semblent liés au travail. Il parle de ci, il parle de ça. Différentes choses de travail. Je ne lui parle pas sur le chemin de retour, par crainte de le déranger avec mes dires. Quand nous arrivons en ville, il est plus de 20 heures. Je le conduis à la gym. Il sort de la gym à 22 heures et je le conduis au bureau.

Autant que possible, il remplaçait le Chelsea Hotel par la gym. Mais lorsque Clark se rendait à l'hôtel plus de deux fois par semaine, il concoctait d'autres histoires, de nouvelles chaque semaine. Un soir, craignant que Cindy n'ait essayé de joindre Clark pendant qu'il était à l'hôtel, il écrivit qu'ils avaient été bloqués dans un bouchon sous le Holland Tunnel, « où la réception du réseau laissait grandement à désirer ». Une autre fois, il écrivit que Clark avait dû se rendre en urgence à une réunion, si bien qu'il avait sauté dans un taxi alors qu'il revenait le chercher après avoir déposé Mighty, de sorte qu'il n'avait aucun moyen ferme et solide de savoir où il était allé ni en compagnie de qui. « Mais je suis sans équivoque quant au fait que M. Edwards est parti à une réunion de la plus haute importance », ajouta-t-il.

Il emportait le carnet bleu durant tout son service, puis le présentait chaque matin à Cindy, qui le lisait sur le chemin du travail. Elle semblait en lire les moindres détails, hochant la tête et se référant parfois à des pages plus anciennes. Chaque fois, elle lui rendait le carnet sans autre commentaire qu'un rapide merci et l'ordre de continuer.

« Je vais continuer, madame, disait-il toujours en lui tenant la portière, une fois arrivés. Passez une bonne journée, madame. »

Et depuis le jour où Jende avait commencé à écrire, Cindy semblait en effet passer de bonnes journées.

Les appels de ses amies n'étaient plus saturés de murmures éplorés sur « ce qu'il lui faisait » ni de doutes sur combien de temps encore Cindy pourrait « supporter ça ». Elle se mit à rire un peu plus, et lorsque, pour la troisième semaine, Jende lui rendit le carnet, elle riait beaucoup plus, et plus fort également. Elle n'avait pas retrouvé sa beauté de l'année précédente (sa peau, bien que toujours souple en apparence, avait perdu de son éclat, et ses pommettes ressortaient encore plus qu'avant). Elle s'inquiétait toujours pour Vince, qui n'avait pas répondu à l'e-mail qu'elle lui avait envoyé trois jours plus tôt, mais elle trouvait désormais des raisons de sourire, comme la réconciliation de June et Mike, ou les vacances qu'elle allait passer avec Clark et Mighty à Saint-Barth. Ils allaient vivre un moment formidable, disait-elle à ses amies, et Jende espérait ardemment qu'il le serait. Après des mois à l'entendre geindre et soupirer, à la voir abattue, la tête posée contre la vitre, une main sur la joue, le regard perdu dans le paysage qui défilait, secouant la tête et répétant d'un air découragé : « C'est bon, Clark, fais ce que tu veux, fais ce que tu veux » ; après avoir été témoin de la souffrance qu'elle enfouissait quand elle n'était pas en famille ou avec ses meilleures amies, Jende espérait de tout son cœur que madame Cindy passerait un moment formidable.

Voilà qui sembla être le cas le soir où Clark et elle se rendirent au gala du Waldorf Astoria, le lundi qui suivit la fête de Thanksgiving.

Les parents de Clark étaient venus à New York pour les vacances, ainsi que sa sœur et ses nièces. Quelques jours plus tard, Mighty avait raconté à Jende leur merveilleux Thanksgiving. Ils l'avaient fêté avec la famille de June, comme chaque année (chacun recevait une année sur deux), et sa mère, sa grand-mère et sa tante avaient passé la journée à préparer toutes sortes de plats en riant et en se racontant des histoires dans la cuisine. C'était le premier Thanksgiving que la famille de son père passait au complet depuis des années, car ses grands-parents vivaient en Californie et sa tante et ses cousines à Seattle. Réunir tout le monde était chose difficile, étant donné que chacun avait ses obligations et que son père et sa tante avaient en commun la hantise des longs trajets.

Mais cette année-là, tout le monde y avait mis du sien, et toute la famille s'était beaucoup amusée. Jende avait été surpris de découvrir que Cindy et sa belle-mère s'entendaient bien, car à Limbé, les belles-mères étaient souvent la raison pour laquelle les épouses passaient des nuits blanches à pleurer ; mais non, Mighty avait dit à Jende que sa mère appelait les parents de son père « papa et maman » et ne manquait jamais de leur téléphoner pour leur anniversaire. Elle insistait toujours pour que Mighty et Vince le fassent également, et les grondait s'ils oubliaient, en leur rappelant que la famille était sacrée.

Et Jende voyait cette joie nouvelle que dégageait Cindy, en ces jours qui suivirent Thanksgiving ; il voyait que la sécurité que lui procurait sa famille était sa plus grande source de joie. Grâce à ce bonheur retrouvé, les Edwards n'apparaissaient plus comme un couple chaque jour plus boiteux, mais sautillant, dansant, valsant un peu plus fort chaque soir au son de *La Voix du printemps* de Johann Strauss.

Le soir du gala au Waldorf Astoria, Cindy et Clark étaient entrés dans la voiture avec un sourire éclatant, plus heureux qu'il ne les avait jamais vus, ensemble ou individuellement, depuis plus d'un an qu'il travaillait pour eux. Peut-être était-ce grâce au carnet, se dit Jende, qui avait dissipé les craintes de Cindy et lui avait confirmé que son mari était un homme bien. Peut-être était-ce la réunion de famille, qui lui avait rappelé qu'elle ne se battait pas pour rien.

Ou peut-être y avait-il une autre raison, quelque chose entre elle et son mari que Jende ne pouvait savoir. Quoi qu'il en soit, ce qui s'était passé avait suffi à les transformer en jeunes amoureux, qui se soufflèrent des mots doux à l'oreille et rirent tout bas sur le chemin du retour : elle, renversante en robe bustier rouge ; lui, juvénile et suave dans un smoking parfaitement coupé. Ils étaient remontés dans la voiture cinq heures plus tard encore plus gais, riant en se remémorant ce qu'il s'était passé sur le *dance floor*.

« De toute ma vie, jamais je n'aurais cru voir M. et Mme Edwards heureux comme ça, dit Jende à Neni lorsqu'il rentra, bien après minuit.

— Est-ce qu'ils ont fait des trucs sur la banquette arrière pendant que tu conduisais ? lui demanda Neni en lui servant son dîner.

— Non, merci bon Dieu. C'était l'accident assuré si j'avais vu ça. Ils se tenaient l'un contre l'autre, c'est tout. Il jouait avec ses cheveux… En tous les cas, j'étais trop choqué pour regarder.

— Je me demande ce qui s'est passé. Elle lui a peut-être mis quelques gouttes de philtre d'amour dans son plat, eh ? Tu sais, celui qui est très puissant et qui conduit un homme à te traiter comme une reine ?

— Ah, Neni ! s'exclama Jende en riant. Les femmes américaines n'utilisent pas de philtre d'amour !

— Tu crois ça ? répondit Neni en riant, elle aussi. Moi, je te dis que si, oh. Elles appellent ça la "lingerie". »

33

Mais cela ne se révélerait être qu'une brève parenthèse au milieu d'un long ennui, une courte trêve dans
l'agonie de cette union. Deux jours après le gala au
Waldorf Astoria, une histoire allait faire son apparition dans un tabloïd, et le papillon que devenait leur
mariage allait retourner à l'état de chenille.

C'était une histoire qui, ordinairement, aurait été
vite oubliée. Car, en toute vérité, personne en ce
monde n'était naïf au point de croire que ce genre
de chose ne pouvait pas arriver. S'il n'avait pas existé
un désir collectif de vilipender les architectes de ce
chaos financier, rares auraient été ceux à lire cette
histoire. Sa présence, en gros titre et à la une du
magazine, n'aurait été qu'une preuve que la société
américaine n'était pas une société d'intellectuels, une
preuve que les gens préféraient lire les histoires faciles
qu'on leur donnait en pâture plutôt que de nourrir
leur esprit de lectures enrichissantes, avides de savoir
que les histoires des autres étaient pires que les leurs.

Pourtant, cette histoire, qui figura dans un journal
à scandale des plus ignobles, cette histoire ne fut pas
vite oubliée. Au contraire, ce fut l'histoire dont on

parla chez le barbier et sur les bancs des squares, une histoire relayée entre camarades de classe et voisins. New York City vivait des temps difficiles, et ceux qui avaient mis en première page cette histoire-là savaient vers quoi diriger la haine de la masse aux abois.

« Tu as vu ça ? demanda Leah à Jende quand ce dernier aperçut l'appel manqué sur son portable et la rappela pendant sa pause déjeuner.

— Vu quoi ?

— Le témoignage de la prostituée. C'est croustillant !

— Croustillant ?

— Pauvre Clark ! J'espère vraiment qu'il ne…

— Je ne sais pas de quoi tu parles, Leah.

— Oh, Jende, tu n'es pas au courant ? répondit-elle, tout excitée. Bon, alors écoute : il y a une femme, une *"escort"*, comme ils disent – je déteste quand les journaux évitent d'appeler un chat un chat… Bref, cette femme a affirmé qu'elle avait beaucoup de clients qui venaient de chez Barclays et, tiens-toi bien, que ses clients la payaient avec l'argent du plan de sauvetage !

— L'argent du plan de sauvetage ?

— Oui ! L'argent du plan de sauvetage ! Tu arrives à le croire, toi ? »

Jende secoua la tête, mais ne répondit rien. Cette histoire de sauvetage était tous les jours dans les journaux, mais il ne comprenait toujours pas si cette chose était bonne ou mauvaise.

« Et tu veux savoir le plus dingue ? poursuivit Leah d'une voix encore plus excitée. Parmi les boss qui font partie de ses clients, elle a mentionné Clark !

— Non, fit aussitôt Jende. Ce n'est pas vrai.

— C'est écrit noir sur blanc.

— Ce n'est pas vrai.

— Comment tu peux affirmer ça ?

— Elle a cité son nom ?

— Non, seulement le titre, mais je sais que c'est celui de Clark. »

Jende se mit à glousser.

« Ah, Leah, soupira-t-il. Tu ne devrais pas croire tout ce qui est écrit dans les journaux. Les gens écrivent toutes sortes de choses…

— Oh, mais celle-là, je la crois, mon chou. Je connais très bien ces hommes-là et ce qu'ils font… Personne ne me fera croire qu'il est impossible que…

— Ça ne peut pas être vrai. M. Edwards n'utiliserait jamais l'argent du sauvetage pour ses dépenses personnelles. Et même si d'autres hommes chez Barclays fréquentent des prostituées, comment tu veux qu'elles sachent de quelle poche sort l'argent ? M. Edwards, il a de l'argent à lui. Il ne toucherait jamais à celui du gouvernement.

— Peut-être, mais il toucherait volontiers à des prostituées. Tu crois qu'il est tout blanc ? Moi, je parie que tu l'as déjà vu…

— Je n'ai jamais rien vu.

— Pauvre Cindy.

— Pourquoi, "pauvre Cindy" ?

— Quand elle va lire ça… Elle va péter les plombs !

— Elle ne va rien croire du tout, répondit Jende, de plus en plus inquiet, se demandant si Leah était excitée à l'idée de voir cette famille démolie ou par le simple fait de raconter des ragots. C'est drôle comme les gens aiment écrire des mensonges sur les autres dans ce pays. Ce n'est pas bien. Dans mon pays, nous aimons les ragots, mais personne ne les écrirait comme vous le faites ici.

— Oh, Jende, dit Leah dans un éclat de rire. Tu lui fais confiance à ton Clark, hein ?

— Je n'aime pas quand les gens inventent des histoires sur les autres, répondit Jende, de plus en plus énervé par la jubilation de Leah. Et comment tu veux qu'une femme comme ça connaisse le titre de Clark ?

— Oui, c'est ça qui est bizarre, hein ? Normalement, les maquerelles ne donnent pas le nom des clients aux filles. Elles leur disent où et quand se pointer, mais... Ne me demande pas comment je sais tout ça ! » s'exclama Leah en riant de nouveau.

Mais Jende, lui, ne rit pas.

« N'empêche..., poursuivit Leah. Je peux te dire que Cindy ne va pas chercher le pourquoi du comment. Cette femme est complètement parano. Une chose est sûre, elle va te harceler de questions. À l'époque, elle n'arrêtait pas de m'en poser dès qu'elle en avait l'occasion, et j'étais obligée de lui dire : "Minute, papillon, c'est pas pour toi que je bosse, alors arrête de me bouffer mon temps avec tes"...

— Elle va me demander quoi ?

— Oh, tout un tas de trucs, mon chou, répondit Leah, et Jende sentit qu'elle souriait, se réjouissant sans doute déjà des futurs drames sur lesquels elle pourrait jaser. Elle va te demander si tu l'as déjà conduit à un hôtel, si tu l'as déjà vu avec une de ces bimbos. Je ferais super-gaffe à ta place, parce que...

— Ah, Leah, ma parole, arrête de t'inquiéter pour moi, répondit Jende en se forçant à adopter un ton détaché. Si elle a autant de questions, elle ira demander à son mari.

— La pauvre femme... Je n'aimerais pas être à sa place. Ni à la place d'aucune femme comme elle, d'ailleurs. Maintenant, tu comprends pourquoi je ne me suis jamais mariée ? »

En toute vérité, pensa Jende, si tu ne t'es jamais mariée, c'est parce que tu n'as trouvé personne qui t'aimait assez pour vouloir t'épouser, car aucune femme qui a toute sa tête ne répondrait non à l'homme qu'elle aime, si cet homme veut l'épouser. Les femmes adorent faire du bruit au sujet de leur indépendance, mais n'importe quelle femme, américaine ou pas, apprécie d'avoir un homme bien. Sinon, pourquoi verrait-on tant de films où la femme sourit à la fin parce qu'elle a trouvé quelqu'un ?

« Enfin, le mariage est une bonne chose, je ne dis pas le contraire, poursuivit Leah, mais Jende ne l'écoutait plus que d'une oreille, car il priait tout bas pour que cette histoire soit fausse et que Cindy sache que tout cela était l'œuvre d'une personne malintentionnée envers les hommes comme Clark. Ils en ont traversé des épreuves, tous les deux, tu sais. Clark a failli y rester une fois – crise d'appendicite. Et, si je me souviens bien, ça s'est passé l'année de la naissance de Mighty, qui est né prématuré. Apparemment, Cindy ne voulait qu'un seul enfant, elle n'avait pas prévu Mighty, du moins c'est ce que j'ai entendu. Même si je parie que Cindy pense qu'elle est bénie des dieux d'avoir un deuxième enfant, maintenant que Vince s'est barré en Inde et qu'il ne lui reste plus qu'un fils... En tout cas, le pauvre petit avait passé tout un mois à l'hôpital. Clark et Cindy, bénis soient-ils, ont affronté ça tous les deux. C'est ça, le mariage, hein ? À moi, il me dit de renvoyer tous les appels de sa femme sur sa messagerie, mais quand on les voit ensemble à des galas, on a l'impression qu'ils sont le couple le plus heureux du...

— Je suis désolé, Leah..., dit Jende en regardant l'heure avant de démarrer.

— Il y a des gens très forts pour cacher leurs soucis. À moins d'être dans ma position, on ne peut rien soupçonner quand on les voit rire comme ça...

— Je suis désolé, Leah, dit de nouveau Jende. Il faut vraiment que j'aille chercher Mighty.

— Oh, pardon, mon chou ! s'écria Leah. Allez, file, mais promets-moi de me rappeler et de tout me raconter dès que Cindy aura appris la nouvelle. Je suis déjà impatiente de savoir ! »

Jende lui fit une vague promesse et s'empressa de raccrocher. Il ne lui vint à l'esprit que quelques secondes plus tard qu'il avait oublié de lui demander comment se passait sa recherche d'emploi. La dernière fois qu'ils en avaient parlé, Leah avait semblé découragée de ne recevoir aucun coup de fil après avoir envoyé plus de cinquante curriculum vitae, mais elle avait apparemment retrouvé sa joie grâce aux détails sordides qu'elle avait appris sur la vie d'autrui. Ah, les femmes et les ragots !

Et si Leah avait inventé toute cette histoire simplement pour passer le temps ? Il appela Winston en roulant vers le nord, espérant que son cousin serait en mesure de lire l'article en question sur Internet et de le conseiller sur ce qu'il devait faire, mais Winston ne décrocha pas. Il envisagea d'appeler Neni, mais conclut qu'appeler Neni ne serait pas de bon conseil – qu'aurait-elle dit, sinon des paroles du même acabit que celles de Leah ?

Il devait décider de ce qu'il allait dire à Cindy quand il irait la chercher à 17 heures. Il devait partir du principe qu'elle avait lu l'article. Il devait imaginer qu'elle aurait des questions pour lui durant leur trajet vers le Lincoln Center, où elle devait rejoindre une amie pour dîner puis aller à l'Opéra. Il devait se préparer à lui affirmer et réaffirmer qu'il n'avait jamais vu Clark avec une prostituée, ce qui était la vérité : jamais il n'avait vu M. Edwards en telle compagnie de ses propres yeux. Il devait se préparer aux doutes de Cindy, mais devait faire tout son possible pour la convaincre qu'il ne savait rien de cette histoire et que tout ce qu'il avait écrit dans le carnet bleu était la vérité absolue.

« Bonsoir, madame », dit-il en lui tenant la portière. Elle ne répondit pas. Elle était aussi froide que du marbre, ses yeux cachés derrière ses lunettes de soleil malgré l'obscurité naissante, ses lèvres si pincées que l'on ne pouvait imaginer les avoir vues un jour se desserrer pour sourire.

« Au Lincoln Center, madame ?

— Ramenez-moi chez moi.

— Bien, madame. »

Il attendit ses questions, mais rien – pas un mot durant les quarante-cinq minutes qu'ils mirent dans la circulation dense pour arriver au Sapphire, pas même un coup de téléphone. Il présuma qu'elle avait coupé son mobile, et comprenait son besoin de faire taire le monde extérieur dans de telles circonstances – ses amies étaient sans doute en train d'essayer de la joindre pour lui exprimer leur stupéfaction, pour lui dire combien elles étaient désolées et toutes sortes de choses qui n'enlèveraient jamais sa disgrâce. Qu'aurait-elle ressenti en écoutant tout cela ? Et si ses amies ne pouvaient pas l'appeler elle, n'étaient-elles pas en train de s'appeler entre elles pour se dire : « Tu y crois, toi ? » « Pas Clark, quand même ? » « La pauvre Cindy, elle doit être dévastée ! » « Mais comment a-t-il pu ? » « À ton avis, c'est vrai ? » Les commérages allaient commencer, ces femmes ressassant les mêmes paroles que Jende entendait autrefois dans sa cuisine à Limbé, de la bouche des amies de sa mère, quand un copain de leur mari avait été surpris en pleine action avec une femme aux jambes écartées. À New Town comme à New York, toutes les femmes semblaient d'avis que le camarade en question devait trouver un moyen de continuer sa vie, oubliant que les dommages causés par une telle trahison ne pouvaient pas être facilement réparés.

Tandis qu'ils approchaient du Sapphire, Jende jeta un coup d'œil à Cindy dans le rétroviseur, espérant l'entendre dire quelque chose, n'importe quoi, pour rebondir sur ses propos et lui permettre de clamer son innocence, mais elle resta muette. Jende n'avait pas anticipé ce silence et, même s'il l'avait fait, il ne l'aurait jamais cru encore plus angoissant que des questions.

Il était à présent à une rue de leur destination, et toujours aucun mot. Le visage de Cindy était baissé, tourné vers la fenêtre et le paysage froid.

« Je vous emmène au travail demain à 11 h 30, madame ? » demanda-t-il en se garant devant la résidence.

Elle ne répondit pas.

« J'ai le carnet avec tous les comptes rendus de la semaine, madame, dit-il en lui tenant la portière pour la laisser descendre. J'ai écrit tout ce que…

— Gardez-le, répondit-elle en s'éloignant. Je n'en ai plus besoin. »

34

Il crut d'abord à un simple rhume – le garçon reniflait depuis qu'il était venu le chercher en bas du Sapphire. Puis il pensa que Mighty jouait à faire des bruits pour s'amuser tout seul, alors il ne posa pas de questions. La plupart des matins, Jende lui aurait demandé comment il se sentait, si tout allait bien, mais ce jour-là son esprit n'était occupé par rien d'autre que son gagne-pain et le bien mince fil auquel il tenait. Il devait parler à Winston le plus rapidement possible, recevoir ses conseils afin de savoir quoi dire ou faire, ne pas dire ou ne pas faire, lorsqu'il reviendrait chercher Cindy plus tard ce matin.

« Tu as des mouchoirs ? » lui demanda Mighty à un feu rouge.

Jende en sortit un de la boîte à gants et se tourna pour le lui donner.

« Mighty, dit-il, surpris de voir une larme rouler sur la joue du garçon. Quelque chose ne va pas ? Qu'est-ce qui s'est passé ?

— Rien, murmura-t-il en essuyant ses yeux.

— Oh, non, Mighty, s'il vous plaît, dites-le-moi. Vous n'allez pas bien ? »

Mighty acquiesça.

Jende se gara sur le bas-côté de la rue. Ils n'avaient que dix minutes pour arriver à l'école s'ils ne voulaient pas être en retard, mais Jende n'allait pas laisser un enfant entrer en classe en pleurant. Son père lui avait fait cela un jour, à l'âge de huit ans. Il l'avait laissé aller à l'école en pleurant tout le long du chemin, le lendemain du jour où son grand-père était mort. Jende avait supplié son père de le laisser rester chez eux ce jour-là, mais son père avait refusé. « Rester assis chez vous et ne pas apprendre à lire et à écrire ne va pas ramener votre *mbamba* », avait dit Pa Jonga à Jende et ses frères en quittant la maison avec d'autres hommes de la famille pour aller creuser une tombe. Alors Jende avait supplié sa mère de le laisser rester à la maison une fois son père parti, mais sa mère, qui jamais n'aurait désobéi à son mari, avait séché les yeux de son enfant et lui avait dit d'y aller. Même à présent, trente ans après, Jende se souvenait encore de l'abattement dans lequel il avait été plongé ce jour-là : s'essuyant les yeux du revers de la manche de son uniforme tandis qu'il remontait Church Street avec son cartable *mukuta* ; ses petits camarades qui n'avaient cessé de le traiter d'« *ashia ya* », faisant redoubler ses pleurs ; se noyant dans son chagrin en les voyant lever la main, tout excités, pour répondre aux questions de calcul et dire à leur maître qui avait découvert le Cameroun (« les Portugais ! ») ; s'asseyant sous l'arbre à cajou pendant la récréation, en pensant à son *mbamba* tandis que les autres jouaient au football.

Il coupa le moteur et se déplaça à l'arrière.

« Dites-moi ce qui ne va pas, Mighty, dit-il. S'il vous plaît. »

Les lèvres de Mighty se mirent à trembler.

« C'est à cause de quelque chose qu'on vous a dit ? D'un petit camarade qui vous embête à l'école ?

— On ne va pas… on ne va pas partir à Saint-Barth, répondit Mighty.

— Oh, je suis vraiment très désolé de l'apprendre, Mighty. C'est votre mère, elle vient de vous dire ça ? »

Il secoua la tête.

« Non. Mais je… je le sais. J'ai tout entendu hier soir.

— Vous avez entendu quoi ?

— Tout… Elle criait… et elle pleurait aussi… »

Il était maintenant tout rouge, et ses narines se gonflaient et se dégonflaient dans l'effort qu'il faisait pour cesser de pleurer et surmonter son chagrin du mieux qu'un enfant de dix ans le pouvait.

« J'étais derrière la porte. J'ai entendu maman pleurer et papa lui dire que… qu'il était peut-être temps de tout arrêter, qu'il en avait marre de jouer à ce jeu… et maman, maman, elle pleurait et elle criait si fort… »

Jende récupéra le mouchoir que Mighty tenait dans sa main et sécha les larmes qui coulaient sur ses joues.

« Les gens mariés se disputent tout le temps, Mighty, dit-il en nettoyant le visage de l'enfant. Vous le savez, n'est-ce pas ? Regardez, l'autre soir, Neni et moi, nous nous sommes disputés aussi, mais le lendemain matin, on était de nouveau amis. Vous savez que votre papa et votre maman vont redevenir amis eux aussi, pas vrai ? »

Mighty secoua la tête.

« Je ne m'inquiéterais pas trop si j'étais vous. Ils vont redevenir amis, je vous le promets. Vous allez partir à Saint-Barth, et vous me raconterez toutes les belles choses que vous avez…

— Ça va être le pire Noël de toute ma vie ! s'écria le garçon.

« — Oh, Mighty », répondit Jende en le serrant contre lui.

Pendant une fraction de seconde, il fut traversé par l'idée que quelqu'un puisse le voir et appeler la police – un homme noir tenant contre lui un enfant blanc, dans une voiture de luxe, sur le bas-côté d'une rue de l'Upper East Side –, mais il pria pour que cela n'arrive pas, car comment repousser un enfant pleurant à torrents dans vos bras ? Son intention était de laisser Mighty pleurer un bon coup, car parfois, il n'y a qu'en épuisant ses larmes que l'on peut se sentir mieux.

« Je peux venir chez toi et Neni ce week-end ? demanda Mighty en s'essuyant le nez du revers de la main.

— Neni et moi, nous serions très contents de te voir, Mighty. C'est une très bonne idée. Mais tes parents, nous ne pouvons pas leur mentir...

— Jende, s'il te plaît, juste un peu !

— Je suis désolé, Mighty. J'aurais beaucoup aimé que tu viennes à la maison, mais je n'ai pas le droit de faire ça.

— Même pas pour une heure ? Et si Stacy m'accompagne ? »

Jende secoua la tête.

Mighty hocha la sienne avec tristesse, en finissant de sécher son visage.

« Mais vous savez ce qu'on peut faire ? proposa Jende en souriant. Neni peut vous préparer des *puff-puff* et des bananes plantain, et je vais vous les apporter demain. Comme ça, vous en mangerez dans la voiture en allant à l'école et vous garderez le reste pour chez vous, après. Est-ce que vous êtes content comme ça ? »

Le garçon leva les yeux vers lui, hocha la tête et sourit.

35

Ils la nommèrent Amatimba Monyengi, espérant
qu'elle était leur fille défunte revenant leur apporter le bonheur : Amatimba signifiait « celle qui est
revenue », et Monyengi « le bonheur », deux mots de
leur langue maternelle, le bakweri. Pour faire court,
ils l'appelleraient Timba.

Elle naquit le 10 décembre, au Harlem Hospital,
à deux blocs de leur appartement. Le 12 décembre,
ils rentrèrent à pied chez eux, le père portant son
nouveau-né dans un couffin, la mère tenant son fils
premier-né par la main. Dans leur appartement les
attendaient leurs amis, venus fêter l'événement avec
eux. Winston se trouvait en vacances à Houston, parti
faire la cour à Maami, mais neuf de leurs amis se
réunirent là-bas, dans leur salon brûlant, pour manger,
fêter et accueillir la venue de Timba.

« Prenez tout le temps qu'il vous faudra, dit Clark
lorsque Jende l'appela pour lui annoncer la nouvelle.
Les vacances de Noël de Mighty vont bientôt arriver,
et Cindy a pris quelques jours aussi. Tout ira bien.

— Merci vraiment beaucoup, monsieur, répondit
Jende, se sentant reconnaissant, mais pas étonné de

la générosité de son patron. Joyeux Noël à vous ainsi qu'à Mme Edwards. »

Jende appela Cindy pour lui annoncer personnellement la nouvelle. Elle ne le rappela pas à la suite de son message, mais Anna fut envoyée chez eux avec un gros paquet de couches quelques jours plus tard, que Jende et Neni imaginèrent provenir des Edwards.

« Comment allons-nous pouvoir dire merci à M. et Mme Edwards ? lui demanda Neni après le départ d'Anna, qui s'était extasiée sur Timba avant de partir en coup de vent pour attraper son train et rentrer chez elle, à Peekskill.

— Nous ne pourrons jamais, répondit-il. Remercions simplement le bon Dieu pour tout ce que nous avons maintenant.

— Oui, il le faut, vraiment. »

Deux jours plus tard, une lettre de l'Immigration arriva pour lui.

Au vu de sa date d'admission aux États-Unis, au mois d'août 2004, avec une autorisation de séjour ne pouvant excéder trois mois, et étant donné qu'il était resté sur le territoire américain passé le mois de novembre 2004 sans renouvellement de son autorisation, Jende allait faire l'objet d'une expulsion des États-Unis, lui apprit la lettre. Il allait devoir comparaître devant un juge afin d'exposer les raisons pour lesquelles il ne devrait pas être renvoyé chez lui.

Le rendez-vous était fixé à la deuxième semaine de février.

« Il n'y a aucune raison de t'inquiéter, mon frère, lui assura de nouveau Boubacar lorsque Jende l'appela pour parler de la lettre. J'ai déjà traité des cas comme le tien avant. Je sais quoi faire.

298

— Et tu vas faire quoi ? demanda Jende.

— Il n'y a pas grand-chose à faire pendant la première audition – elle ne sert qu'à définir un planning. Le juge va juste vouloir vérifier ton nom, ton adresse. Il va nous demander de confirmer ou non les charges retenues contre toi, et d'autres éléments du procotole comme ça. Ensuite, il va te donner un nouveau rendez-vous pour Dieu sait quand. Comme je te l'ai dit, mon frère, vu le temps que va mettre le tribunal, et vu que je compte faire appel chaque fois, tu vas pouvoir rester encore très longtemps dans ce pays. »

Quel serait le coût ? voulut savoir Jende. Tous ces appels qui allaient se succéder, combien tout cela allait-il coûter ?

« Beaucoup d'argent, mon frère. L'immigration n'est pas bon marché. Mais quand il faut payer, il faut payer. Je sais que mes honoraires ne sont pas faibles comme ceux de ces imbéciles qui vont devant un juge pour bégayer, mais si tu restes avec moi, je t'aiderai jusqu'au bout, telle est ma promesse. Nous sommes ensemble dans cette affaire, mon frère. Ensemble à chaque pas, eh ? »

Jende appela Winston après avoir raccroché. Il ne savait pas quoi faire, dit-il à son cousin, continuer à croire Boubacar ou changer de stratégie.

« Je n'en sais rien, Bo, répondit Winston. Je crois que cet homme t'emmène sur un mauvais chemin.

— Mais il dit qu'il a déjà traité des dossiers comme le mien. Chaque fois, ils ont eu leurs papiers. »

Winston n'y croyait pas. Boubacar, avait-il décidé, n'était qu'un bouffon à grande bouche. Un ancien collègue à lui qui avait quitté l'entreprise pour laquelle il travaillait afin de se reconvertir en avocat de l'Immigration lui avait récemment confié que les demandes d'asile n'étaient jamais acceptées *a posteriori* grâce à des histoires comme celle de l'homme qui court se réfugier en Amérique de peur que son beau-père ne le tue.

« Il prend les agents de l'Immigration pour des crétins ou quoi ? » avait dit l'ancien collègue de Winston. Bien entendu, ces types ne faisaient pas partie de la crème des employés fédéraux, mais ils avaient entendu suffisamment d'histoires de persécution à dormir debout et vu suffisamment de belles jeunes femmes jurer leur amour éternel à des vieillards édentés pour une *green card* pour savoir démêler le vrai du faux. Il était bien sûr arrivé, avait ajouté l'ancien collègue, que l'asile soit accordé à des gens qui n'avaient pas fui, mais pour l'amour de Dieu, n'importe quelle histoire à dormir debout valait mieux que les bobards que Boubacar avait fournis à Jende. Sur ces mots, Jende demanda si l'ancien collègue pouvait devenir son nouvel avocat. Non, telle fut la réponse du collègue en question. Sa spécialité était de décrocher des visas pour des investisseurs, d'aider des millionnaires et des multimillionnaires étrangers à obtenir le droit d'entrée sur le territoire et un statut légal en vue d'investissements, d'affaires à conclure, d'échanges ; des trucs plus lucratifs, tu vois ? Mais le cas de Jende, avait dit l'ancien collègue, devait être traité par un avocat bien plus futé que ce Boubacar.

« Pourquoi il ne raconte pas une histoire d'asile politique ? demanda Winston à Jende, sans se rendre compte que cette question aurait été bien plus utile lors de leur tout premier entretien. Ce n'est pas ça que font la plupart des demandeurs d'asile ? Le plus jeune frère de Langaman, celui du Montana, il a dit qu'il avait quitté le *pays**parce que Biya le menaçait de l'envoyer à Kondengui parce qu'il le contestait. Pourtant, je peux te dire que ce *paysan** n'a jamais approché de près ou de loin une cabine de vote au pays, mais tu l'entends maintenant proclamer qu'il était un membre du SDF[1] et montrer des preuves que ses amis ont été maltraités et jetés au cachot pendant des mois, et qu'il risque de lui arriver la même chose s'il retourne au Cameroun. Quiconque entre ici peut inventer n'importe quelle histoire sur la vie qu'il avait dans son pays. Si tu racontes que tu étais un prince ou que tu t'es enfui de l'orphelinat, ou que tu étais un activiste politique, l'Américain moyen te répondra "Oh, *wow !*". Ma parole, je raconte tout le temps à des *ngahs* que j'étais moi-même activiste politique là-bas, quand elles commencent à me demander : "Alors, quelle est la situation politique au Cameroun ?" Mais au lieu de t'inventer une histoire comme ça, cet idiot inutile te dit de t'en tenir à cette histoire de beau-père qui veut ta peau. »

« Winston a peut-être raison, lui dit Neni lorsque Jende lui raconta leur conversation. Mais si une rivière a porté la barque jusqu'à la moitié de son cours, pourquoi ne pas la laisser la porter jusqu'au bout de l'océan ? »

Jende était d'accord avec cela. Puisque leur main était déjà entre les mains des autres, à quoi bon y mêler encore d'autres mains ? Ils décidèrent de rester avec Boubacar, se convainquant que tout allait fonctionner. Ils s'encouragèrent mutuellement à espérer, à

1. Le Front social-démocrate. *(N.d.T.)*

croire qu'un jour ils réaliseraient leur rêve de devenir américains. Mais cette nuit-là, tous les deux firent des cauchemars qu'ils se racontèrent le lendemain matin. Jende rêva de coups à la porte et d'hommes étranges en uniforme l'arrachant à sa femme qui s'évanouissait et à ses enfants en pleurs. Neni rêva qu'elle retournait dans un Limbé étrangement vide, une ville dépourvue de jeunes et d'ambitieux, dont la population éparse ne comptait plus que les trop vieux, les trop jeunes et les trop faibles pour fuir jusqu'aux lointaines terres des riches, ces terres qui n'existaient plus à Limbé. Dans ce même rêve, elle se vit participant à la course annuelle de pirogues de Down Beach, dansant toute seule tandis que des pirogues vides approchaient de la côte. Lorsqu'elle se réveilla, elle rapprocha d'elle sa fille endormie et l'embrassa. Timba irait un jour à Limbé en tant que fière Camerouno-Américaine retournant sur la terre de ses ancêtres, se dit-elle. Pas en tant qu'enfant de demandeurs d'asile jetés hors de ce pays comme de la nourriture avariée.

Et Liomi aussi allait devenir un jour un vrai Américain, espéra-t-elle dans l'obscurité. Liomi avait si bien adopté l'Amérique ; presque rien ni personne ne lui manquait de Limbé. Il était heureux d'être à New York, excité de marcher sur ses trottoirs bondés et bombardés par un vacarme incessant. Il parlait comme un Américain et connaissait si bien le base-ball et la capitale de chaque État que quiconque le croisait n'aurait pu penser qu'il était l'enfant de migrants à moitié légaux, ou même de clandestins – puisque leur avenir dans ce pays reposait sur la propension d'un juge à croire l'invraisemblable histoire de son père, soi-disant victime de persécution –, et non un petit

Américain. Jamais ils ne pourraient ramener Liomi à Limbé. Car s'ils le faisaient Liomi pourrait ne jamais redevenir l'enfant heureux qu'il était en Amérique. Colère, déception et hostilité pourraient s'emparer de lui, ainsi qu'une rancœur éternelle envers ses parents.

Le deuxième soir qui suivit la réception de la lettre, Neni passa la plus grande partie de la nuit les yeux grands ouverts dans le noir, incapable de se sortir ces problèmes de l'esprit. Le lendemain matin, tandis qu'elle repassait les vêtements de ses enfants, elle chanta les cantiques que chantaient les gens à l'église de Limbé quand la vie n'apportait pas les réponses à leurs lourdes questions. Elle chanta un cantique à la gloire d'un très grand Dieu qui toujours siégeait à ses côtés, et un autre à la gloire de Jésus qui, contrairement aux hommes, ne la laisserait jamais tomber. Chanter ainsi lui rappela ses visites à l'église de Limbé et le sentiment qu'elle éprouvait en sortant – plus légère, plus heureuse, libérée d'un fardeau, car elle avait passé deux heures entourée de gens joyeux qui croyaient que leur situation allait s'améliorer grâce aux pouvoirs du Tout-Puissant. Pendant les siestes de Timba, elle chercha sur Internet les adresses des églises voisines. Il y en avait beaucoup, assurant pour la plupart ouvrir leurs portes à tous les croyants de toutes les religions, dans une même volonté, semblait-il, de remplir leurs bancs. Elle en choisit une dans le quartier de Greenwich Village, appelée Judson Memorial Church, un bâtiment marron en face de Washington Park, car elle appréciait la musique de rue que l'on entendait à travers le Village et aimait la fontaine qui coulait au milieu du parc, où elle avait emmené jouer Liomi au mois de juin dernier.

Le dimanche qui précéda Noël, pendant que Jende travaillait, elle alla à l'église avec ses enfants pour prier. Sa mère l'avait prévenue qu'il ne fallait pas emmener un bébé trop loin de la maison, pas avant trois mois du moins, mais Neni ignora sa mise en garde. Elle emmitoufla Timba dans son couffin, attrapa Liomi par la main et s'engouffra dans le métro pour prendre la ligne 3, puis la ligne A. Lorsqu'elle arriva à la station de la 4e Rue Ouest, elle sortit et traversa Greenwich d'un pas lourd mais rapide, soufflant des nuages de vapeur dans le matin froid de décembre, pressée de rejoindre le lieu de prière où elle trouverait enfin du répit.

En arrivant là-bas, elle fut déçue par la vision qui l'accueillit. À la place d'un lieu de culte rempli d'une foule de New-Yorkais divers et variés se balançant en rythme et criant « Amen ! », la grande salle n'était peuplée que de Blancs d'âge moyen qui, plutôt que de se balancer, chantaient des cantiques sans la moindre envie apparente de s'enflammer comme le faisaient les croyants qui, tous les dimanches matin, dansaient dans les églises de Limbé pour oublier leurs ennuis et leurs chagrins. Évitant leur regard, Neni alla trouver une chaise au fond et s'installa avec le bébé dans son couffin et Liomi à ses côtés. La pasteur était une femme aux longs cheveux gris avec des lunettes à monture rouge, qui prêchait pour la venue d'une quelconque révolution – un message que Neni ne comprit pas plus qu'elle ne put l'appliquer à sa situation.

Quand le service prit fin, la pasteur vint à elle et se présenta comme étant Natasha. D'autres fidèles affluèrent également vers elle pour lui souhaiter la bienvenue et admirer Timba qui dormait dans son couffin. Un homme lui dit qu'il avait travaillé au Cameroun bien des années plus tôt, en tant que volontaire dans une organisation pour la paix, là-bas au nord, dans la région de l'Adamaoua. Neni leva les sourcils et sourit, surprise et contente de rencontrer quelqu'un qui était allé dans cet endroit. Elle-même n'avait jamais visité la région de l'Adamaoua, mais cette rencontre lui fit le même effet que d'avoir soudain retrouvé un vieil ami d'enfance.

« Je n'arrive pas à croire que vous êtes allé dans mon pays, lui dit-elle. Parfois, je vois des gens ici qui ne savent même pas que le Cameroun existe. »

L'homme eut un rire. « Oui, dit-il, les Américains ne sont pas réputés pour leurs connaissances en géographie africaine. » Il connaissait aussi Limbé, ajouta-t-il, même s'il n'y était jamais allé. Il avait entendu parler de ses plages de sable noir.

« Tout le monde était vraiment content de nous accueillir, raconta Neni à Jende ce soir-là.

— Peut-être qu'il n'y a pas beaucoup de gens comme nous là-bas et qu'ils veulent une famille noire, rétorqua Jende. Ces Blancs, là, ils veulent toujours montrer à leurs amis qu'ils nous aiment, nous les Noirs.

— Et quoi ? répondit Neni. J'ai aimé cet endroit. Je compte bien y aller encore.

— Pourquoi ? Toi qui n'allais même pas à l'église à Limbé ? Tu n'as même pas été baptisée.

— Pas baptisée, et alors ? Tu as peut-être oublié que je t'accompagnais à ton église baptiste pour Noël et pour Pâques autrefois ? Et que j'allais aussi à la Full Gospel du quartier ?

— Ça ne fait pas de toi une femme qui fréquente les églises, répondit-il.

— Alors je vais devenir une femme qui fréquente les églises à partir de maintenant. Je pense qu'il est bon pour nous d'aller à l'église pendant une période comme ça. L'autre jour, j'ai vu aux infos une famille qui devait être expulsée. L'église leur a donné l'hospitalité. Le gouvernement ne pouvait pas les toucher dans cet endroit. »

Jende secoua la tête avec un rire méprisant.

« Et quoi ? Tu crois qu'on va faire ça, eh ? Tu as d'autres bêtises comme ça ? Tu peux me donner n'importe quelle église, je n'irai pas me cacher là-dedans. Les gens, là, ils sont restés combien de temps là-bas ?

— Je ne sais pas. Comment veux-tu que je sois au courant ?

— C'est toi qui penses que c'est une bonne idée. Pourquoi je ferais ça, moi ? Un homme de mon âge qui se cache dans une église ? Pourquoi ?

— Pourquoi ? répondit-elle. Tu veux savoir pourquoi, Jende ? Pour tes enfants ! Voilà pourquoi. Pour que tes enfants puissent continuer de vivre dans le pays où nous sommes ! »

Tout en parlant, elle se leva du sofa et alla s'asseoir sur une chaise du coin repas, tellement courroucée par sa réponse qu'elle ne voulait plus se trouver près de lui. Jende sembla stupéfié par sa réaction, furieux de voir qu'elle osait lui faire front sur cette question.

« Tu crois que je ne pense pas à mes enfants ? Tu crois que je ne suis pas prêt à faire n'importe quoi pour qu'on reste en Amérique ?

— Non ! s'écria-t-elle en se levant d'un bond, son index pointé sur lui. Je ne crois pas que tu sois prêt à te battre jusqu'au bout pour qu'on reste ici. Je crois que, le moment venu, tu vas baisser les bras, tout ça à cause de ta fierté. Mais moi, je veux bien tout faire pour rester dans ce pays ! Je veux bien dormir par terre à l'église, si c'est... »

Sur ces mots, elle courut dans la chambre et s'assit sur le lit, près de sa fille endormie.

« Tu pleures pour quoi, eh ? lui demanda-t-il en la suivant dans le couloir, son regard furieux braqué sur elle. Pourquoi ces larmes stupides, Neni ? »

Elle l'ignora.

« Tu crois que je n'ai pas envie de rester en Amérique, moi aussi ? Tu crois que je suis venu ici pour repartir ? Je fais le serviteur toute la journée pour des gens, toute la semaine parfois, je les conduis partout, je passe mon temps à dire "bien, monsieur", "bien, madame", je dois me courber même devant un petit enfant. Pour quoi, Neni ? De quelle fierté parles-tu ? Je m'abaisse bien plus bas que feraient la plupart des hommes. Tu crois que je fais ça pour quoi ? Pour toi, pour moi. Parce que je veux rester dans ce pays ! Mais s'ils me disent qu'ils ne veulent plus de nous ici, tu crois que je vais continuer à les supplier pendant tout le reste de ma vie ? Tu crois que je vais aller dormir dans une église ? Jamais. Même pas une fois. Va coucher par terre dans ton église tant que tu le voudras. Le jour où c'en sera assez pour toi, tu viendras nous rejoindre, moi et les enfants, à Limbé. Ma parole ! »

Il claqua la porte de la chambre et la laissa toute seule à se lamenter sur le lit.

Elle s'endormit ainsi en pleurant, Timba à ses côtés, Liomi dans son petit lit. Lorsqu'elle se réveilla le lendemain au petit matin, Jende était dans le salon, couché sur le sofa.

36

Trois jours avant Noël, la noirceur qui s'était abattue sur la ville, par trop discordante, sembla vaincue
par les lumières radieuses des arbres du Rockefeller
et du Lincoln Center et les vitrines incroyables de
la Cinquième Avenue. Dans chaque quartier de New
York s'allumaient des lueurs d'espoir, faibles mais
bien présentes, derrière les fenêtres des appartements
où vivaient des gens croyant que des temps meilleurs
reviendraient bientôt. Même les plus découragés se
mirent à descendre dans les rues, pour entendre, voir
un indice ou pour se rendre dans un lieu leur rappelant
que Noël était là, que le printemps arriverait ensuite
et qu'en un rien de temps l'été régnerait à nouveau
sur New York.

« J'ai été ravie de votre présence en notre église
de Judson et serais ravie de pouvoir mieux vous
connaître, écrivit la pasteur Natasha à Neni. Pourquoi
ne pas prendre un rendez-vous et passer à mon bureau
afin que nous bavardions un peu ? En vous souhaitant
la bienvenue, ainsi qu'un joyeux Noël. »

Alors Neni prit rendez-vous et n'en dit pas un mot
à Jende.

Dans le bureau de l'église, elle fit la rencontre de l'assistant pasteur, un jeune homme roux et barbu du New Hampshire prénommé Amos. Il raconta à Neni qu'il avait été moine bouddhiste avant de se rendre compte que le courant chrétien libéral progressiste correspondait plus à ses croyances. Neni était curieuse de connaître la différence entre ces deux religions, mais pensa qu'il était plus sage de ne pas demander – car demander aurait pu exposer au grand jour son ignorance en matière de religion et de questions spirituelles, ainsi que ses véritables motivations quant à sa présence à l'église.

En privé, la pasteur Natasha se révéla être une femme plus tempérée que la fière prêtresse dressée derrière son pupitre et parlant de la nécessité d'une révolution qui ébranlerait le pays. Ses longs cheveux gris étaient raides, séparés par une raie au milieu, et Neni ne put s'empêcher d'admirer le courage qu'elle avait eu de se laisser pousser de si longs cheveux et de les garder gris dans une ville regorgeant de coiffeurs avides de secourir toute femme dont les cheveux grisonnaient. Il y avait sur les étagères de son bureau des photos sous cadre de familles joyeuses, des familles de toutes sortes : deux pères avec un bébé ; deux mères avec un jeune enfant ; un vieux monsieur et une vieille dame avec un chien ; un jeune homme et une jeune femme avec un nouveau-né. Tous étaient des fidèles de l'église, lui dit Natasha. Elle lui posa ensuite des questions sur sa famille et ce qui l'avait amenée ici. « Je crois que je voudrais devenir chrétienne », dit Neni, à quoi Natasha répondit qu'elle n'était pas obligée de devenir chrétienne pour rejoindre la grande famille de Judson Memorial. Neni

ressentit un soulagement, même si son désir de devenir une chrétienne baptisée ne fut pas entamé – et si
les gens de la Full Gospel Church, près de chez elle
à Limbé, voyaient juste à propos de l'enfer et du
paradis ? Elle voulait se trouver du bon côté afin de
pouvoir monter au paradis si tout ceci était finalement
vrai. Sa famille n'était jamais allée à l'église (sauf
pendant une brève période, quand son père avait perdu
son emploi au port de commerce), mais elle croyait
en l'existence d'un Dieu qui avait un fils prénommé
Jésus, même si elle n'avait en revanche jamais beaucoup cru que les gens dotés du don de parler en
langues étaient réellement possédés par le Saint-Esprit.
« Libre à vous de croire ce que vous voulez, lui dit
Natasha. Nous vous accepterons ici. Nos portes sont
ouvertes à tous. D'où que vous veniez. Nous ne nous
préoccupons pas de savoir si vous croyez au paradis.
Nous ne nous préoccupons même pas de savoir s'il
vaut mieux prendre le métro, le train ou le bus pour
aller au paradis, nous vous accueillons », ajouta-t-elle,
ce qui fit rire Neni.

Autour d'un thé, elles parlèrent du mariage et de
la maternité. Leur discussion sur les rêves que l'on
sacrifiait en étant parent et le renoncement à soi au
sein du mariage fut d'une si grande liberté que Neni
s'épancha davantage encore et parla à Natasha de la
demande d'asile de Jende. Elle lui raconta leur dispute
de la semaine passée et la honte qu'elle ressentirait
si elle devait rentrer à Limbé ; le sentiment d'échec
qu'elle ne pourrait jamais surmonter si elle ne parvenait pas à offrir à ses enfants une vie américaine.
Natasha l'écoutait, opinait, laissant cette femme meur-
trie décharger son cœur. Elle lui tendit un mouchoir

et prit Timba dans ses bras quand – sentant peut-être le désarroi maternel – la petite, elle aussi, se mit à pleurer.

« Le système d'immigration américain est parfois cruel, souffla-t-elle à Neni en lui massant le genou. Mais notre église est là et se battra avec vous. Nous serons à vos côtés jusqu'au bout. »

Cet après-midi-là, Neni Jonga sortit de Judson Memorial et s'engouffra dans Washington Park avec la légèreté d'un délicat cerf-volant. Il y avait un homme qui jouait de la flûte sur un banc, et une jeune femme en veste noire qui jouait du violon. Elle traversa le parc avec un sourire en les écoutant – elle se rendait compte pour la première fois de l'exquise beauté de la musique classique. À l'autre bout du parc, sous l'arche, un groupe de jeunes gens brandissaient des pancartes en scandant des slogans contre le plan de sauvetage. « Renflouez-nous, pas nos oppresseurs ! Les taxes que nous payons vous servent à nous détruire ! À bas Wall Street ! Paulson = Antéchrist ! »

Neni s'arrêta au bord de la fontaine vide et les regarda, admirant leur passion pour leur pays. L'un d'entre eux en particulier était un plaisir pour les yeux, un jeune homme blanc qui portait des dreadlocks et sautillait en secouant le poing devant ses ennemis imaginaires. Un jour, pensa Neni, si l'église les aidait à rester en Amérique, elle aussi ferait partie des citoyens américains et pourrait manifester comme ça. Elle aussi dirait tout haut ce qu'elle voudrait sur les puissants, sans aucune peur d'être jetée en prison comme l'étaient les dissidents s'élevant contre des régimes autoritaires dans certains pays d'Afrique. L'envie lui prit de partir en gambadant, régénérée par l'espoir que lui avait donné cette femme d'Église emplie de compassion, mais agir ainsi était impossible. Timba était en train de se réveiller à cause du froid, et elle devait aller chercher Liomi à l'école avant de préparer le dîner.

Lorsque Jende rentra du travail à près de minuit, elle ne se tenait plus d'impatience de lui annoncer que les gens de l'église allaient les aider à rester.

« Je suis retournée à l'église de Greenwich aujourd'hui, commença-t-elle pendant qu'il mangeait.

— Pour faire quoi ?

— J'avais une bonne raison. La pasteur m'a envoyé une lettre pour me souhaiter la bienvenue et m'a demandé de venir discuter, alors j'y suis allée.

— Tu n'as pas cru bon de me le dire avant d'y aller ?

— Je suis désolée. Tu t'es fâché la dernière fois que j'y suis allée. Je ne voulais pas t'énerver de nouveau. »

Il lui fit les gros yeux pendant quelques secondes, avant de retourner à ses pommes de terre aux épinards. Elle choisit en retour de faire comme si ce regard n'avait pas été aussi haineux qu'il en avait l'air. Elle n'avait d'autre choix que de lui pardonner facilement ces temps-ci, ou son mariage serait détruit. Elle le devait, car ce n'était plus le même homme qu'elle avait en face d'elle depuis le jour où la lettre de menace d'expulsion était arrivée. Le poids de la lettre l'avait broyé, elle le voyait bien ; elle avait devant elle un homme dont les nerfs étaient constamment sur le point de craquer. Terminé, sa main dans ses cheveux lorsqu'elle berçait le bébé. Il ne s'amusait plus non plus à donner des petits coups dans les côtes de Liomi. Ce mari-là, qui jamais ou presque ne prononçait les mots « stupide » et « idiot », les employait maintenant à tort et à travers, dans ses crises de rage et d'emportement, à l'encontre d'agents de l'Immigration dont il ignorait le nom, à l'encontre de son avocat, de sa famille au Cameroun, de son fils et, par-dessus tout, de sa femme. Il râlait contre sa mère qui lui avait demandé de l'argent pour reboucher le mur de la cuisine et aboyait sur Liomi quand l'enfant demandait si son père pouvait l'emmener à la salle de jeux vidéo. Il repoussait sa nourriture si elle n'était pas assez salée ou poivrée, ignorait les appels téléphoniques de ses amis. Tout se passait comme si sa convocation au tribunal avait transformé l'homme heureux de vivre qu'il était en un mourant empli d'aigreur qui se faisait un point d'honneur de cracher au monde sa colère avant d'y passer.

« La pasteur m'a dit que l'église allait nous aider à rester dans le pays, poursuivit Neni.

— Tu dis quoi ?

— J'ai parlé à la pasteur de notre problème de *papiers**, et elle m'a répondu que l'église va faire ce qu'elle peut pour nous aider.

— Tu as… quoi ! » cria-t-il en tapant du poing sur la table, si fort que son verre décolla.

Elle ne dit rien.

Il poussa son assiette et se leva.

« Tu es folle ? dit-il en pointant un doigt vers sa tête. Tu perds la raison, Neni ? Est-ce que tu as perdu la raison ? Tu parles à quelqu'un de nos problèmes de *papiers** sans même me prévenir ? Vraiment, est-ce que tu as perdu la raison ? »

Il bouillait de colère et respirait fort, comme une bête s'apprêtant à mettre en pièces sa proie.

313

Elle était assise devant cet homme dressé comme une souris devant un lion, silencieuse et apeurée.

« C'est quoi ton problème, là ? C'est quoi ton problème, ces temps-ci ? Tu crois que tu as le droit de parler de ces choses-là sans même me consulter avant ? Tu as idée de qui sont vraiment ces gens ? Tu crois que parce que tu vas une fois dans leur église, tu peux leur dire nos secrets ? Eh, Neni ? Est-ce que tu as perdu la raison ? »

Elle n'avait guère d'excuses à lui présenter. Elle savait qu'elle était allée trop loin – Boubacar les avait bien avertis de ne jamais révéler leurs histoires avec l'Immigration. « Tu dis à une personne que tu as *no* papiers, avait dit l'avocat, et le jour où tu as des problèmes avec eux, elle appelle l'Immigration, et elle te balance. Personne, sauf vous, le Tout-Puissant et le gouvernement américain, ne doit savoir comment vous êtes entrés dans ce pays et ce que vous faites pour essayer d'y rester », les avait-il sans cesse avertis. Car il savait les dégâts que pouvait provoquer un individu malintentionné en divulguant leur projet au gouvernement : cela pouvait siffler la fin, pas seulement pour eux, mais aussi pour lui.

Neni avait dit oui face à l'avocat ; elle croyait à l'importance des secrets pour se préserver de la souffrance et de la honte. Pour elle, les garder n'était pas seulement sage, mais simple aussi – cette tâche était aussi facile pour elle que de chanter. Autrefois, dans son adolescence, elle n'avait parlé à personne, hormis Jende, de sa grossesse et de son enfant mort-né. Elle avait même attendu son cinquième mois pour annoncer à ses parents qu'elle était enceinte, dissimulant habilement son ventre sous ses larges *kabas* et derrière ses sacs à main. Cacher leurs problèmes avec l'Immigration à New York était tout aussi facile pour elle. Hormis Betty et Fatou, elle n'en avait parlé à personne. Quand d'autres amies lui posaient des questions sur ses papiers, elle les évitait en répondant d'un air évasif qu'ils allaient arriver très bientôt.

Mais en dépit de sa honte, elle avait révélé sa détresse à Natasha, croyant qu'il existait des Américains dont le souhait était de laisser rester les bons immigrants, prêts à travailler. Ces Américains-là, Neni les avait vus à la télé, de gentils Américains clamant que les États-Unis devaient se montrer plus accueillants envers ceux qui venaient en paix. Neni croyait en ces gens au grand cœur, comme Natasha, qui jamais ne les trahirait. C'était ce qu'elle voulait dire à Jende, que les gens de son église aimaient les immigrés, que leur secret resterait bien gardé avec eux. Mais elle savait aussi comme il était vain de vouloir raisonner un homme enragé, et se résolut ainsi à rester assise en silence, l'échine courbée, tandis que sifflait sur elle le fouet de ses mots, qu'il la traitait d'idiote stupide, de femme plus bête que n'importe quoi. L'homme qui lui avait promis de prendre toujours soin d'elle se dressait là, vomissant sur elle un torrent d'injures, crachant un venin qu'elle n'imaginait pas dormir en lui.

Pour la première fois de leur longue histoire, elle craignit qu'il ne la batte.

Et elle aurait reçu ces coups comme une bonne épouse, parce que ces coups-là n'auraient pas été assénés par Jende, mais par un monstrueux personnage né de toutes les souffrances inhérentes à la vie de l'immigrant américain.

Au matin de Noël, ils mangèrent des plantains frites avec des haricots, mais n'échangèrent pas de cadeaux : Jende ne voulait pas laisser Liomi croire que donner et recevoir des biens matériels avait un quelconque lien avec l'amour. « N'importe qui peut entrer dans une boutique et acheter ce qu'il veut pour donner à qui il veut », avait-il dit à Liomi quand ce dernier avait demandé pour la énième fois pourquoi il ne pouvait même pas avoir droit à un petit camion. « Si tu veux savoir ce que vaut l'amour de quelqu'un, le sermonna-t-il encore, regarde plutôt ce qu'il fait pour toi avec ses mains, ce qu'il dit pour toi avec sa bouche et ce qu'il pense de toi avec son cœur. » Liomi avait protesté, mais au matin de Noël, comme à tous les matins de Noël de sa vie, il n'avait pas reçu de cadeau.

Plus tard dans l'après-midi, ils mangèrent du riz et du poulet mijoté, comme dans la plupart des foyers de Limbé. Neni avait aussi préparé des *chin-chin* et un gâteau, se fiant à la recette qu'elle avait déjà expérimentée à Limbé, à l'époque au-dessus d'un feu ardent, dans un chaudron rempli de sable. La veille au soir, tandis que toute la famille, installée sur le sofa, regardait *It's a Wonderful Life*, Jende avait songé inviter Leah à passer la journée avec eux, présumant qu'elle serait seule dans son appartement du Queens puisqu'elle n'avait ni mari, ni enfants, ni parents. Jende n'aimait pas la savoir seule en ce jour où tout le monde se devait d'avoir de la compagnie. Il s'était cependant gardé d'en demander trop à Neni, certain que celle-ci cuisinerait sept plats différents si une Américaine acceptait une invitation à dîner dans sa maison, et culpabilisant à l'avance de tout le mal qu'elle se donnerait, elle qui devait déjà s'occuper de Liomi et du bébé. Il se contenta ainsi d'un simple coup de fil, au matin, pour lui souhaiter un joyeux Noël. Il lui dit ensuite que son travail se passait bien, puis il l'écouta lui raconter son projet du jour, aller visiter le Rockefeller Center, d'une voix pleine d'excitation, comme si rester plantée dans le froid et contempler son célèbre sapin de Noël suffisait à faire de cette sortie un événement hors du commun.

Il passa le reste de la journée à raconter des histoires à Liomi et à bercer Timba après les tétées. Personne ne vint frapper à leur porte comme autrefois à Limbé, en criant : « Joyeux, joyeux oh ! » Pourtant, joyeux fut ce Noël-ci, bien plus joyeux que le premier Noël qu'il avait passé en Amérique.

Ce jour-là, Jende l'avait passé à l'étage de son lit superposé, couché tout le matin et tout l'après-midi dans l'appartement en sous-sol qu'il partageait dans le Bronx avec des Portoricains, car le froid était trop rude pour sortir se promener, les gens dans les rues trop peu familiers pour aller fêter ce jour particulier avec eux. Winston était parti en vacances à Aruba avec sa belle du moment, si bien qu'il n'avait personne avec qui manger et rire, personne avec qui se remémorer les bons souvenirs des Noëls de son enfance, dans lesquels il était toujours question d'avoir trop mangé, trop bu, et bien, bien trop dansé. Allongé dans la chambre obscure, il avait imaginé Liomi dans le pull rouge qu'il lui avait envoyé pour fêter ce jour ; il avait souri en voyant son fils se promener partout dans la ville en disant fièrement aux curieux que ses vêtements venaient de son papa en Amérique. Il avait imaginé Neni emmenant Liomi à New Town pour souhaiter un joyeux Noël à sa mère, qui avait très certainement préparé son poulet mijoté avec de l'igname, ainsi que son autre plat de circonstance, les feuilles de ndolé avec des pieds de cochon. Jende brûlait d'entendre leur voix, mais il n'avait aucun moyen de leur parler ce jour-là – les lignes téléphoniques qui reliaient le monde occidental aux pays d'Afrique étaient saturées par les voix de ses semblables, les solitaires et nostalgiques qui appelaient chez eux pour goûter aux célébrations, ne serait-ce que par la parole. Frustré, il avait enfoui dans un coin sa carte de téléphone et était resté au lit jusqu'à quatre heures de l'après-midi, ne passant qu'un seul appel à son ami Arkamo, à Phoenix, un appel qui n'aida aucunement à atténuer sa solitude. Arkamo se trouvait à une fête camerounaise où il passait un Noël formidable, lui qui vivait dans une ville où la communauté était aussi importante que soudée. Après une douche et un dîner de restes du traiteur chinois, Jende était allé s'asseoir à la fenêtre dans la pièce commune et avait observé la rue : l'air si froid ; les passants aux habits si peu colorés ; cette journée qui s'écoulait si vite, et son envie qui le broyait.

Cinq jours après Noël, il retourna travailler, mais ne tarda pas à s'apercevoir qu'il n'y aurait pas grand-chose à faire. Clark était à l'hôtel, lui apprit Anna lorsqu'il l'appela pour savoir pourquoi son patron ne répondait pas au téléphone. Il comptait travailler là-bas, ajouta-t-elle. Cindy, elle, avait pris des jours de congé (sans doute depuis l'article du journal à scandale, présuma Jende, étant donné qu'Anna l'avait appelé le lendemain de sa parution pour lui dire qu'il ne devait plus venir au Sapphire, car Cindy n'avait plus besoin d'être conduite au travail). La seule personne ayant besoin de ses services ce jour-là fut Mighty, pour se rendre à sa leçon de piano et rentrer. Il n'avait qu'à faire comme d'habitude, lui dit Anna : emmener Mighty chez son professeur, dans l'Upper West Side, le confier à Stacy, qui restait avec lui pendant sa leçon, puis le récupérer une heure plus tard. Il pourrait ensuite prendre le reste de la journée, sachant qu'il en serait plus ou moins ainsi jusqu'à la fin des vacances, avait conclu Anna, avant d'ajouter en chuchotant d'une voix effrayée qu'il n'y avait aucun moyen de savoir combien de temps Clark habiterait à l'hôtel, ni combien de temps Cindy resterait enfermée à la maison. Elle ne sortait même plus avec ses amies à présent, ses problèmes d'alcool avaient encore empiré, et Mighty, le pauvre, se retrouvait avec ses deux parents qui… mais Anna se ressaisit avant d'aller trop loin et dit à Jende qu'elle devait le laisser.

« Mighty, mon bon ami, lança Jende quand le garçon s'installa à l'arrière de la voiture. Comment s'est passé votre Noël ?

— Je n'ai pas envie d'en parler.

— Bien, bien, c'est votre droit. Vous n'êtes pas obligé de me raconter, mais il y a une chose... Avez-vous parlé sur Skype avec Vince ?

— Ouais, maman l'a appelé.

— Comment va-t-il ? »

Mighty haussa les épaules et ne répondit pas.

« Est-ce qu'il s'amuse bien là-bas ? Est-ce qu'il vous a raconté de bonnes histoires sur l'Inde ?

— Il s'est fait des dreadlocks.

— Des dreadlocks ? » répéta Jende, riant presque en imaginant Vince ainsi coiffé.

Jende aimait bien les Blancs avec des dreadlocks, mais Vince Edwards, fils de Clark et Cindy Edwards... ! La tête de Cindy avait dû valoir la peine de prendre une photo.

« Oui, répondit Mighty. Il a des dreadlocks... mais ça fait un peu bizarre.

— Bizarre ? Mais ça lui allait bien ? Je suis sûr qu'il est très beau avec, eh ?

— Je ne sais pas. »

Jende conclut qu'il valait mieux laisser Mighty tranquille. Il n'avait de toute évidence aucune envie de parler, et les efforts que déployait Jende pour lui redonner le sourire ne semblaient que le rendre plus triste encore.

« Ils se sont disputés dans la cuisine hier soir, lâcha soudain Mighty, après plusieurs minutes de silence.

— Qui ça ? Votre papa et votre maman ? » Mighty hocha la tête. « Oh, Mighty, je suis désolé de l'entendre. Mais souvenez-vous de ce que j'ai dit sur les gens mariés, quand ils se disputent. Votre papa et votre maman, même s'ils se disputent, ça ne veut pas dire que c'est grave. Les gens mariés aiment bien se disputer parfois. On les entend même crier et hurler, mais ça ne veut rien dire, d'accord ? »

Mighty ne répondit pas. Jende l'entendit renifler et espéra qu'il ne pleurait pas de nouveau. Cet enfant avait assez pleuré comme ça.

« J'ai entendu maman pleurer, jeter des choses contre le mur… Je crois que c'était des verres et des assiettes, ils se cassaient. Mon père lui disait : "S'il te plaît, arrête"… Mais elle était… »

Il sortit un mouchoir du paquet que lui tendait Jende et se moucha dedans.

« Vos parents seront de nouveau amis très bientôt, Mighty, lui dit Jende, pas seulement pour convaincre le garçon, mais aussi pour se convaincre lui-même.

— Elle a dit : "Je ne veux plus jamais voir sa gueule." Et elle disait à papa qu'il devait se débarrasser de lui, qu'il devait se débarrasser de lui sur-le-champ, sinon…

— Se débarrasser de qui ?

— Je ne sais pas, mais elle n'arrêtait pas de crier ça. Et papa lui disait : "Non, je ne le ferai pas", et ma mère lui criait qu'il était obligé, que sinon, elle allait faire quelque chose…

— Je suis très désolé d'entendre tout ça, Mighty. Mais votre maman, elle était juste énervée, n'est-ce pas ?

— Très énervée. Elle pleurait, elle n'arrêtait pas de hurler. »

Jende poussa un profond soupir et secoua la tête.

« Je n'arrivais pas à dormir, poursuivit Mighty. Même avec mon oreiller sur la tête, je…

— Ils n'ont pas dit le nom de cette personne ? »

Mighty répondit par un « non » de la tête, avant d'ajouter :

« Mais je crois que c'était Vince.

— Vince ?

— Oui… Maman est très en colère à cause de ses dreadlocks. Elle a dit qu'il avait l'air d'un vandale.

— Non, Mighty, répondit Jende avec un rire léger. Votre maman ne va pas demander à votre papa de se débarrasser de Vince, c'est impossible ! Votre maman vous aime beaucoup, vous et Vince…

— Ils vont divorcer !

— Non, s'il vous plaît, ne dites pas ça…, répondit Jende en tenant le volant d'une main et en posant l'autre sur la jambe de Mighty pour le réconforter. Ne dites pas des choses comme ça, qui vous rendent furieux. Ils vont redevenir heureux. Les adultes sont comme ça. Ils vont redevenir amis.

— Non, c'est faux ! Ils vont divorcer !

— S'il vous plaît, ça ne vaut pas la peine de vous rendre malheureux en pensant à des choses qui n'arriveront jamais, dit Jende en conduisant tant bien que mal d'une main. Tout va rentrer dans l'ordre, Mighty… Tout va rentrer dans l'ordre… Tout le monde ira bien… S'il vous plaît, séchez vos larmes. »

Lorsqu'ils arrivèrent devant l'immeuble, au croisement de la 99e Rue et de Columbus Avenue, Stacy sortit chercher Mighty. Jende regarda le garçon se forcer à sourire en répondant à Stacy que oui, il avait hâte de jouer le morceau que son professeur lui avait préparé aujourd'hui.

Une fois Mighty et Stacy partis, Jende retourna dans la voiture et appela Winston qui, par chance, décrocha à la première sonnerie, lui qui ne décrochait presque jamais plus depuis ses retrouvailles à Houston avec Maami.

« Ah, Bo, toi et tes ennuis, lui dit Winston après que Jende lui eut raconté que Cindy voulait se débarrasser de quelqu'un. Elle pouvait bien parler de dix personnes différentes. Peut-être qu'elle parlait de...

— C'était forcément moi, le coupa Jende en secouant la tête de désespoir. Il n'y a pas d'autre homme qui travaille pour elle. Anna est une femme, la baby-sitter est une femme, son assistante est une femme. Il n'y a que des femmes à part moi.

— Alors elle ne parlait peut-être pas de quelqu'un qui travaille pour elle. Les femmes comme elle ont toutes sortes de gens qui font toutes sortes de choses pour elles. Elles ont des docteurs qui s'occupent de leurs rides, des gens qui s'occupent de leurs cheveux, des gens qui s'occupent de faire leur lessive...

— Tu crois vraiment qu'elle irait hurler à son mari, au beau milieu de la nuit, de se débarrasser de quelqu'un qui fait sa lessive ? Ah, Bo...

— OK, OK, c'est bon. Mais je dis ça pour que tu ne t'inquiètes pas, c'est tout. Tu ne peux pas entendre une histoire de la bouche d'un petit enfant et te mettre à trembler comme une feuille, eh ? Ne t'inflige pas ça. Continue à agir comme ça, et demain, une crise cardiaque te surprendra, je te le promets. Tu n'en sais rien. Tu ne sais même pas si tu as bien entendu cet enfant, eh ?

— Sans mon travail, je vais faire quoi ? Je tremble de partout. Je vais faire quoi si...

— Attends, pourquoi tout ce *sisa* ? Eh ? Écoute, si tu as tellement peur, je vais appeler Frank et lui demander. Si Cindy veut te virer, Clark ne va pas cacher ça à Frank. Et je peux demander à Frank de t'aider à faire changer Clark d'avis.

— Oui, s'il te plaît, c'est la meilleure idée. C'est lui qui m'a aidé à avoir ce travail. Et il m'aime bien… Fais ça, s'il te plaît. Chaque fois que je l'emmène en voiture avec M. Edwards, il est gentil avec moi.

— Tu vois, il n'y a pas de quoi t'inquiéter. Je vais l'appeler demain, OK ?

— Je ne sais pas comment te remercier, Bo.

— Donne-moi ton jeune fils, que je m'en fasse un esclave », répondit Winston, forçant Jende à rire.

Après avoir raccroché, Jende s'adossa contre l'appui-tête, ferma les yeux et s'intima de ne penser qu'à de bonnes choses. Son père lui avait toujours répété cela : « Même quand la situation est critique, ne pense qu'à de bonnes choses. » Et Jende l'avait fait aussi souvent qu'il l'avait pu durant les plus sombres jours de sa vie – lorsqu'il était allé en prison après avoir mis enceinte Neni ; lorsque sa fille était morte un soir, tard dans la nuit, et que le père de Neni avait ordonné qu'on l'enterre à la première heure le lendemain matin, le privant de toute chance de lui dire au revoir ; lorsque le père de Neni lui avait refusé la main de sa fille pour, aurait-il cru, la centième fois ; lorsqu'il avait reçu un appel de l'une des sœurs de Neni, sept mois après son arrivée en Amérique, lui disant qu'elle et Liomi avaient été victimes d'un accident de bus sur la route de Muyuka, en allant rendre visite à une tante. Dans tous ces moments, Jende avait fait tout ce qui était en son pouvoir pour penser aux bonnes choses qui étaient arrivées dans sa vie, et aux bonnes choses à venir.

Il avait pensé ainsi lorsqu'il se sentait pris

d'impuissance, comme pendant les quatre mois de prison qu'il avait passés à Buéa, attendant que son père puisse emprunter suffisamment d'argent pour convaincre le père de Neni de demander sa libération. Tout dans la prison s'était révélé bien plus atroce que ce qu'il avait imaginé – l'air glacial de la montagne qui lui grattait la peau et le faisait grelotter du soir au matin ; les maigres rations de nourriture à peine mangeable ; les dortoirs pleins à craquer, remplis d'un bout à l'autre d'hommes qui ronflaient toute la nuit ; les maladies facilement transmissibles, comme la dysenterie qu'il avait attrapée et qui avait duré deux semaines, le torturant tous les jours par des crampes d'estomac et une forte fièvre. C'était pendant ces nuits de maladie qu'il avait pensé à sa vie, à ce qu'il ferait une fois relâché. Il n'avait aucun autre désir que de quitter le Cameroun, d'aller vivre dans un pays ou les honnêtes jeunes hommes comme lui n'étaient pas jetés en prison pour des délits mineurs, mais se voyaient plutôt offrir l'opportunité de faire quelque chose de leur vie. Quand, finalement, il sortit de prison – quand son père eut donné au père de Neni l'argent nécessaire pour couvrir les frais d'hôpital de Neni et de quoi subvenir aux besoins de l'enfant pendant sa première année de vie, et que Pa Jonga eut promis que Jende n'approcherait plus jamais Neni de sa vie –, Jende était retourné à Limbé, déterminé à faire des économies pour partir de ce pays. Il s'était trouvé un emploi à la municipalité, grâce à son ami Bosco, qui travaillait là-bas, et avait commencé à mettre de côté autant qu'il le pouvait chaque mois pour construire son avenir avec Neni. Mais, pendant l'année qui suivit sa libération, Neni voulut à peine entendre parler de lui, d'abord parce que son père menaçait de la jeter à la rue si elle continuait à gâcher sa vie auprès de Jende, ensuite parce qu'elle était encore sous le choc de la mort de son bébé. Jende avait fini par réussir à la reconquérir – à grands coups de lettres d'amour qu'il lui portait lui-même deux fois par mois, émaillées de mots comme « indéfectible » et « magnificence » –, mais son rêve d'une vie ensemble en Amérique lui avait toujours semblé aussi lointain que les étoiles, lorsqu'il comparait ses économies à ce que coûtait un billet d'avion pour aller là-bas. C'était uniquement grâce au travail de Winston, avocat à Wall Street, que, plus d'une décennie plus tard, il était parvenu à réunir les fonds nécessaires pour partir en Amérique et débuter une nouvelle vie.

Si libératrice fût-elle, cette nouvelle vie était arrivée avec son lot de nouvelles épreuves. Elle avait engendré un désarroi d'un type nouveau, auquel Jende n'avait même jamais songé, comme l'inquiétude et l'impuissance qu'il avait ressenties lorsque Neni et Liomi s'étaient retrouvés à l'hôpital après l'accident. Même si leurs blessures n'étaient pas d'une grande gravité (des égratignures et des bleus pour Liomi ; une entorse cervicale et une jambe cassée, en plus des égratignures et des bleus, pour Neni), il ne pouvait s'empêcher de penser qu'un tout autre message aurait pu lui être transmis par la sœur de Neni qui l'avait appelé, non pas pour lui annoncer l'accident et lui demander de l'argent pour payer l'hôpital, mais pour lui annoncer leur mort et lui demander de l'argent pour payer leur enterrement. La simple idée qu'ils puissent mourir alors que lui se trouvait bloqué en Amérique lui avait glacé le sang. C'est pourquoi il se répétait, le plus souvent possible, de ne penser qu'aux bonnes choses, et aux bonnes choses seulement.

Voilà donc ce qu'il faisait dans la voiture, les paupières closes. Il pensa à M. et Mme Edwards se réconciliant, de nouveau heureux comme ils l'avaient été à l'époque où ils vivaient à Alexandria, en Virginie, comme le lui avait raconté Vince, avant que son père ne se mette à travailler dix-huit heures par jour chez Lehman, à voyager quatre ou cinq fois par mois ; avant que les sourires de sa mère ne deviennent réservés aux seuls moments où elle se trouvait avec ses fils ou ses amis ou aux soirées où elle se sentait obligée de faire croire au monde qu'elle était une femme heureuse dans la vie et en ménage. Même si Jende n'était pas sûr que le mariage des Edwards retrouve ce bonheur perdu, quand il y avait moins d'argent mais plus de chaleur entre eux et que Vince était encore fils unique, mais là n'était pas le problème, car certains mariages n'avaient pas besoin d'être heureux. Ils avaient seulement besoin d'être suffisamment confortables, et Jende espérait qu'ils retrouveraient au moins cela.

Il pensa à Vince en Inde et lui souhaita du succès. Il espéra que la famille serait un jour réunie et qu'il resterait leur chauffeur pendant encore bien des années. Il aimait son travail et continuerait de le faire avec joie, si le bon Dieu le voulait, aussi longtemps qu'il vivrait à New York. Ces jours étaient des jours difficiles, mais M. Edwards était un homme bon, les garçons étaient de bons garçons, et Mme Edwards, même en donnant par moments l'impression que le ciel lui était tombé sur la tête, était une femme bonne.

Son téléphone sonna. Jende ouvrit les yeux.

Il regarda le nom affiché sur l'écran. C'était M. Edwards. Il sourit. Il venait de penser à lui, et voilà qu'il l'appelait – cela voulait dire que M. Edwards allait avoir une longue vie.

« Vous avez passé un bon Noël ? lui demanda Clark.

— Très bon, monsieur. J'espère que vous avez passé un bon Noël aussi, monsieur.

— Ça allait », répondit Clark. Puis il laissa passer un silence avant de s'éclaircir la gorge. « Vous attendez Mighty ?

— Oui, monsieur.

— Bien. Écoutez, j'ai un service à vous demander. Quand vous aurez ramené Mighty, vous pourrez passer à mon bureau ?

— Vous êtes maintenant au bureau, monsieur ?

— Oui, je viens d'arriver. J'ai pris un taxi. Je n'ai pas voulu vous appeler, comme vous étiez avec Mighty.

— Je comprends, monsieur. Je vais venir dès que j'aurai ramené Mighty à la maison.

— Bien, parfait. Et... vous pourrez vous garer en bas et monter ? Je... Il faut qu'on parle. »

38

Il débarqua à Midtown sans savoir comment il était arrivé là-bas. Sans doute avait-il grillé deux ou trois feux rouges sans même s'en apercevoir, changé de file sans avoir mis son clignotant, collé la voiture devant lui. Sans doute avait-il roulé sur le trottoir sans s'en apercevoir non plus, aveugle qu'il était aux milliers de passants qui sillonnaient pourtant Broadway. Jende était abasourdi à ce point.

Une fois arrivé dans le parking, il sortit sa mallette rangée sous son siège et la tint sur ses genoux pendant toute une minute. Posséder cette mallette et l'emporter chaque jour au travail, telle était l'une des plus grandes fiertés de sa carrière. Avec elle, Jende avait le sentiment d'être un homme accompli, comme si lui-même était en quelque sorte un homme d'importance et non pas le petit chauffeur conduisant partout le grand patron. Deux mois après avoir commencé à travailler pour les Edwards, il s'était mis en quête de la mallette parfaite et avait trouvé celle-ci dans un magasin du Grand Concourse, l'une des principales artères du Bronx, une boîte de forme rectangulaire en similicuir noir, à poignée avec finition chromée. Elle ressemblait à celles que les cols blancs du conseil municipal de Limbé emportaient avec eux pour travailler, celles qu'il avait admirées, regardant ces hommes qui les portaient arriver à leur bureau d'un pas tranquille tandis que lui restait dehors, à balayer les rues et vider les poubelles. En possédant sa propre mallette, lui aussi était devenu un col blanc. Chaque matin, avant de partir travailler, il plaçait son déjeuner à l'intérieur de cette boîte, à côté de son dictionnaire, sa carte de la ville, sa lavette, son paquet de mouchoirs, ses stylos et ses vieux journaux et magazines qu'il gardait pour quand il aurait le temps. Sur le chemin, dans le métro, vêtu de son costume et de sa cravate à clips, il la tenait fermement, sans pouvoir être distingué des comptables et des ingénieurs et des banquiers assis autour de lui.

Il posa sa mallette sur le siège du passager et ouvrit la boîte à gants. Mieux valait retirer ses effets personnels de la voiture, se dit-il, non par peur ni par pessimisme, mais parce qu'un homme qui ne connaissait pas l'issue d'un rendez-vous devait être préparé. M. Edwards voulait sans doute juste parler, lui faire part d'une chose qu'il voulait qu'il fasse, ou arrête de faire. Sans doute sortirait-il du rendez-vous avec le sourire, en s'en voulant d'avoir transpiré tout du long. Mais si l'issue n'était pas bonne ? Bien sûr qu'elle le serait. Il avait probablement été convoqué... très probablement été convoqué pour... mais mieux valait récupérer ses effets personnels et nettoyer la voiture. Il fouilla à l'intérieur de la boîte à gants, mais il n'y avait rien à lui là-dedans, rien qu'il eût un jour jeté là et oublié de reprendre. Il avait toujours fait attention à cela, à garder avec lui tout ce qui était sien,

330

même ses déchets, qu'il entreposait à l'intérieur de sa mallette ; il passait peut-être des heures dans la voiture, parfois même des journées entières, il n'oubliait pourtant jamais que cette voiture n'était pas la sienne et ne le serait jamais.

Se retournant, il vérifia les sièges arrière. Impeccables, comme les tapis, grâce à son passage à la station de lavage juste avant Noël. S'il devait partir, il partirait en laissant tout en bon état. Mais il n'était pas question de partir. Simplement d'aller discuter de quelque chose avec M. Edwards. Juste discuter. Rien de plus.

Il mit ses gants et son chapeau, ramassa sa mallette et sortit de la voiture.

Pour la première fois de sa vie, il apprécia l'hiver, car le froid faisait sécher la sueur qui perlait sur son front. Il se sentit rafraîchi par un vent léger qui soufflait du sud tandis qu'il marchait en direction de l'immeuble Barclays dans l'obscurité de cette fin d'après-midi, croisant des hommes en costume, certains avec des mallettes, d'autres avec des sacoches, certains sans rien, les ayant sans doute laissées à leur bureau, sûrs d'y retourner le lendemain.

Dans le hall du building, le vigile, peut-être dans sa hâte de partir et de commencer plus tôt à célébrer la nouvelle année qui arrivait, hocha distraitement la tête lorsque Jende le salua, sans demander à contrôler son identité. Il se trompa en notant le nom de Jende et lui tendit un passe visiteur sans même lever les yeux vers lui, tout absorbé qu'il était par sa conversation avec une femme qui riait, une autre vigile qui lui jurait que 2009 serait son année, l'année où elle finirait par se dégoter l'homme de ses rêves.

Dans l'ascenseur, il se retrouva avec deux hommes parlant de leur prime de fin d'année. M. Edwards avait évoqué une augmentation. Pouvait-il s'agir de la raison de ce rendez-vous ? Voilà qui aurait été très gentil, venant de M. Edwards, mais Jende songea qu'il n'avait pas besoin d'une prime en plus du bon salaire qu'il recevait, de son augmentation et de ses conditions de travail idéales. Si M. Edwards lui proposait une prime, Jende se verrait dans l'obligation de réagir comme le faisaient les Américains quand ils veulent quelque chose mais sont trop embarrassés de l'admettre – en protestant avec bonhomie et en s'écriant : "Oh, non, monsieur, vous n'êtes pas obligé, monsieur, ce n'est pas nécessaire, vraiment il ne faut pas, monsieur…" avant d'accepter l'argent.

« Bonsoir, monsieur », dit-il alors que la réceptionniste fermait la porte derrière lui.

Clark était assis à son bureau et écrivait sur un bloc-notes. Il leva les yeux vers Jende, sourit et, sans un mot, l'invita à s'asseoir. Il continua à écrire.

Jende prit place, se rappelant qu'il devait respirer, car respirer était la seule chose qu'il pouvait faire.

Si des lumières brillaient dans le bureau voisin de celui de Clark, il ne les vit pas. Si des tableaux étaient accrochés aux murs, ou quelque autre élément de décoration valant le coup d'œil, il ne les remarqua pas. Les seules choses dont il était conscient étaient sa respiration et son cœur qui battait comme les tambours sur lesquels il jouait, petit garçon, quand la lune était pleine et que les enfants dansaient dans les rues de New Town jusqu'à minuit.

Clark posa son bloc-notes de côté, leva les yeux

vers Jende, et plaça ses mains sur son bureau, les doigts croisés.

« J'espère que vous le savez, Jende, j'ai beaucoup d'estime pour vous, commença-t-il.

— Merci, monsieur.

— Vous avez été, de loin, mon chauffeur préféré… sans aucune comparaison possible, aucune. Vous êtes un homme travailleur, un homme respectueux, un homme de bonne compagnie. Vraiment, cela aura été une très bonne expérience. »

Ma parole, dépêchez-vous de dire ce que vous voulez dire avant que je meure, pria Jende, même si, en réalité, il hocha la tête et dit, en souriant à demi :

« Je suis très content de savoir que vous appréciez mon travail, monsieur. »

Clark passa ses doigts dans ses cheveux. Il prit une grande inspiration, secoua la tête, se frotta les yeux. Pendant quelques secondes, Jende ne fut plus sûr de ce que cet homme allait dire. L'avait-il fait venir ici pour lui annoncer qu'il était malade et comment se poursuivrait son travail dans ces conditions ? Ou pour lui annoncer qu'il déménageait et voulait l'emmener avec lui ? Tout portait à croire que cette discussion allait concerner Clark, et non lui. Mais ce fut alors que Clark releva la tête, et que Jende vit son regard.

« Je suis profondément désolé, Jende, dit-il, mais je vais devoir me séparer de vous. »

Jende baissa la tête. Ainsi donc, il y était. Il y *était*.

« Je suis profondément désolé », répéta Clark.

Jende garda la tête baissée. Il était à la fois préparé, et à la fois pas. Cent émotions différentes l'envahirent, mais il ne savait à laquelle céder.

« Je sais que le moment est très mal venu pour vous faire une annonce pareille, avec votre petite fille...

— Pourquoi, monsieur ? le coupa Jende en levant les yeux.

— Pourquoi ?

— Oui, monsieur ! s'écria-t-il. Je veux savoir pourquoi ! »

Il ne pouvait pas se contrôler. La colère l'avait emporté sur ses quatre-vingt-dix-neuf autres émotions, et il aurait été vain de lutter.

Ses mains n'étaient plus moites de peur, mais de fureur.

« Dites-moi pourquoi, monsieur ! répéta-t-il.

— C'est... c'est compliqué, répondit lentement Clark en évitant le regard de Jende.

— C'est à cause de Mme Edwards, monsieur ? »

Sa voix était forte – il ne parvenait pas à la maîtriser.

« Jende, trop de choses sont arrivées en même temps, voilà tout... Je suis réellement désolé. J'essaie de faire les choses du mieux que je peux... vraiment, mais, apparemment, ce n'est pas assez, et... tout ça commence à faire trop pour moi.

— Ne me mentez pas, monsieur ! C'est Mme Edwards ! » l'accusa Jende qui, debout, repoussa sa chaise.

Il ramassa par terre sa mallette et la posa si violemment sur la table que Clark bondit presque.

« C'est le carnet, monsieur », dit-il en ouvrant la mallette et en sortant le carnet bleu. Puis il la flanqua par terre tout aussi violemment et brandit le carnet des deux mains, fixant Clark avec de gros yeux tout en le secouant devant lui. « C'est ce stupide carnet, n'est-ce pas, monsieur Edwards ! dit-il d'une voix blessée, furieuse, vaincue, trahie. Vous m'avez dit ce que je devais écrire pour elle, et je l'ai écrit. Je n'ai écrit que ce que vous m'avez dit. Je n'ai fait que ça, monsieur ! Alors, s'il vous plaît, dites-moi, monsieur ! C'est le carnet, n'est-ce pas, monsieur Edwards ? »

Clark ne répondit pas. Il ne demanda pas à Jende de baisser la voix. Il se couvrit le visage de ses mains, se frotta de nouveau les yeux.

« J'ai seulement fait ce que vous m'avez demandé, monsieur ! J'ai fait ça pour vous, monsieur Edwards ! Mais elle n'aime pas ça parce qu'elle croit autre chose, n'est-ce pas, monsieur ? Elle pense que je suis un menteur. Elle pense que je suis un menteur, pas vrai, monsieur ? Mais je ne suis pas un menteur ! Je jure sur mon grand-père que jamais de ma vie je n'irais causer des troubles dans le foyer d'un autre homme. Ce que j'ai fait, je l'ai fait pour vous éviter d'avoir des ennuis. Et maintenant, vous allez me punir, monsieur ? Vous allez me punir et faire souffrir mes enfants parce que j'ai fait ce que vous m'avez demandé ?

— Je suis vraiment désolé…

— Ne soyez pas désolé pour moi ! cria Jende en frappant le carnet sur le bureau. Je ne veux pas de "désolé". Je veux un boulot ! J'ai besoin de ce boulot, monsieur Edwards. Ma parole, ne me faites pas ça ! Ma parole, je vous supplie, monsieur Edwards, pour ma femme, pour mes enfants, pour mes parents ! Pour moi et pour ma famille, s'il vous plaît, s'il vous plaît, monsieur, je vous en supplie, ne me faites pas ça ! »

Il se rassit, transpirant et haletant. Sa lavette était dans sa mallette, mais il n'aurait servi à rien de la sortir pour s'éponger.

Clark ouvrit un tiroir de son bureau, sortit un chèque et le lui tendit.

« Voici votre paie pour le reste de la semaine, dit-il. Avec un supplément. »

Jende prit le chèque sans regarder Clark, plia le chèque sans regarder ce qu'il avait inscrit. Il se leva de son siège et, penché sur sa mallette, ramassa sa boîte à déjeuner et son dictionnaire qui étaient tombés lorsqu'il l'avait flanquée par terre. Après avoir glissé le chèque à l'intérieur du dictionnaire, il se redressa, rajusta sa veste, et souleva sa mallette.

Clark Edwards se leva également, et lui tendit la main.

« Merci pour tout, Jende, lui dit Clark avec une poignée de main molle.

— Bonsoir, monsieur. »

« Se réjouir avec les autres quand eux connaissent la joie et que tu connais la peine est la marque d'un amour véritable, prêcha Natasha. Cela démontre la capacité à dominer son ego et à se considérer soi-même non pas comme une entité séparée, mais comme part essentielle du Divin qui n'est qu'Un. »

Neni désirait faire part à Jende du message délivré par la pasteur lorsqu'elle rentra de l'église. Elle désirait lui dire que, malgré ce qui leur arrivait, ils auraient dû être heureux, car le monde était baigné de bonheur et l'humanité n'était qu'une. Elle désirait lui dire tout cela, et bien plus, mais elle n'y parvint pas, car elle n'était pas sûre d'y croire elle-même. Elle était au désespoir, et le bonheur d'autrui ne pouvait remédier à cela.

Le Jende qui lui était revenu le soir de son licenciement était un homme qu'une vie cruelle avait fait ployer. Quelque chose n'allait pas ce soir-là, elle s'en était doutée, mais ne s'était pas sentie en droit d'extorquer des explications à un homme exténué, alors elle l'avait laissé. Il était parti se coucher sans manger, sans dire un mot hormis qu'il avait passé une sale journée et se sentait très fatigué.

« Je ne vais plus travailler pour M. Edwards », lui dit-il à 5 heures du matin, lorsqu'elle se réveilla pour nourrir Timba.

Que s'était-il passé ? voulut-elle savoir. Oh, Seigneur. Que s'était-il passé ? Comment allaient-ils survivre ? Comment une chose pareille pouvait-elle leur arriver maintenant, alors qu'ils n'étaient plus qu'à quelques mois de leur comparution ?

Il ne s'était rien passé, lui répondit-il. M. Edwards était un homme bon et avait été très content de son travail. Il n'avait simplement plus besoin de lui.

« Mais pourquoi !

— Il n'a pas dit pourquoi. Il m'a juste dit merci et qu'il n'allait plus avoir besoin de moi.

— Oh, *Papa God*. Pourquoi, oh, *Papa God*, pourquoi ? »

Ils allaient survivre, lui assura-t-il. M. Edwards lui avait donné un bon chèque d'adieu, l'équivalent de deux mois de salaire. Le temps que tout cet argent soit épuisé, sans doute aurait-il retrouvé son boulot de taximan dans le Bronx. Il lui suffisait d'appeler M. Jones pour retrouver sa place.

« Nous sommes quand même arrivés jusqu'ici, lui dit-il en la tenant par les épaules, les yeux dans les yeux. Si quelqu'un nous avait dit à Limbé, à l'époque où je ramassais les poubelles, que je serais à New York City, est-ce qu'on aurait cru ça ? »

Elle secoua la tête et ferma les yeux pour chasser ses larmes. Timba babillait sur le lit près d'eux, elle qui vivait toujours dans un monde parfait.

338

« C'est à cause de Mme Edwards ! s'écria-t-elle.

— Ça n'a pas d'importance, *bébé**.

— C'est à cause d'elle !

— Viens », lui dit-il en la prenant contre lui.

40

Il se trouva que M. Jones, le patron de la société de taxis, n'avait pas de travail pour lui.

« Les gars font la queue jusqu'au coin de la rue pour une place de chauffeur de taxi, lui dit-il. C'est trop. Je n'ai même pas assez de voitures pour tout le monde.

— Et pour des courses de nuit ? demanda Jende. Je prends tout ce qu'il y aura.

— Je n'ai que cinq voitures. Cinq voitures, et quatorze gars qui veulent conduire. »

Jende tenta en vain de le convaincre de lui donner les courses d'autres chauffeurs.

« Mais, monsieur Jones, je prenais bien soin des voitures, vous vous souvenez ? Pas un accident. Pas une rayure.

— Désolé, l'ami. Je n'ai plus rien. C'est plein pour les deux prochains mois. Je t'appelle si quelqu'un se désiste, c'est promis. Je penserai à toi. »

Il finissait de passer son appel quand Neni entra dans la chambre. Sa tête tombait si bas qu'elle semblait sur le point de se décrocher. Elle s'assit près de lui sur le lit.

« Il nous reste encore des économies, dit-elle en posant une main sur ses cuisses.

— Et quoi ?

— "Et quoi" ? Il ne faut pas trop nous inquiéter, eh ?

— Oui, dit-il en se levant. On s'inquiétera quand tout l'argent sera parti. »

Il se rendit dans le salon, s'assit sur le sofa, et alluma la télévision. Dix secondes plus tard, il l'éteignit ; il n'arrivait pas à la regarder. Rester chez lui sans rien faire, sans travail, était pour lui la pire des punitions. Le désœuvrement. L'inutilité. Regarder la télévision alors que d'autres étaient au travail lui semblait totalement déplacé – une chose bonne pour les petits enfants, les vieillards et les malades, mais pas pour les hommes valides.

« Je peux te préparer des plantains avec des œufs », lui murmura Neni, accroupie près de lui, la main sur ses genoux. Elle se donnait trop de mal, Jende le voyait bien. Ce n'était pas à elle de le sauver. Il devait se sauver lui-même.

« Non, répondit-il en se levant et en se dirigeant vers la porte. J'ai besoin de prendre l'air. »

La semaine suivante, après nombre de nuits agitées, il trouva une place de plongeur dans deux restaurants. Le premier était celui dans lequel il avait travaillé à son arrivée à New York, avant d'obtenir son permis de conduire et de commencer à faire le taxi. Le premier jour de son retour, un collègue lui parla de l'ouverture d'un nouveau restaurant dans le quartier de Hell's Kitchen. Il s'engouffra dans le métro dès son service terminé et décrocha également cette place. Avec ces deux boulots, il travaillait les matins, les soirs, les après-midi. Il travaillait les week-ends aussi. Six jours par semaine, il partait avant que Liomi ne soit réveillé et rentrait lorsqu'il était couché. Pour toutes ces heures de travail, il gagnait moins de la moitié de ce que lui rapportait son travail pour Clark Edwards.

Mieux valait cela que se retrouver comme tous ces gens au chômage par ces temps difficiles, se consolait-il. Néanmoins, la chute était dégradante. Avoir porté un costume, être parti avec une mallette tous les jours, être allé devant des lieux importants, avoir entendu des conversations importantes, tout ça pour se retrouver à jeter des restes et mettre des assiettes au lave-vaisselle. Avoir roulé en Lexus, emmené des directeurs à leurs réunions, tout ça pour rester planté debout dans un coin à astiquer des couverts. Avoir disposé d'heures entières d'attente dans la voiture pour répondre au téléphone et appeler Neni pour savoir comment se passait sa journée, appeler ses parents pour savoir comment allait la santé, appeler ses amis à Limbé pour connaître les dernières nouvelles, tout ça pour disposer de quinze minutes de pause ici et là et s'asseoir un peu, se reposer ou manger gratuitement dans la cuisine du restaurant.

Trois semaines après avoir commencé, il se mit à avoir mal aux pieds.

« C'est peut-être de l'arthrite », hasarda Neni, car son beau-père souffrait de ce mal. Les doigts et les orteils de Pa Jonga étaient complètement déformés par la maladie, et Jende avait toujours craint d'en hériter. « Il faut que tu ailles voir le docteur », lui dit-elle après une nuit qu'il passa à se tortiller et se retourner.

Il voulait bien, mais quand allait-il trouver le temps ? lui demanda-t-il. Qui plus est, il ne pensait pas qu'il s'agissait d'arthrite. Il n'avait même pas quarante ans, était encore jeune et vigoureux ; la douleur allait partir toute seule. Un bon massage en rentrant du travail suffirait. Alors elle lui massa les pieds avec de l'huile de coco et les emmaillota tous les soirs. Le matin venu, ils allaient mieux, parés pour douze heures de vaisselle ou plus.

Elle le supplia de la laisser retourner travailler.

Elle appela l'agence qui l'embauchait pour retourner travailler dans une maison de santé le plus rapidement possible. Deux salaires valaient mieux qu'un en une période comme celle-ci, dit-elle avec fermeté. Mais il refusa – sa femme devait rester à la maison. Il était l'homme ; c'était à lui de prendre soin d'elle. Il ne supportait pas l'idée de la voir laisser leur nouveau-né à la crèche et courir à son travail, tout ça pour rentrer fatiguée, déprimée, et pétrie de culpabilité. Et resterait encore à nourrir un bébé, un garçon et un homme. Il était de son devoir de la préserver d'une telle existence. Sans cela, il ne remplissait pas son devoir, un sentiment qu'il éprouvait déjà bien assez tous ces soirs où il rentrait chez eux et la trouvait inquiète, car il manquait des couches pour le bébé et que Liomi avait besoin d'une nouvelle paire de chaussures et qu'il n'y avait plus assez d'argent pour acheter du bœuf pour le ragoût qu'elle voulait cuisiner. Chaque fois qu'il voyait son inquiétude, il était tenté de piocher dans ses économies, mais il résistait. Ils devaient faire avec le peu qu'il gagnait aux restaurants. Car le pire restait sans doute à venir.

Le jour de sa comparution, il se vêtit du costume noir qu'il avait porté lors de son premier jour de travail pour les Edwards. Neni l'avait lavé et repassé la veille au soir, le posant proprement sur le dossier d'une chaise pour lui le lendemain matin. Ni lui ni elle ne dînèrent ce soir-là, leur appétit coupé par la peur. Il resta au téléphone avec Winston et elle devant l'ordinateur, à lire des histoires de gens pour qui l'expulsion avait été prononcée et de familles séparées, car l'un de parents avait été expulsé. « Quoi qu'il arrive, nous prendrons les choses comme elles viennent », lui avait-il dit avant d'aller au lit, et elle avait acquiescé, les larmes aux yeux.

« Tu dors ? lui murmura-t-il au milieu de la nuit.

— Non. Je n'arrive pas.

— Qu'est-ce qu'on va faire ? lui demanda-t-il d'une voix plaintive, ayant de toute évidence besoin d'être rassuré.

— Je ne sais pas ce qu'on va faire... Même moi, je ne sais pas. »

Parce qu'ils ne pouvaient se blottir l'un contre l'autre pour se rendormir – le bébé dormait au milieu –, ils se donnèrent la main au-dessus de Timba.

Le matin venu, il resta debout à côté de Boubacar tandis que l'avocat répondait à la plupart des questions, avec un accent américain impeccable. Boubacar, le juge et l'avocat commis par le gouvernement parlèrent tour à tour, sans que Jende comprenne rien à rien. Le juge ajourna le procès et fixa une nouvelle audience au mois de juin. Boubacar remercia le juge. Le juge appela le prévenu suivant. En tout et pour tout, l'échange n'avait pas duré plus de dix minutes.

« Tu vois ce que je t'avais dit ? demanda Boubacar avec un grand sourire, en sortant du tribunal. Je continue de faire ça, et on continue à gagner du temps. Pour le moment, tu es un homme libre ! »

Jende acquiesça, même s'il ne se sentait pas libre pour autant. Plus qu'autre chose, il trouvait pathétique cette manière de repousser l'inévitable. Au moins, quand celui-ci serait officiel, il serait réellement libre.

41

Elle était assise dans le bus avec sa pochette-cadeau
sur les genoux, suivant des yeux les clients qui
entraient et sortaient des magasins de chaussures et
de vêtements, des marchands de téléphones portables
et d'articles de beauté, de chez les cavistes et des
snack-bars. La 125e Rue était bouchée – le bus M60
avançait puis s'arrêtait toutes les dix secondes –, mais
elle se forçait à rester calme, écoutant deux hommes
qui discutaient entre eux de l'investiture d'Obama.

« Jamais je n'aurais pu rater ça, disait le premier.

— Mon fils, tu sais ce qu'il m'a dit ? "Je ne vais
pas rester pendant des heures dans le froid", répondit
le second.

— Le froid ?

— Ils sont fous, ces enfants. Un moment d'histoire,
et ils te parlent du froid ? »

Le premier homme gloussa.

« J'ai encore la chair de poule quand je repense
aux prières du pasteur. Il a dit un miracle, et que
connaître ce jour-là était…

— De notre vivant.

— Du vivant de ma mère.

— Tu sais, quoi qu'il arrive, à partir de maintenant, ça n'aura pas d'importance.

— Oui, je crois que tu as raison.

— Parce que quelque part, là-haut, il y a le Dr King qui regarde notre frère Barack et qui dit : "Bravo, mon garçon."

— C'est ça. Notre garçon a réussi. »

Sur Lexington Avenue, Neni descendit du bus et prit la ligne 5 du métro en direction du centre de Manhattan. De nouveau, elle posa sa pochette-cadeau sur ses genoux, fermement agrippée à son anse. En sortant à la 77e Rue, elle vérifia l'adresse des Edwards et se mit en route en direction de Park Avenue. Elle n'était jamais allée dans cette partie de la ville et s'émerveilla devant son élégance – aucun détritus dans les rues ; des portiers vêtus comme de riches hommes ; une femme sur des Louboutin hautes de quinze centimètres, trottant comme si le monde lui était servi sur un plateau incrusté de diamants ; tout ça à quelques kilomètres de Harlem seulement, et si loin pourtant.

« Que puis-je faire pour vous ? lui demanda sans ciller le portier du Sapphire.

— Je suis venue voir Mme Edwards, s'il vous plaît, dit-elle.

— Vous êtes attendue ? »

Neni hocha la tête, espérant que l'absence de mots cacherait son mensonge.

« L'entrée de service est par là », lui dit l'homme en lui indiquant le parking sur la droite.

Son cœur battit plus vite que d'ordinaire lorsqu'elle traversa le hall à la lumière tamisée pour monter jusqu'à l'appartement 25A. Et si Mme Edwards n'était

346

pas là ? pensa-t-elle. Et si Anna changeait d'avis et refusait de la laisser entrer ? Anna lui avait dit que Mme Edwards serait sans doute enfermée dans sa chambre et ne voudrait pas être dérangée, mais Neni pouvait toujours essayer.

« Tu as de la chance, lui souffla Anna en ouvrant la porte. Elle vient juste de revenir dans le salon. »

Dans l'entrée, Neni retira ses chaussures et suivit Anna dans la cuisine.

« Tu veux la voir pour quoi ? lui demanda Anna en la regardant avec curiosité.

— Juste pour lui donner un cadeau.

— Je lui donne pour toi, proposa Anna en tendant la main.

— Non, je veux le faire moi », répondit Neni en glissant rapidement la pochette derrière son dos.

Elle ne pouvait faire part de son projet à Anna. Celle-ci aurait certainement tenté de la dissuader.

Anna avait appelé, deux jours après le renvoi de Jende, pour dire combien elle était désolée et qu'elle craignait d'être la prochaine, car Cindy se comportait comme une vraie folle ces derniers temps (elle mangeait à peine ; ne sortait presque plus ; déambulait dans l'appartement, certains matins avec les yeux rouges et gonflés). Anna ne pouvait plus parler du problème d'alcool à Clark désormais ; si Cindy se doutait de quelque chose, toutes ces années à leur service auraient été balayées. Elle en était maintenant arrivée, avait ajouté Anna, à téléphoner en secret à des agences de recrutement pour trouver une nouvelle place de bonne à tout faire, tout en obéissant au quart de tour chaque fois que Cindy prononçait un mot, afin que cette dernière ne trouve aucun motif de la renvoyer. Elle avait absolument besoin d'un travail, surtout maintenant que sa fille était entrée à l'université et que son fils aîné, qui rencontrait des difficultés avec son entreprise de bâtiment, avait emménagé chez elle avec sa femme et ses trois enfants. Neni, décontenancée par ces propos et peu intéressée à l'idée de bavarder avec une personne qui risquait de perdre son emploi alors que son mari venait de perdre le sien, avait vaguement répondu à Anna que Cindy n'allait pas la renvoyer après vingt-deux ans de bons et loyaux services. Anna avait répété en boucle qu'on ne savait jamais, que parfois les gens réagissaient bizarrement, on ne savait jamais.

« Attends là, lui dit-elle. Je vais voir si elle accepte de te recevoir. »

Pendant plusieurs minutes, Neni demeura dans la cuisine, observant ce qui se trouvait autour d'elle – les appareils en alu brossé, les placards couleur crème avec des poignées en laiton ; l'îlot de cuisine propre comme un sou neuf, sur lequel trônait une corbeille de pommes et de bananes d'une parfaite régularité ; le marbre noir de la table et le vase de lys roses ; la cuisinière Wolf, avec ses gros boutons rouges. La cuisine ici était encore plus belle que celle de Southampton, que Neni avait déjà crue être la plus belle de toutes les cuisines. Elle se demanda si Cindy cuisinait là souvent, ou n'y mettait les pieds que de temps en temps, pour préparer une recette spéciale aux garçons ou donner des instructions détaillées au cuisinier en vue d'une soirée, comme elle l'avait fait durant cet été-là.

« Elle est dans le salon, lui souffla Anna en revenant. Donne-lui vite ton cadeau et sauve-toi. »

C'est ainsi que Neni pénétra pour la toute première fois dans le salon de l'Upper East Side des Edwards et, le temps d'une longue seconde, elle resta fascinée devant la vue de Manhattan qui s'étendait derrière la fenêtre – un panorama de gratte-ciel de béton et d'acier serrés les uns contre les autres comme les maisons en briques et les *caraboat houses* de New Town, à Limbé. Une senteur des plus douces et des plus suaves, entre le parfum et la poudre pour bébé, flottait dans la pièce, et, comme le lui avait dit Jende, tout était blanc ou gris : le grand lustre (en cristal blanc qui brillait comme des poissons d'argent) ; le sol (en marbre gris rutilant) ; les tapis en peluche (d'un blanc de neige) ; le sofa et les chauffeuses (blancs) ; les fauteuils (gris avec dessus un plaid blanc) ; les tentures en relief (quatre nuances de gris) ; le centre de table en verre et les vases posés dessus ; les bougeoirs répartis aux quatre coins de la pièce (en argent) ; l'ottomane (à rayures grises) ; les deux tableaux identiques accrochés derrière le sofa, deux dessins au trait montrant une femme nue de dos, couchée sur le côté (toiles blanches) ; et les rideaux et cantonnières (d'un gris d'argent).

« Anna m'a dit que vous vouliez me donner quelque chose ? » demanda Cindy.

Elle n'avait pas levé les yeux du livre qu'elle lisait.

« Oui, madame, répondit Neni. Bonjour, madame. »

Cindy étendit une main pour que lui soit remis le sac.

« Cela a été fait par ma mère, au Cameroun, madame, ajouta Neni en le lui tendant. J'ai pensé que vous alliez aimer, car cela vous avait plu quand j'avais porté ce genre de robe dans les Hamptons. »

Cindy jeta un coup d'œil à l'intérieur du sac et le posa par terre, sur le côté.

« Merci, dit-elle. Et passez le bonjour à Jende. »

Neni resta plantée sur place, désarçonnée.

Elle ne s'était pas imaginé que l'entrevue pourrait commencer et finir de la sorte. Pas quand elle savait combien Cindy avait semblé l'apprécier au cours des derniers jours qu'elle avait passés à Southampton, comment elles s'étaient dit au revoir (par une accolade, même maladroite, une accolade que Neni s'était obligée de donner pour montrer à madame Cindy sa reconnaissance pour les cadeaux et le bonus qu'elle avait reçus). Cindy avait demandé des nouvelles de Liomi pendant le brunch, chez June, et avait dit à Neni qu'elle lui ferait parvenir quelques paires de chaussures qui ne servaient plus à Mighty par l'intermédiaire de Jende, ce qu'elle avait effectivement fait deux jours plus tard. Mais la Mme Edwards heureuse de ce dimanche-là n'était pas la même que celle assise dans le salon en ce mardi. Anna lui avait confié que Cindy avait au moins perdu cinq kilos depuis que Clark était parti vivre à l'hôtel, le lendemain de Noël, ce que Neni vit aussitôt, tant son visage semblait creusé, même sous sa couche de maquillage.

« Autre chose ? demanda Cindy, cette fois en levant les yeux.

— Oui... oui, madame, répondit Neni. Je suis aussi venue pour vous parler de quelque chose, madame.

— Oui ? »

Elle savait qu'il lui faudrait du courage pour dire ce qu'elle était venue dire, alors Neni se dirigea vers le sofa et s'assit à côté de Cindy. Les yeux de celle-ci s'agrandirent devant le geste audacieux de son ancienne bonne à tout faire, mais elle ne fit aucun commentaire.

« Je suis venue ici, madame, pour voir si vous pouvez aider mon mari », commença Neni. Sa voix tremblait. Sa tête était penchée, ses yeux plissés pour mieux l'implorer. « S'il vous plaît, si vous pouvez aider mon mari… si vous pouvez aider mon mari à récupérer son travail avec M. Edwards. »

Cindy tourna la tête vers la fenêtre. Au milieu des mille bruits de la ville que l'on entendait résonner au-dehors, Neni attendit.

« Vous êtes drôle, vous savez », finit par répondre Cindy. Elle s'était tournée vers Neni et ne souriait pas. « Vous êtes vraiment une drôle de fille. Vous venez me demander d'aider votre mari ? »

Neni hocha la tête.

« Pourquoi ? Vous pensez que je peux faire quoi pour lui ?

— Tout, madame.

— Votre mari a perdu son emploi parce que Clark n'a plus besoin de ses services. Il n'y a rien que je puisse faire à cela.

— Mais, madame, protesta Neni, la tête toujours penchée, les yeux toujours suppliants, vous pouvez peut-être l'aider à trouver un autre travail ? Peut-être que vous connaissez quelqu'un, ou que l'un de vos amis a besoin d'un chauffeur ? »

Cindy émit un ricanement.

« Vous me prenez pour quoi ? répondit-elle. Une agence de recrutement ? Il ne peut pas y aller tout seul et se trouver un boulot comme tout le monde ?

— Ce n'est pas qu'il ne peut pas trouver un travail tout seul, madame. Il a trouvé un petit quelque chose,

351

il lave la vaisselle dans des restaurants, mais ce n'est pas facile, il y a trop d'heures à faire, et ses pieds lui font mal tous les soirs. C'est dur, madame. C'est trop... très dur de trouver un travail aujourd'hui, et c'est dur pour moi et pour les enfants aussi, d'avoir un homme qui n'a pas un travail assez bon pour pouvoir bien s'occuper de sa famille.

— J'en suis désolée, répondit Cindy en ramassant son livre. Nous vivons dans un monde difficile, oui. »

La gorge de Neni se serra et elle déglutit avec peine.

« Mais dans les Hamptons, madame, continua-t-elle, vous m'avez demandé de vous aider. Vous vous souvenez comme je vous ai promis, madame ? De femme à femme. De mère de famille à mère de famille. Je vous demande la même chose aujourd'hui. S'il vous plaît, madame Edwards. Aidez-moi de n'importe quelle manière que vous pourrez. »

Cindy continua sa lecture.

« N'importe quelle manière, madame. Même si c'est un travail pour moi. Même si...

— J'ai dit que j'étais désolée, d'accord ? Je ne peux vraiment pas vous aider. J'aimerais bien, mais je ne peux pas.

— S'il vous plaît, madame...

— Je vous serais reconnaissante de vous en aller, j'aimerais continuer à lire. »

Mais elle ne s'en alla pas. Neni Jonga ne comptait pas s'en aller avant d'avoir obtenu ce qu'elle voulait. Elle se retourna, ramassa son sac à main par terre, et sortit son téléphone. Elle ouvrit le clapet, et là, dans le dossier photo, trouva ce qu'elle cherchait. Le moment était arrivé.

« Ce jour-là, madame, dit-elle, la tête haute à présent, j'ai pris une photo. »

Cindy leva les yeux de son livre.

« Ce jour-là, dans les Hamptons, murmura Neni en se rapprochant d'elle et en brandissant son Motorola RAZR sous le nez de Cindy. J'ai pris ça. »

Cindy regarda la photo. En une fraction de seconde, son visage creusé devint fantomatique tandis qu'elle se voyait, en état de transe, la bouche à moitié ouverte, un filet de salive sur le menton, le haut du corps avachi contre la tête de lit, un tube de médicaments et une bouteille de vin à moitié vide sur la table de nuit.

« Comment osez-vous ! »

Neni écarta le téléphone et ferma le clapet.

« Vous pensez pouvoir me faire chanter ? Vous vous prenez pour qui ?

— Je suis juste une mère, comme vous, madame, répondit Neni en rangeant le téléphone dans son sac à main. Je fais seulement ce que je dois faire pour ma famille.

— Sortez de chez moi immédiatement ! »

Neni ne bougea pas.

Cindy se leva et répéta l'injonction.

Neni resta assise en silence.

« Est-ce que tout va bien ? » demanda Anna en accourant dans le salon avec un plumeau. Elle s'adressait à Cindy, mais regarda Neni avec un air furieux qui signifiait, *Merde, mais qu'est-ce que tu fous ?*.

Neni l'ignora. Anna n'avait rien à voir là-dedans.

« Appelez la police ! » lui cria Cindy.

Mais Neni ne bougea pas. Elle gloussa et secoua la tête.

« Bien, répondit Anna en se précipitant dans la

cuisine, avant de s'arrêter à mi-chemin. Je leur dis quoi ?

— Qu'un intrus est ici ! Vite. Donnez-moi mon téléphone ! Vous voulez que je vous donne une leçon ? Vous allez voir ! »

Neni resta sur le sofa.

« J'ai tout vu sur Google, madame, dit-elle avec un sourire méchant.

— Vu quoi !

— Vu comment faire ça bien… quoi dire à la police quand elle va arriver.

— Espèce de sale petite garce !

— Je sais ce que la police va vous demander. Je sais ce que je vais dire. Avant l'arrivée de la police, je vais supprimer la photo. Quand ils vont arriver, je vais dire que je ne sais pas de quoi vous parlez. La police va penser que vous êtes une femme qui a perdu la raison et ils vont appeler votre mari. Ou vos amis. Et vous serez obligée de leur raconter. Vous voulez ça, madame Edwards ?

— Anna ! Le téléphone ! »

Anna courut dans le salon avec le téléphone de la cuisine et le passa à Cindy.

« Laissez-nous », ordonna-t-elle à Anna, qui lança un nouveau regard noir à Neni avant de sortir en hâte du salon.

Cindy considéra le téléphone entre ses mains comme si appuyer sur les touches « 9-1-1 » requérait une force surhumaine.

« Appelez-les, lui dit Neni.

— La ferme !

— Vous allez dire quoi, madame ? Que j'ai une photo de vous en train de boire et de prendre des

354

médicaments ? Je n'ai pas peur. Vous êtes celle qui doit avoir peur, parce que si la police m'embarque, tout le monde va savoir pourquoi. »

Debout dans le salon, agrippée au téléphone, Cindy était hors d'haleine, sa poitrine s'élevant et s'abaissant comme celle d'une femme qui vient juste de gravir en courant le mont Cameroun.

« Appelez, madame, répéta Neni. S'il vous plaît, appelez. »

Si un regard avait pu tuer, démembrer, ou découper un corps en petits morceaux, le corps de Neni aurait fini en millions de bribes, car tel était le sort que les yeux de Cindy lui auraient fait subir. Mais un regard ne pouvait avoir pareil effet. Neni savait que la victoire n'était plus très loin.

Cindy jeta le téléphone sur le sofa et s'assit. Son corps tout entier tremblait.

« Vous voulez quoi ? » demanda-t-elle à Neni.

Même ses joues tremblaient.

« De l'aide, madame. N'importe quelle aide.

— Et vous pensez que vous allez l'obtenir comme ça ? C'était donc à ça que vous pensiez depuis que vous avez travaillé chez moi ? À me faire chanter ? À trouver un moyen de faire du tort à ma famille ? »

Neni secoua la tête.

« Je n'ai jamais pris ces photos pour ça, madame. J'ai eu peur, ce jour-là, alors j'ai pris les photos pour les montrer à la police si quelque chose de grave vous arrivait. Je voulais leur montrer que vous étiez comme ça quand j'avais ouvert la porte de la chambre et que je n'avais rien fait. Je ne me souvenais même pas de cette photo, mais il y a quelques jours, j'ai…

— Vous me prenez pour une imbécile si vous pensez que je vais gober ça.

— Croyez-le ou non, madame Edwards. C'est la vérité.

— Le chantage… Le chantage…, rugit Cindy en secouant la tête et en agitant le doigt devant Neni. C'est un crime, ça… vous allez payer… je vais vous faire payer, moi… »

Pendant une minute entière, les deux femmes se regardèrent, yeux marron contre yeux verts, joues pleines contre pommettes saillantes, visage de victoire contre visage de vengeance.

Cindy détourna les yeux la première.

« Vous comptez faire quoi de cette photo ? » demanda-t-elle en regardant la ligne des gratte-ciel au-dehors, submergée par la panique pour la première fois cet après-midi-là.

Neni eut un haussement d'épaules.

« Je ne sais pas encore, madame, répondit-elle avec un nouveau sourire méchant. Mais je connais quelqu'un, il travaille pour un site web qui écrit des nouvelles sur les gens des Hamptons. Il m'a dit qu'ils cherchaient toujours de bonnes photos de femmes comme vous.

— Espèce de petite salope ! »

Un sourire se dessina sur les lèvres de Neni. Le mensonge avait marché. La réaction était précisément celle qu'elle attendait de Cindy.

« Je vous souhaite une bonne journée, madame », dit-elle en ramassant son sac à main.

Puis elle se leva et rajusta son col roulé rouge.

« Rasseyez-vous, lui ordonna Cindy.

— Je suis désolée, madame. Je dois aller faire la cuisine pour ma famille.

— J'ai dit, asseyez-vous ! »

Alors Neni s'assit.

« Vous voulez combien ? »

Neni regarda Cindy droit dans les yeux, lâcha un rire bref, puis ne dit rien.

« Je vous ai dit de donner votre prix.

— C'est vous qui savez, madame, combien ce genre de chose doit coûter.

— Ça alors, lâcha Cindy, soufflée. Ça alors. Vous ne savez pas à quel point vous me décevez, Neni. Je n'en reviens pas et je suis, tellement, mais tellement déçue. »

Mais Neni Jonga ne comptait pas se laisser de nouveau berner. Elle haussa les épaules et serra son sac à main contre sa poitrine.

« Après tout ce que Clark et moi avons fait pour vous et Jende ? C'est comme ça que vous nous remerciez ? »

Neni détourna la tête et fit mine d'être sur le point de s'en aller. Cindy se leva, se précipita dans sa chambre, et revint une minute plus tard avec un chèque à la main.

Sans même regarder la somme, Neni secoua la tête.

« Du cash, madame, dit-elle.

— Je ne garde jamais beaucoup de liquidités chez moi.

— Ce n'est pas ce que j'ai entendu dire, madame. J'ai entendu dire que les gens riches gardaient beaucoup de cash dans leur maison, au cas où quelque chose de grave arriverait à leur banque.

— Cessez donc de croire que tout ce que vous lisez s'applique à moi. »

Neni eut un rire de mépris et sourit. Elle savourait ce moment plus qu'elle ne l'aurait pensé.

« Alors je vais attendre votre retour de la banque. Ou nous pouvons y aller toutes les deux. »

Elle vit le poing de Cindy se serrer et pensa pendant une seconde que cette femme allait lui briser la mâchoire, ou demander de nouveau à Anna d'appeler la police. Mais à la place, Cindy fit demi-tour et revint quelques minutes plus tard avec un sac en papier.

« Je ne vous donne que ça, dit-elle en le lui tendant. Par bonté de cœur. Parce que je sais à quel point vous en avez besoin, que je ne voudrais pas voir vos enfants souffrir à cause de votre bêtise et de celle de votre mari. Mais je vous promets une chose : si je vous revois, ne serait-ce qu'une fois, vous finirez derrière les barreaux. Croyez-le si vous voulez, mais je ferai en sorte de vous envoyer derrière les barreaux, et je n'aurai aucune pitié. Maintenant, donnez-moi cette photo et dégagez d'ici. »

Alors Neni retira la carte SIM de son téléphone, donna le téléphone à Cindy et sortit de l'appartement.

42

Après avoir mis les enfants au lit, elle alla compter l'argent dans la salle de bains, se regarda dans le miroir et sourit : rien ne pouvait être meilleur que de commencer la journée aux abois et de la terminer par un triomphe qui dépassait ses espérances. Elle ouvrit l'armoire à pharmacie, sortit son tube de rouge et se maquilla, retroussa les lèvres devant le miroir, sourit de nouveau, s'aspergea le cou de parfum, et sortit pour se rendre sans le salon, où Jende regardait un match des Nets.

« C'est quoi ça ? demanda-t-il lorsqu'elle posa le sac en papier marron près de lui sur le sofa.

— Devine, répondit-elle.

— Tu es encore allée faire du shopping, eh ? » lui demanda-t-il sans quitter des yeux le match où les Nets perdaient.

Elle secoua la tête et s'assit à côté de lui. Elle n'arrivait pas à cesser de sourire. En d'autres circonstances, elle se serait prêtée avec plaisir au jeu des devinettes, mais pas en ce jour. Elle ne pouvait attendre plus longtemps de lui annoncer la nouvelle. Alors elle se pencha sur lui et lui souffla à l'oreille :

« C'est l'argent !

— Eh ?

— J'ai montré la photo à Mme Edwards. Elle m'a donné dix mille dollars ! »

Il éteignit le poste de télé.

« Tu as fais quoi ?

— Dix mille dollars, *bébé** ! »

Elle se mit à rire, amusée par sa tête ; par la façon dont sa bouche, son nez, ses yeux, dont tout s'était grand ouvert tant il était choqué.

Il ne se joignit pas à ses rires. Il ouvrit le sac et regarda dedans. Il la regarda, elle, puis le sac, puis elle de nouveau. Sa bouche restait ouverte.

« Tu as fait quoi, Neni ? lui demanda-t-il pour la seconde fois.

— Dix mille dollars, *bébé** ! répéta-t-elle pour la troisième fois, sans oser croire à la somme que Cindy avait jugé bon de lui donner en échange de la photo.

— Tu as perdu la raison ?

— Attends, c'est de la colère que je vois là sur ton visage ? »

Elle n'arrivait pas à le croire. Elle ne s'était pas imaginé qu'il sauterait au plafond, mais de là à régir si mal... Il la regardait d'un air furieux, comme si elle n'était qu'une voleuse, comme si l'acte qu'elle avait commis était dégradant, alors qu'il leur avait fait gagner dix mille dollars. Dix mille dollars qu'ils méritaient et dont ils avaient besoin !

« Tu as fais quoi exactement ? » demanda-t-il.

Elle lui raconta en détail ce qu'elle avait dit à madame Cindy.

« Comment tu as pu ! s'exclama-t-il en chassant sa main posée sur son genou.

360

— Comment j'ai pu quoi ?

— Oui, comment tu as pu ! Quel droit as-tu de la traiter comme ça ? Ma parole… comment tu as pu, Neni ! Pourquoi ? Comment tu as pu faire une chose pareille ? Après tout ce qu'ils ont fait pour nous ?

— Et ce qu'on a fait pour eux, eh ? rétorqua-t-elle en lui arrachant le sac en papier et en se levant d'un bond. Nous n'étions pas assez bien pour eux, non ? Et pourquoi eux et leurs problèmes comptent plus que nous et nos problèmes ? Je garde son secret, et elle, elle fait quoi pour moi ? Elle dit à son mari de te virer !

— Tu ne sais rien de ça !

— Tu ne connais pas les femmes comme celle-là, Jende. Tu ne sais pas à quel point elles pensent valoir mieux que nous ; à quel point elles pensent pouvoir tout se permettre avec les gens comme nous.

— M. Edwards a fait ce qu'il devait faire ! Je n'aime pas ce qu'il m'a fait, mais il était dans son bon droit !

— Et moi, je ne suis pas dans mon bon droit, peut-être ?

— Ça ne t'autorisait pas à lui faire ça, répondit-il. Nous ne sommes pas comme ça ! Et toi, tu vas là-bas sans même m'en parler ?

— Je savais très bien ce que tu m'aurais dit !

— Oui ! Et je te l'aurais dit parce que je ne veux pas être mêlé à cette méchanceté-là.

— Méchanceté, eh ?

— Oui, méchanceté, et je n'aime pas ça. Personne n'a le droit d'être méchant avec autrui.

— Oh, alors c'est moi la méchante maintenant, eh ? Tu as épousé une méchante femme, eh ? »

Il soupira et se tourna sur le côté.

« Vas-y, dis ce que tu penses de moi, Jende. Tu penses que je suis une méchante femme, eh ? Parce que j'ai fait quelque chose pour nous aider, tu penses que...

— En aucun cas tu n'avais à agir comme ça !

— Elle pensait pouvoir se servir de nous, elle nous prenait pour des Africains bêtes qui ne savent pas comment se défendre. Elle se croit plus intelligente que nous, elle pense qu'elle peut...

— Être africain n'a rien à avoir avec ça !

— Si, justement ! Les gens qui ont de l'argent, ils pensent que leur fortune peut tout acheter ici-bas. Ils t'embauchent quand bon leur semble, te virent quand bon leur semble, ils s'en fichent, voilà.

— Tu racontes quoi, là ? Cette femme a été bonne avec nous !

— Alors tu ne veux pas l'argent ? » dit-elle en secouant le sac en papier.

Il se leva et se rendit dans la salle de bains. Elle l'entendit s'asperger – le visage, probablement, car c'était ce qu'il faisait quand il ne savait plus quoi dire.

Elle s'assit sur le sofa, furieuse et humiliée. Comment pouvait-il la considérer comme la méchante, elle qui n'avait fait qu'essayer de résoudre leurs problèmes ? Être une bonne épouse et une bonne mère faisait donc d'elle une mauvaise personne ?

Il revint dans le salon et s'assit à côté d'elle.

Elle se détourna de lui.

« Je ne voulais pas me fâcher autant, lui dit-il en s'approchant d'elle.

— Ne me touche pas, rétorqua-t-elle.

— Essayons de nous calmer et reprenons cette discussion de zéro, OK ?

— J'ai dit : "Ne me touche pas." N'essaie même pas de me toucher maintenant. »

Alors il se poussa, soupira, et pendant quelques secondes aucun d'eux ne parla.

« Je n'aime pas ce que tu as fait, dit-il avec calme.

— Si tu ne veux pas l'argent, tu n'es pas obligé de le prendre ! s'écria-t-elle en se levant, agitant le sac sous son nez. Je vais ouvrir un compte en banque et m'en servir pour moi toute seule.

— S'il te plaît, Neni, assieds-toi.

— Demain matin, je vais aller à la banque et ouvrir un compte… », commença-t-elle, mais il se pencha vers elle et lui arracha le sac des mains.

Neni se jeta sur lui pour le reprendre, mais il en profita pour l'attirer vers lui et la forcer à s'asseoir. Elle essaya de se lever pour s'éloigner de lui, mais impossible, il la retenait.

« Je suis désolé, *bébé**, lui murmura-t-il à l'oreille. C'est que je suis… Je suis trop choqué. Ma parole, même maintenant, je ne sais pas quoi dire. »

Elle lâcha un rire méprisant, les lèvres retroussées.

« Ce que tu as fait…, dit-il, mais il secoua la tête. Pour le dire directement, en toute vérité, jusqu'à aujourd'hui, je ne savais pas quel genre de femme j'avais épousée.

— Eh, vraiment ? demanda-t-elle. Et de quel genre tu parles là ? Une femme méchante, eh ?

— Non, une femme forte, répondit-il en la regardant tendrement. Jamais je n'avais pensé que tu étais capable de faire les choses que tu viens de me raconter. »

Elle leva les yeux au ciel.

« Mais, ma parole, ne recommence plus jamais ça. Je t'en supplie, *bébé**. Plus jamais. Je ne veux pas savoir pourquoi tu pensais que tu devais faire ça, mais ne recommence plus jamais, c'est tout. »

Elle sourit et acquiesça.

« Tu veux l'argent ou pas ? demanda-t-elle, heureuse de voir l'expression apparue sur son visage.

— Je ne sais pas… Je suis gêné, Neni.

— Tu es gêné de…

— Mais dix *kolo* entre nos mains, eh ! dit-il en souriant.

— Alors tu es content maintenant ?

— Dix mille dollars ! »

Elle rit et l'embrassa.

Ensemble ils recomptèrent l'argent, touchant et pétrissant chacun des billets de cent.

« Nous n'allons rien dépenser de tout ça, lui dit-il. Nous allons agir comme si nous n'avions rien. Nous allons l'ajouter à nos économies. Par la volonté du bon Dieu, si le pire arrive un jour, nous l'utiliserons. »

Elle hocha la tête pour montrer son accord.

« Que le miracle dure toujours, eh ? dit-il.

— Que le miracle dure toujours, approuva-t-elle. Qu'il dure tant que le soleil se lève et qu'il se couche.

— Mais tu n'es pas effrayée ? Si elle appelait la police… »

Neni Jonga haussa les épaules, regarda son mari et sourit.

« C'est ça la différence entre toi et moi, dit-elle. Toi, tu aurais trop réfléchi si tu avais fait ça. Tu aurais tout planifié. Moi, je n'ai pas trop réfléchi. Je me suis réveillée, là, et j'ai dit : "On verra bien." »

43

Avec leur budget nourriture réduit de deux tiers comparé à l'époque où Jende travaillait pour les Edwards, aller faire les courses chez Pathmark se révéla être une expérience bien fastidieuse, en aucun cas semblable aux jours qu'elle avait connus à son arrivée en Amérique, où elle parcourait les rayons à grands pas avec excitation, en pensant dans sa tête, *Mamami eh*, que de produits ! Que de choix ! Tout ça au même endroit ! Il n'y avait qu'une seule chose qu'elle n'aimait pas : les prix – car ces prix-là n'avaient aucun sens. Trois plantains pour deux dollars ? Pourquoi ? Deux dollars correspondaient environ à mille francs CFA, et pour cette somme-là une femme pouvait acheter de quoi nourrir sa famille pour au moins trois bons repas. Elle pouvait acheter un gros sac de taros pour cinq cents francs CFA, du poisson fumé pour cent cinquante, des légumes pour cent, et six onces environ d'huile de palme pour la même somme, et des langoustines et des épices avec le reste de l'argent, rentrer chez elle et préparer une grosse marmite de *portor-portor coco* qui nourrirait toute sa famille de quatre personnes le soir pour le dîner, puis le lendemain midi et soir, en gardant le reste pour les enfants le matin suivant, pour le petit déjeuner avant de partir à l'école. Si cette femme-là était intelligente, elle ajouterait un peu plus de piment dans son plat, les enfants prendraient une gorgée d'eau à chaque bouchée et se rempliraient plus vite l'estomac, et le plat leur tiendrait au ventre plus longtemps.

Il lui semblait fou que la même somme d'argent ne permette d'acheter que trois plantains, qui ne suffisaient même pas à nourrir Jende un seul jour. Bien sûr, elle ne s'était pas attendue à trouver les mêmes prix à New York qu'à Limbé, mais elle avait toujours du mal à ne pas être écœurée chaque fois qu'elle dépensait l'équivalent de cinq mille francs CFA pour acheter une livre de crevettes – soit le loyer mensuel pour une chambre avec salle de bains et toilettes communes sur le palier pour tous les résidents d'un *caraboat building*. « Tu dois arrêter de comparer les prix, lui disait Jende chaque fois que Neni lui faisait part de son exaspération. Si tu continues à comparer comme ça, tu ne vas jamais rien acheter ici, disait-il encore. La meilleure chose à faire dans ce pays, chaque fois que tu entres dans un magasin, c'est de faire comme si le taux de change n'existait pas, comme si les publicités autour de toi n'existaient pas, faire comme si les gens qui parlent de ce qu'ils mangent et qu'ils boivent n'existaient pas et acheter seulement les produits dont tu as besoin. » Alors elle avait suivi ses conseils et, au bout de sa dixième sortie, peut-être, chez Pathmark, avait cessé de penser au taux de change et appris à prévoir ses repas en fonction des promotions.

Lors de ces premières semaines-là, à New York, elle avait toujours parcouru à pied les treize blocs qu'il fallait remonter avant de tourner vers l'ouest et franchir trois avenues pour se rendre au magasin. Neni poussant son chariot d'une main et tenant celle de Liomi de l'autre – tous deux vêtus du même blouson à fleurs que Jende leur avait acheté avant leur arrivée –, ainsi cheminaient-ils, d'un pas tranquille, chaque fois que le temps le permettait, afin d'observer Harlem autant qu'ils le pouvaient : ses immeubles en briques avec leurs escaliers de secours en métal noir ; les clientes satisfaites dans les salons de beauté ; les vieux messieurs bienveillants qui disaient bonjour d'un geste de la tête ; les heureux habitants qui leur faisaient des sourires. Jende lui avait dit de faire attention lorsqu'elle se rendait dans le Nord, car il y avait apparemment là-bas des cités avec des gangs et des fusillades, autour de la 145ᵉ Rue, mais elle qui n'avait jamais vu le canon d'un pistolet ne se sentait pas menacée lorsqu'elle passait devant des bandes de jeunes ou de vieux qui discutaient au coin des rues.

Chez Pathmark, même après sa première visite, elle était restée impressionnée par la manière dont les Américains faisaient leurs achats : les files devant la caisse, tout le monde attendant son tour patiemment ; les rayons bien ordonnés, avec les prix sous les produits pour que les clients puissent faire leurs courses au meilleur prix en toute facilité ; la transparence exagérée des industriels, qui non seulement emballaient joliment leurs produits, corn flakes aussi bien que thé ou corned-beef, mais qui en plus disaient sur l'étiquette ce que contenaient et ce que ne contenaient pas lesdits produits, certains allant jusqu'à détailler quel effet pouvait avoir tel ou tel ingrédient sur le corps. Quelle que soit l'heure à laquelle elle s'y rendait, quel que soit le nombre de personnes au supermarché, faire ses courses restait pour elle une activité fascinante et étrangement tranquille, presque à l'opposé de ce qu'elle aurait dû être, et à l'exact opposé de ce qu'elle était à Limbé. C'était la raison pour laquelle l'exubérance et le désordre qui régnaient dans le marché en plein air de sa ville natale lui manquaient. Et elle avait beau aimer Pathmark, faire ses courses là-bas la rendait d'autant plus nostalgique du spectacle qu'offrait Limbé chaque mardi et chaque vendredi. Ces jours-là les étalages à moitié vides le restant de la semaine se remplissaient de poissons fumés et de langoustines d'un côté, et de plantains, de taros, de légumes de toutes sortes de l'autre, ainsi que de vêtements de seconde main en provenance de Douala, à côté de la viande des vaches fraîchement saignées. L'excitation du matin, quand tout le monde se pressait pour avoir les produits les plus frais, ces femmes mariées se poussant et jouant des coudes, bien décidées à rapporter les plus beaux vêtements *okrika* à leur mari et leurs enfants, tout cela lui manquait aussi. Ça, et les cris des commerçants qui alpaguaient les clientes et criaient de ne pas acheter chez le voisin, déclenchant de savoureuses scènes de marchandage.

« Tu le taxes à combien, ce lot de bananes ? demandait la cliente.

— Donne-moi trois mille, ma sœur, répondait le vendeur.

— Trois mille ? Pourquoi ? Je te donne sept cents.

— Non, ma sœur, sept cents pas correct ; ma parole, donne-moi mille huit cents.

— Non, moi je te donne neuf cent cinquante. Si tu prends pas, je laisse ça.

— Ouê, ouê, prends les bananes ; je te fais seulement ce prix-là parce que je veux rentrer chez moi.

— Eh, alors à bientôt, monsieur le voleur.

— Moi voleur, ma sœur ? Il n'y a pas de profit pour moi aujourd'hui, mais il faut bien me faire vivre ! »

Ah, le marché de Limbé. Le plaisir de se promener là-bas, sachant qu'elle avait négocié au meilleur prix son sac de riz, lui manquait. Le marchandage n'existait pas chez Pathmark. Les vendeurs donnaient les prix et personne n'osait les défier. Ces vendeurs-là étaient comme des divinités suprêmes, aurait-on dit, et Neni le regrettait bien, car, aurait-elle pu marchander, elle aurait trouvé le moyen de rentrer dans son nouveau budget. Sa famille devait à présent manger beaucoup d'abats et réserver les pilons pour les grandes occasions. Liomi allait bientôt devoir manger des *puff-puff* pour le petit déjeuner à la place de ses Cheerios, et Jende allait bientôt devoir boire moins de Mountain Dew et plus d'eau. Quant à elle, elle allait devoir graver bien profond dans sa mémoire le souvenir des crevettes qu'elle avait goûtées dans les Hamptons, car, sauf si l'argent se mettait de nouveau à entrer, il n'y aurait plus de crevettes pour le dîner, pas même le dimanche ou pendant les vacances.

Tandis qu'elle se promenait dans les rayons du super-marché, le souvenir de ces crevettes lui rappela Anna et le brunch pour lequel elles avaient toutes les deux travaillé. Cindy leur avait dit d'emporter tous les restes qu'elles voulaient, parmi lesquels se trouvaient des crevettes bardées de lard qu'elle, Jende et Liomi avaient dévorées ce soir-là. Anna n'avait rien voulu prendre. C'était grâce à elle, également, que Neni avait eu tant de succès auprès des Edwards – Anna avait pris soin de la rappeler chaque fois qu'elle lui avait laissé un message pour lui demander conseil sur une tâche que Cindy lui avait demandé d'exécuter. En repensant à tout ça, Neni regretta de ne pas être devenue amie avec Anna, mais il n'y avait plus aucune chance à présent – tout lien d'amitié s'était brisé la dernière fois qu'elles s'étaient parlé.

« Tu lui as fait quoi, à Cindy, hier ? » avait lâché Anna sans même la saluer, lorsqu'elle l'avait appelée un peu avant 6 heures du matin, au lendemain de sa visite chez les Edwards.

Anna était dans le train, en chemin pour aller travailler.

« Anna ? avait soufflé Neni, à moitié endormie, en se rendant dans le salon pour ne pas réveiller les enfants.

— J'ai dit, "Tu lui as fait quoi ?", répéta Anna. Je veux savoir. »

Neni s'assit sur le sofa, une main sur son sein gauche, lourd et douloureux avec tout le lait accumulé à cause de Timba, qui avait décidé de faire ses nuits à deux mois seulement.

« Je ne comprends pas ce que tu veux savoir, répondit-elle à Anna.

— Je veux savoir pourquoi tu es venue à l'appartement hier, ce que tu as dit à Cindy, et pourquoi elle m'a crié d'appeler la police. J'ai essayé de t'appeler quand tu es partie, mais je suis tombée sur ta messagerie.

— Je devais rentrer chez moi pour m'occuper des enfants, répondit Neni.

— Tu es avec tes enfants maintenant, alors dis-moi ce qui s'est passé avec Cindy. »

Neni prit une grande respiration et secoua la tête. Quelle arrogance – appeler comme ça à 6 heures du matin pour l'interroger.

« Tu sais quoi, Anna ? lui dit-elle en gardant les yeux rivés sur la porte de la chambre pour s'assurer que personne ne sortait. Je n'aime pas dire ça aux gens, parce que je n'aime pas quand les gens me le disent à moi, mais ce n'est pas ton problème.

370

— Si, justement, répondit aussitôt Anna.

— Depuis quand c'est ton problème ? C'est entre Mme Edwards et moi. J'ai ma relation avec elle, et tu as...

— Si quelqu'un entre dans cet appartement et fait du mal à ses habitants, oui, c'est mon problème. Je travaille pour eux, je dois veiller à ce qu'il n'arrive rien. Toi, tu es venue hier, tu es partie, et tu sais ce qui s'est passé après ?

— Quoi ?

— Je veux savoir ce que tu lui as dit, répéta Anna.

— On avait un arrangement, je suis juste venue lui rappeler ça.

— Quel arrangement ?

— Anna, ma parole...

— Toi, tu t'en vas, et elle, elle s'enferme dans la salle de bains et elle pleure pendant deux heures ! s'écria Anna, élevant la voix d'un cran dans le train. Là, j'essaie d'aller la voir, et elle me crie de lui foutre la paix, d'aller me faire voir, moi ! Que j'aille me faire voir, et qu'on aille tous se faire voir ! Que je lui foute la paix ! Je fais quoi, moi ? À mon avis, elle pense qu'on avait préparé ça toutes les deux !

— Je ne...

— Alors j'ai appelé Stacy, je l'ai suppliée d'emmener Mighty quelque part après son cours de hockey pour qu'il ne voie pas sa mère dans cet état. Pour qu'il n'entende pas Cindy qui pleurait dans la salle de bains à cause de ce que tu lui as fait.

— Ma parole, ne fais pas comme si tout était de ma faute, OK ?

— Oh, parce que c'est de ma faute à moi ?

— Ce n'est de la faute de personne !

— Tu savais qu'elle avait des problèmes, rétorqua Anna d'une voix furieuse, chaque mot sortant avec plus de colère que le précédent. Tu savais tous les problèmes qu'elle a...

— Et quoi, tu crois que je n'ai pas de problèmes, moi aussi ? Tu sais combien j'en ai, des problèmes ?

— C'est pour ça que tu es venue voir Cindy hier ? Pour les régler ? C'est pour ça que je t'ai vue sourire quand tu es partie ? Cette femme règle ton problème, et ensuite elle pleure comme ça...

— Je ne suis pas venue pour régler mes problèmes ! protesta Neni en serrant les dents afin de ne pas élever la voix et réveiller ses enfants. S'il y a des choses que je n'aime pas dans ma vie, je trouve le moyen de les améliorer. Je règle mes problèmes toute seule !

— Et tu crois que parce que...

— Je ne crois rien du tout ! s'écria Neni. Si Mme Edwards n'est pas contente de sa vie, laisse-la régler ça elle-même. J'en ai assez des gens qui veulent que je les traite mieux que moi-même et ma propre famille.

— Mais personne ne t'a demandé ça !

— Si : toi et Mme Edwards. C'est ce que tu me dis là en m'appelant ce matin. Pour me faire sentir honteuse, parce que Mme Edwards a de gros problèmes. Pour me faire comprendre que je devrais m'inquiéter pour elle.

— Je cherche juste à savoir...

— Je suis désolée, Anna, mais si Mme Edwards veut changer sa vie, alors laisse-la sortir de cette maison et régler ses problèmes comme je l'ai fait hier. Laisse-la trouver un moyen d'être heureuse ! Et j'espère qu'elle trouvera ça bientôt, parce qu'elle me fait beaucoup, beaucoup de peine. »

44

Au milieu du quai, entre deux bancs occupés, un homme en fauteuil roulant chantait en faisant la manche. *The answer, oh babe,* chantait-il de sa voix rocailleuse, *is gonna be blowin' in the wind, the answer be blowin' in the wind, oh yeah, eh eh eh, the answer, sweet babe, it's gonna be blowin' in the wind…* Sans que personne ne l'écoute ou ne le regarde, il promenait son harmonica sur ses lèvres et soufflait dedans en fermant les yeux, approuvant sa propre musique par des mouvements de tête. Finalement, deux personnes levèrent les yeux des voies, l'une demandant à l'autre tout bas quand ce foutu métro allait arriver. « Amen, mon frère », dit quelqu'un lorsque la chanson s'acheva. « Amen à toi », renchérit une autre voix, et il devint soudain évident que plusieurs voyageurs l'avaient écouté. À l'endroit du quai où se trouvait Neni, nombreux furent ceux à acquiescer ; certains applaudirent. Neni applaudit, elle aussi, et plaça cinquante cents dans le gobelet de l'homme, pour avoir composé une si belle chanson.

Lorsqu'elle arriva à l'église, l'assistant pasteur la conduisit sans attendre dans une salle de conférences.

Sur une table se trouvait une boîte d'enveloppes avec du papier à lettres.

« Je ne sais comment vous remercier d'être venue, dit-il en lui montrant comment plier les invitations à la collecte de fonds et les glisser dans les enveloppes. Votre aide est réellement la bienvenue.

— Je suis contente de pouvoir aider, répondit Neni. Je ne savais pas si vous aviez besoin de quelqu'un quand j'ai appelé ce matin.

— Votre appel est tombé à pic. Où est votre bébé ?

— Je l'ai laissé chez moi avec mon amie. J'avais envie de sortir un peu seule pour une fois.

— Ça se comprend. Je ne suis pas sûr que je pourrais supporter d'être seul avec un bébé tous les jours.

— Natasha est là, aujourd'hui ?

— Elle est en séminaire, mais elle devrait revenir d'ici une heure environ. Je vous préviendrai quand elle sera là. »

Quarante-cinq minutes plus tard, Natasha apparut à la porte.

« Neni, comme c'est aimable à vous d'être venue aider ! dit-elle.

— Bonjour, Natasha.

— J'ai encore du travail à terminer, mais passez me voir tout à l'heure avant de partir pour bavarder un peu, qu'en dites-vous ? »

Seule dans la salle de conférences, Neni plia les lettres deux fois et les glissa dans leurs enveloppes jaunes préremplies, s'efforçant de ne pas penser à sa conversation de la veille avec Anna. Cette femme-là l'avait tellement chamboulée qu'elle fulminait encore.

« Alors, quoi de neuf ? lui demanda Natasha en

allant chercher une chaise lorsque Neni entra dans son bureau pour lui dire au revoir.

— Tout va bien, répondit Neni.

— Et les enfants ? Votre mari ? »

Neni hocha la tête.

« Vous avez donc bien commencé l'année ?

— Ça va. »

Natasha la regarda avec incrédulité, se leva et alla fermer la porte.

« Comment allez-vous, *sincèrement* ? demanda-t-elle. Comment cela s'annonce-t-il pour les papiers de votre mari ?

— J'essaie de ne pas m'inquiéter pour ça, mais c'est difficile.

— Vous avez eu du nouveau ?

— Nous attendons et nous espérons… Mais l'une de mes amies, elle m'a parlé d'une solution qui pourrait nous aider.

— C'est formidable. Quelle solution ?

— Je ne sais pas si vous allez aimer.

— Ce n'est pas à moi de juger, Neni, répondit Natasha avec un sourire. Je suis là pour vous écouter et pour vous aider à écouter votre cœur.

— Je ne l'ai même pas dit à mon mari…

— Je comprends. Ne vous sentez pas obligée de me le dire si cela vous gêne. »

Neni regarda le sourire rassurant de Natasha. Elle n'avait rien à perdre.

« Mon amie, dit-elle tout bas, elle a un cousin.

— Mmm hmm.

— Je peux me marier avec lui.

— Vous marier avec lui ? »

Neni acquiesça.

375

« Je peux avoir une *green card* si je me marie avec lui.

— Hmm, je vois.

— Je dois juste… Je dois divorcer de mon mari pendant quelques années. Ensuite, je pourrai me marier à l'ami de ma cousine pour avoir des papiers. »

Natasha hocha la tête, puis s'attacha les cheveux avec l'élastique qu'elle portait au poignet. Elle se leva et marcha jusqu'à la fontaine à eau près de la porte.

« Vous voulez un verre d'eau ? » demanda-t-elle à Neni. Neni répondit d'un geste négatif de la tête et regarda Natasha remplir un gobelet et le boire d'un trait. « Ça fait du bien », commenta la pasteur avec un grand sourire aux lèvres, en jetant le gobelet avant de retourner s'asseoir.

Neni attendait, percevant tout à coup les battements de son cœur.

« Vous envisagez d'épouser un autre homme pendant quelques années, dit Natasha.

— C'est l'idée de mon amie. Simplement, je ne sais pas si c'est bien ou mal.

— Oh, je crois que nous n'en sommes plus là, répondit Natasha en riant.

— J'ai connu quelqu'un qui disait souvent ça.

— Rumi.

— Qui ?

— Djalâl al-Dîn Rûmî, le mystique soufi. C'est lui qui a dit : "Par-delà les idées du bien et du mal, il y a un champ. Je t'y retrouverai." C'était sa manière à lui de dire : "Ne pensons pas tout le temps à désigner les choses comme étant bien ou mal."

— Mais chaque chose dans la vie est soit bien, soit mal.

— Vous croyez ?

— Vous ne croyez pas ?

— Pourquoi voudriez-vous divorcer de votre mari et mettre votre mariage en péril pour des papiers, Neni ? Pourquoi ? L'Amérique est-elle si importante pour vous ? Est-elle plus importante que vous et votre famille ? »

Neni baissa les yeux et fixa le sol. Elle entendit des passants en bas sur Thompson Street qui discutaient sous la fenêtre de Natasha.

« Vous pourriez avoir d'immenses ennuis en le faisant, ajouta Natasha.

— C'est ce que j'ai dit à mon amie, répondit Neni. Parce que j'avais aussi une autre amie au travail, et sa sœur a fait la même chose. Elle a quitté son mari et ses enfants au pays et est allée en Amérique pour se marier avec un Jamaïcain et avoir des papiers. Elle voulait faire venir son mari et ses enfants ensuite. Mais une fois marié, le Jamaïcain a refusé de divorcer si elle ne lui donnait pas de l'argent. Il lui a demandé cinquante mille dollars.

— C'est ignoble.

— Oui, parce que maintenant, elle ne peut pas retourner dans son pays, se remarier avec son mari et faire venir sa famille ici. Elle est bloquée ici et ils sont bloqués là-bas, et cette fille-là n'a plus qu'à prier pour que le Jamaïcain arrête d'être aussi gourmand. Elle ne pense qu'à retrouver son mari et ses enfants.

— Et connaissant une histoire pareille, vous avez quand même envie d'essayer ?

— Le cousin de mon amie est un homme bien.

— Oh, je n'en doute pas ! Et ce Jamaïcain est très probablement un homme merveilleux, lui aussi.

— Je ne sais pas quoi faire, répondit Neni.

— Le mieux, c'est parfois de ne rien faire. »

Neni se força à sourire. Il aurait été irrespectueux de contredire Natasha, mais ne rien faire n'était pas une possibilité. En outre, mieux valait cesser de parler de ses problèmes de *papiers** avant que ne lui échappe quelque chose que Jende aurait réprouvé.

« La personne qui me parlait du bien et du mal, dit-elle pour tenter de changer de sujet, elle a un petit frère qui déteste ne rien faire.

— On est comme ça, nous, les Américains. »

Neni et Natasha rirent en chœur.

« Avant, je travaillais pour la famille de ces deux frères. Quand j'étais avec le plus petit, je faisais tout le temps quelque chose, mais j'aimais bien ça – cet enfant était très drôle. Un jour, je l'ai accompagné chez un petit copain, et quand la maman du petit copain lui a proposé à boire et à manger, ce garçon a dit non, merci. Il a dit qu'il ne voulait pas manger parce qu'il préférait se réserver pour ce que j'allais lui préparer en rentrant. Il pensait que j'étais la meilleure cuisinière du monde.

— Je suis sûre qu'il avait raison », répondit Natasha, ce à quoi Neni sourit.

Ce soir-là, pendant que Liomi comptait et chatouillait les doigts de pieds de Timba, Neni envoya un e-mail à Mighty. Quelques secondes plus tard, la réponse arriva :

Ce message n'a pas pu être envoyé à l'adresse suivante
mightythemightyone@yahoo.com

Cet utilisateur n'a pas de compte e-mail chez yahoo.com
(mightythemightyone@yahoo.com)

Message original :

Bonjour Mighty,
Comment vas-tu ? L'école se passe bien ?
J'espère que tu es un bon garçon et que tu obéis à ton père et à ta mère. J'ai entendu dire que ta mère n'allait pas très bien. Souviens-toi de ce que je t'ai dit : les mamans sont les personnes les plus uniques au monde, alors sois gentil avec la tienne.

Affectueusement, Neni

45

Cindy Eliza Edwards mourut par un froid après-midi
de mars 2009, seule dans le lit conjugal, cinq semaines
après la visite de Neni Jonga à son appartement. Son
mari était à Londres pour affaires. Son fils aîné était
en Inde, à la recherche de l'Éveil. Son plus jeune
fils était à l'école, où on l'éduquait à devenir comme
son père. Le père de Cindy, dont ni elle ni sa mère
n'avaient connu l'identité, était mort vingt ans plus tôt.
Sa mère, qui l'aimait bien trop peu selon elle, était
partie quatre ans auparavant. Sa demi-sœur, complètement sortie de sa vie depuis la mort de leur mère,
vivait toujours à Falls Church, en Virginie, dans un
confort matériel bien supérieur à celui de leur enfance,
mais bien inférieur à celui que Cindy avait connu
à New York City. Ses amies, un peu partout dans
la ville, faisaient leur shopping chez Saks et chez
Barneys, déjeunaient autour d'un verre de bon vin,
planifiaient dîners et galas, assistaient à des réunions
de charité, songeaient à leurs prochaines vacances sous
les tropiques.

« Mais je ne comprends pas ! » ne cessait de s'écrier
Neni, tandis que Winston leur faisait le récit, à elle

et à Jende, de tout ce que lui avait raconté Frank ce soir-là, le lendemain de la disparition de Cindy.

Étouffée par son vomi, avait dit Frank, d'après le rapport d'autopsie. Des taux élevés d'opiacés et d'alcool avaient été retrouvés dans son sang, portant le médecin à croire qu'elle avait avalé au moins une dizaine de cachets de Vicodin, plus deux bouteilles de vin, avant de s'endormir et de se noyer par accident dans son vomi.

Anna l'avait découverte, à plat sur le lit, les bras en croix, le corps raide, yeux et bouche ouverts, du vomi séché sur le menton, le cou et le col de sa nuisette en soie. En l'absence de Clark, elle avait immédiatement appelé Frank, pleurant et hurlant. Frank, qui se trouvait à une réunion de travail importante, avait demandé à sa femme, Mimi, de se rendre d'urgence chez les Edwards. Mimi était allée là-bas et avait trouvé son amie morte.

« Oh, *Papa God* ! se lamentait Neni.

— Peut-il y avoir de mort si inutile ? demanda Jende.

— Pourquoi elle n'est pas allée voir le docteur ? dit Neni en portant maintenant ses mains à sa tête. Elle avait tout cet argent, et elle meurt dans son lit ! Pourquoi l'une de ses amies ne l'a pas obligée ? C'est quoi ce pays, là ? »

D'après Frank, avait dit Winston, Cindy s'était coupée du monde. Même Mimi, qui était l'une de ses bonnes amies, ne l'avait pas vue depuis des mois. Elle avait été obligée d'aller sonner à l'improviste chez les Edwards après des semaines d'appels et d'e-mails sans réponse, et après plus d'une dizaine de longues conversations téléphoniques avec Cheri et June, à qui le comportement de Cindy échappait aussi totalement. Les trois femmes avaient conclu qu'elles devaient prendre les devants, et Mimi, trois jours avant la mort de Cindy, était entrée dans sa chambre, encouragée par Anna. Là, elle avait trouvé son amie amorphe, le visage gris, dépérissant presque, dans sa nuisette blanche, assise sur son lit, les yeux dans le vague. Cindy lui avait dit vivre dans une noirceur dont elle n'arrivait pas à sortir, et Mimi l'avait suppliée d'aller voir un psychiatre, car elle souffrait de toute évidence d'une profonde dépression. Cindy avait refusé, clamant qu'elle n'était pas déprimée, mais Mimi l'avait de nouveau suppliée de le faire, au moins pour ses enfants. « Pense à Mighty, lui avait dit Mimi. Pense à ce que ça peut lui faire de voir sa mère comme ça. » Cindy avait pleuré et, pour ses fils, avait accepté de se rendre dans un centre spécialisé dans la banlieue de Boston, puisque son mariage allait inévitablement se briser, puisque son fils était en Inde et ne répondait jamais à ses appels ni à ses e-mails, puisque toute sa vie semblait de plus en plus dénuée de sens. Elle devait prendre les choses en main sans attendre si elle voulait pouvoir un jour goûter à nouveau au bonheur. Elle avait fait promettre à Mimi de ne parler à personne de leur discussion, pas même à Frank, pas même à June et Cheri. Elle comptait appeler tout le monde pour s'excuser de ne pas avoir répondu aux appels et aux messages, et tout raconter dès qu'elle se sentirait mieux.

Neni Jonga garda ses mains sur sa poitrine et sa bouche ouverte pendant toute l'histoire. Le récit de Winston terminé, elle s'essuya les yeux avec l'ourlet de sa jupe, mais de nouvelles larmes coulèrent.

« J'appelle M. Edwards ce soir ? demanda Jende.

— Non, répondit Winston. Attends quelques semaines ou quelques mois. Il y a déjà trop de choses pour le moment. Frank m'a raconté ça parce qu'il passait en coup de vent au bureau avant d'aller chercher Clark à l'aéroport. Il doit me donner la date de la messe pour Cindy, je te dirai. »

Jende secoua tristement la tête.

« Mais comment va-t-il surmonter ça ?

— Frank m'a dit qu'il pleurait très fort au téléphone, répondit Winston. Tu vois, on dirait que cet homme-là aimait vraiment sa femme, peu importe ce qu'il se passait entre eux. »

46

Mighty Edwards, vêtu d'un costume gris, joua un
joli, quoique approximatif, *Clair de lune* de Debussy
lors de la cérémonie qui se déroula une semaine plus
tard. Assis sur le banc au premier rang, Clark portait
des lunettes de soleil. Tous les gens présents, soit
deux cents personnes environ, demeurèrent, moroses,
sous la voûte de trente mètres de haut de l'église
St Paul The Apostle, au croisement de la 60e Rue et
de Columbus Avenue, avec autour d'eux des représen-
tations du Sauveur et de la Sainte Vierge, au-dessus
d'eux, des lustres, et à leur droite, sur un petit gué-
ridon, un livre dans lequel tous ceux dont le fardeau
était trop lourd à porter, tous ceux que le désespoir
avait gagnés, tous ceux dont le cœur était brisé pouvaient laisser des prières et demander une bénédiction.

Le prêtre remercia Dieu d'aimer Cindy Edwards
et de l'avoir appelée à passer l'éternité à Ses côtés.
« Une grande célébration doit avoir lieu au paradis »,
dit-il. Puis les fidèles chantèrent « Plus près de toi,
mon Dieu », et le soliste, « Paix, paix parfaite ». La
fille de Frank et Mimi, Nora Dawson, vêtue d'une
minirobe noire ajustée à manches longues, ses cheveux

blonds aussi bien brushés que ceux de sa défunte marraine, s'avança sur l'autel et lut l'Évangile selon saint Jean, chapitre quatorze, versets un à trois : La promesse de Jésus à ses disciples.

« "Que votre cœur ne se trouble point. Vous croyez en Dieu, croyez aussi en moi. Il y a beaucoup de demeures dans la maison de mon Père ; s'il en était autrement, je vous l'aurais dit, car je vais vous y préparer une place. Et lorsque je m'en serai allé et que je vous aurai préparé une place, je reviendrai, et je vous prendrai avec moi, afin que là où je suis, vous y soyez aussi." Amen. »

Lorsque arriva le moment de l'éloge funèbre – une fois que le prêtre eut assuré à l'assistance que, grâce à Jésus, une nouvelle demeure attendait effectivement Cindy au paradis ; une fois que les fidèles eurent communié ; une fois que Cheri eut lu un poème qu'elle avait fait écrire pour l'occasion, intitulé « Personne ne m'avait dit que t'aimer me briserait ainsi », Vince Edwards se leva et s'avança.

Il n'avait aucun discours à lire. Il raconta des souvenirs. De sa mère qui chahutait avec lui, son collier de perles autour du cou, lorsqu'il était petit garçon. Qui l'emmenait faire de la marche dans les Adirondacks, simplement pour perdre ses derniers grammes superflus. Les patients de Cindy, des mannequins et des acteurs, assis sur le même banc au centre de l'église, gloussèrent de rire. Il parla de la passion qu'entretenait sa mère pour une vie saine, du dévouement dont elle faisait preuve à l'égard de ses patients pour les aider à mieux manger, à mieux vivre, à se sentir mieux, et à être plus beaux – car ils étaient plus beaux. Il parla de l'amour qu'elle portait à ses amies, de l'amour qu'elle portait à ceux qui comptaient sur elle. Il parla de sa passion pour l'art – les visites forcées au Metropolitan Museum, ses tentatives infructueuses pour lui faire apprendre le violon et celle, réussie, pour faire jouer du piano à Mighty afin qu'un jour, à Carnegie Hall, le monde entier soit témoin de son talent. Une personne au premier rang se mit à applaudir. D'autres suivirent.

Vince baissa la tête et s'éclaircit la gorge. Il leva les yeux et sourit à l'assemblée. Il parla de cette mère qu'il avait eu une telle chance d'avoir.

« Elle n'était pas parfaite, dit-il. Elle avait ses défauts, oui. Mais c'était une belle personne. Une belle personne, oui. Comme nous le sommes tous ici. »

Sur le dernier banc, Jende ferma les yeux et pria pour que l'esprit de Cindy repose en paix.

Depuis l'endroit où il se trouvait, morne visage noir parmi les mornes visages blancs, il voyait l'urne rouge dans laquelle reposaient les cendres de la femme qui, encore quelques semaines plus tôt, lui tendait le chèque grâce auquel il achetait son pain quotidien ; la femme qui avait donné à ses nièces et ses neveux de quoi aller à l'école pendant un an, et donné à son fils un costume de chez Brooks Brothers. Il voyait une partie de la tête de Clark, de dos, et le sommet d'une crinière blanche, celle de la mère de Clark. Il ne voyait pas Mighty, mais ses yeux s'étaient inondés de larmes lorsqu'il avait suivi du regard cet enfant montant les marches pour aller s'asseoir au piano. Il ne ressentait pas seulement de la peine pour la femme qui reposait dans l'urne, mais aussi pour ce jeune garçon, cet enfant plein de joie qu'il avait conduit bien des matins à l'école, cet enfant qui désormais devrait vivre avec la honte née de l'acte qu'avait commis sa mère.

« Je l'ai regardé et j'ai pensé : Que va faire ce pauvre enfant ? » dit-il à Neni ce soir-là, tous les deux allongés dans leur lit, face à face.

Neni ne répondit pas.

« Ce n'est pas de ta faute, affirma-t-il. Je n'arrête pas de te le dire. Le moment était venu pour Mme Edwards de partir.

— Tu penses que tu aides en gardant le secret...

— Tu l'as aidée.

— Je ne l'ai pas aidée. »

Elle se redressa, ses coussinets d'allaitement dépassant de son soutien-gorge.

« On va donner cet argent à l'église », dit-elle d'une voix pleine de larmes.

Il se tourna sur le dos, les yeux rivés sur le plafond.

« Je crois qu'il faut donner l'argent, répéta-t-elle.

— Vous les femmes, c'est quelque chose, eh ? dit-il en secouant la tête et en riant tout bas.

— Ce n'est pas une histoire de femme, répliqua-t-elle.

— Bientôt ta culpabilité va s'en aller.

— Si j'avais su qu'elle allait mourir...

— Elle allait mourir de toute façon, OK ? répondit-il, les yeux fermés, d'une voix éteinte. Qu'elle t'ait donné l'argent ou non, elle allait mourir. »

47

Elle avait entendu parler des fraternités universitaires destinées aux meilleurs étudiants, mais ne
savait pas ce qu'elles faisaient exactement. Lorsqu'elle
reçut une lettre d'une communauté appelée Phi Thêta
Kappa l'invitant à la rejoindre, elle appela donc immédiatement Betty.

« Ça veut dire que tu en as là-dedans, oh, lui dit
Betty.

— Vraiment ?

— Oui, madame, vraiment ! Les seuls gens qu'ils
invitent sont ceux qui ont des bonnes notes. Pourquoi
tu fais l'étonnée ? Comme si tu ne savais pas qu'il y
avait un bon cerveau dans cette grosse tête-là.

— La jalousie te tuera, Betty, répondit Neni en
riant.

— Elle te tuera d'abord, toi ! »

Quand Jende rentra ce soir-là, elle lui montra la
lettre, redoutant de l'entendre pester à cause des cent
dollars demandés pour l'inscription, mais excitée de
lui montrer que ses prouesses universitaires avaient
trouvé une reconnaissance, grâce à lui qui avait travaillé si dur pour pouvoir la faire étudier.

« Je ne sais même pas si c'est une bonne idée d'y aller, dit-elle, en faisant celle qui n'est pas intéressée.

— C'est une bonne chose, *bébé**, répondit-il. Il est écrit dans cette lettre que tu es l'une des meilleures étudiantes de ta faculté. Pourquoi tu m'avais caché ça ? Alors que tu n'as pas fini le dernier semestre, ils pensent quand même à toi.

— Donc, je peux dépenser les cent dollars pour l'inscription ?

— Dépenses-en trois cents, répondit-il en l'enlaçant par la taille et en l'embrassant. S'il nous faut une bonne raison de piocher un peu dans nos économies, c'est bien celle-là. Si tu peux faire partie de cette communauté et décrocher une des bourses qu'ils donnent aux membres...

— C'est à ça que je pensais aussi, les bourses. Imagine, *bébé** ! Si j'arrive à décrocher une bourse en septembre, ou même en janvier, pour nous aider à tout payer, ça nous changerait la vie, eh ?

— Et peut-être que j'arriverai enfin à dormir la nuit. »

Le lendemain, elle envoya par Internet sa demande d'inscription puis reçut, quelques jours plus tard, un courrier pour lui souhaiter la bienvenue et lui expliquer toutes les actions de la communauté. Elle se rendit aussitôt sur le site web indiqué dans le dossier et découvrit toutes les bourses proposées – des dizaines et des dizaines de bourses, destinées aux étudiants qui avaient la même moyenne qu'elle, la même marge de progrès, la même spécialité et les mêmes objectifs d'orientation. Cependant, pour postuler à la plupart de ces bourses, la date limite était passée. Pour les bourses restantes, elle devait être sélectionnée par l'un des doyens de sa faculté.

« Alors va voir un doyen et supplie-le de te sélectionner, lui dit Jende lorsqu'elle lui raconta ce qu'elle avait appris.

— Mais je ne connais pas de doyen, répondit-elle, prenant sur elle pour ne pas lui montrer combien ce ton péremptoire l'agaçait.

— Tu vas dans ton école, Neni, et tu demandes à quelqu'un qui est ce doyen qui sélectionne les étudiants. Après, tu vas voir ce gars-là et tu lui racontes ta situation, OK ? Tu dis au gars, là, que tu dois recommencer tes études en septembre pour avoir le droit de rester dans ce pays. Tu lui dis que tu es très intelligente et que tu veux devenir pharmacienne, mais que ton mari ne gagne plus assez d'argent. Tu lui fais bien comprendre que tu veux vraiment devenir une pharmacienne, que ton mari veut lui aussi que tu deviennes une pharmacienne, vraiment. Tu lui dis tout ce que tu peux lui dire, car tu ne sais pas si le gars que tu as devant toi est un homme au bon cœur. »

Elle écouta, acquiesça et, une heure plus tard, envoya un e-mail à son ancien professeur d'algèbre, qui lui donna en réponse, le lendemain matin, le nom et le numéro de bureau du doyen Flipkens. Le professeur précisa qu'elle n'avait pas besoin de prendre rendez-vous pour le voir, qu'elle pouvait passer à son bureau n'importe quand. Cet après-midi-là, elle emmena Timba chez Betty, espérant rencontrer le doyen afin d'obtenir sa bourse le plus vite possible.

Sur le chemin qui séparait le métro de la faculté, elle imagina le doyen comme un gentil vieux monsieur blanc aux cheveux rares et gris ; une belle erreur, comme elle s'en rendit compte à son arrivée : le doyen était bel et bien blanc, mais jeune –, et doté de cheveux châtains fournis –, et très loin d'être l'homme au bon cœur que Jende avait espéré.

« Je suis désolé de vous décevoir, madame Jonga, lui dit-il peu après le début de l'entretien, mais je ne sélectionne pas les candidats sur demande. Je sélectionne les étudiants dont les résultats sont excellents, et qui participent à la vie de la faculté et de leur communauté.

— Je comprends, monsieur le doyen, répondit Neni avec mesure, tâchant de ne pas avoir l'air trop désespérée. Mais comme vous pouvez le voir, j'ai de très bons résultats, c'est la raison pour laquelle je suis venue vous trouver aujourd'hui.

— J'ai bien vu vos résultats. Mais qu'en est-il de votre implication dans la vie de la faculté et de la communauté ?

— Je…

— Êtes-vous membre d'une association sur le campus ? Quelles actions menez-vous pour améliorer la vie de vos camarades étudiants dans notre faculté ?

— Monsieur le doyen, j'ai…

— Êtes-vous bénévole dans une association, en dehors de l'école ? Dans votre quartier, par exemple ? »

Neni secoua la tête.

« J'ai été bénévole pour mon église, une fois, mais… J'aimerais beaucoup faire plus, monsieur le doyen, dit-elle, soudain prise d'un sentiment de honte, comme si l'on l'avait surprise en train de voler. Mais je n'ai pas le temps, monsieur le doyen.

— Personne n'a le temps, madame Jonga.

— J'ai deux enfants, et avant la naissance de ma fille,

je travaillais aussi. Si j'avais du temps, je serais vraiment heureuse de faire quelque chose pour ma faculté, car je l'aime vraiment. Mais sans temps libre, monsieur le doyen, je ne peux rien faire du tout.

— Je ne sais quoi vous dire.

— J'ai besoin d'aide, n'importe quelle aide, doyen Flipkens. Il ne me reste plus que deux semestres à valider avant de pouvoir entrer à l'université. Mais mon mari, il a perdu son travail qui gagnait bien. Je ne sais pas comment je vais retourner à l'école en septembre si personne ne m'aide à obtenir une bourse. Si vous pouvez faire quelque chose pour m'aider... »

Le doyen la fixa derrière ses lunettes à grosse monture à la mode, puis se tourna vers son ordinateur. Il ne devait pas avoir moins que son âge, estima Neni, même s'il semblait très juvénile, pareil aux jeunes bien coiffés, à la peau impeccable, que l'on voyait partout sur les panneaux publicitaires à Times Square. Neni ne put s'empêcher de penser qu'il se trouvait là, dans ce bureau, simplement parce qu'il le devait, et non parce qu'il le voulait. Voilà qui suffit à la convaincre que cet homme-là n'aurait aucun état d'âme si elle devait laisser tomber ses études à la faculté.

Tandis qu'il promenait sa souris sur le tapis, elle observa ses mains aux ongles bien propres, à la peau visiblement douce, les mains de celui qui n'a jamais connu un jour de dur labeur.

« Je vous aurais bien redirigée vers le service d'aide financière, dit-il en se retournant vers Neni, mais je vois que vous êtes une étudiante étrangère. Vous devez certainement savoir que la presque totalité des bourses ou des prêts que nous proposons sont destinés aux étudiants américains ou aux résidents permanents. Je ne peux donc pas grand-chose pour vous. »

Neni hocha la tête tout en boutonnant sa veste et en ramassant son sac à main.

« Néanmoins, je dois vous demander, madame Jonga…, poursuivit-il sans même remarquer que Neni s'apprêtait à partir. Je vois que vous prévoyez de faire une école de pharmacie une fois votre diplôme obtenu. Est-ce toujours votre vœu ? »

Neni hocha la tête, refusant de gaspiller un mot de plus pour lui.

« Puis-je vous demander : pourquoi la pharmacie ?

— J'aime la pharmacie, répondit-elle brusquement.

— J'entends bien. Mais pourquoi ?

— Parce que je veux donner aux gens les médicaments qui vont les aider à aller mieux. Quand je suis venue en Amérique, le cousin de mon mari m'a conseillé de faire ça, il m'a dit que c'était une très bonne matière pour étudier. Et tout le monde dit que c'est un bon métier. Est-ce que c'est un problème de vouloir devenir pharmacienne, monsieur le doyen ? »

Le doyen sourit, et Neni entendit le rire de mépris qui devait résonner en lui, pour la manière dont elle venait de défendre son choix.

« "Tout le monde" a raison de vous dire que la pharmacie est un bon choix, répondit-il, toujours avec un sourire hautain. Mais je me pose une question – et c'est une chose que je déteste dire aux étudiants, car je ne voudrais pas leur donner à penser que je leur conseille de réviser leurs ambitions à la baisse –, mais vous êtes-vous demandé si cette voie était la bonne pour une personne dans votre situation ?

— Je ne comprends pas ce que vous voulez dire.

— Je me demande simplement, madame Jonga, si un autre choix de carrière ne serait pas plus judicieux pour quelqu'un comme vous.

— Je veux être pharmacienne, affirma Neni, sans plus déguiser sa colère.

— Fort bien, et c'est tout à votre honneur. Mais vous êtes venue me voir aujourd'hui parce que vous manquez d'argent pour terminer votre cursus. Vous avez deux enfants, votre mari ne gagne pas assez bien sa vie, et vous rencontrez déjà des difficultés pour joindre les deux bouts. Les études de pharmacie coûtent très cher, madame Jonga, et vous êtes une étudiante étrangère. À moins que votre statut ne change, il va vous être difficile d'obtenir des prêts pour arriver jusqu'à la fin de vos études – si tant est que vous réussissiez à terminer votre cursus ici, en premier lieu.

— Donc, mieux vaut abandonner l'idée de devenir pharmacienne, c'est ça ? »

Le doyen ôta ses lunettes, les posa sur le bureau.

« Mon rôle de vice-doyen chargé de la vie étudiante, répondit-il, est de vous donner des conseils d'orientation. Et mon but, lorsque je conseille des étudiants comme vous, madame Jonga, est de les guider vers des objectifs réalisables. Vous comprenez ce que je veux dire, quand je parle d'"objectifs réalisables" ? »

Neni le regarda avec colère, sans dire un mot.

« Il existe beaucoup d'autres carrières dans le domaine de la santé auxquelles je peux vous aider à accéder. Infirmière auxiliaire, technicien de contrôle ultrasons, facturation médicale, codage médical, tout un tas de métiers qui… qui seraient davantage à votre portée…

— Je ne demande pas un métier à ma portée.

— Mais ne serait-il pas dommage de passer des années à poursuivre un but que vous avez si peu de chances d'atteindre ? Je… Je voudrais juste en discuter avec vous afin de déterminer quelles sont vos chances de… de sortir diplômée de notre faculté, d'entrer dans une école de pharmacie et de devenir une pharmacienne agréée qui devra par ailleurs gérer le stress dû à ses difficultés financières, élever deux enfants et vivre dans ce pays avec un visa temporaire. Ne pensez-vous pas qu'il serait dommage de vous engager dans un projet, de dépenser du temps et de l'argent, tout ça pour ensuite laisser tomber parce que vous vous rendrez compte que vous avez vu trop grand ? Et avant de croire que je cherche à casser vos plans, sachez que je m'appuie sur des années d'expérience. Vous n'imaginez pas le nombre d'étudiants à qui cela est arrivé, et à quel point je regrette chaque fois qu'ils n'aient pas été mieux orientés. Parce que sur tous les étudiants comme vous qui veulent devenir médecins ou pharmaciens, il y en a toujours quatre ou cinq qui n'arrivent pas à entrer à l'école de médecine ou de pharmacie et qui sont ensuite obligés de recommencer de zéro pour devenir infirmiers. »

Neni rit et secoua la tête. La situation n'était pas drôle, mais comment ne pas en rire ?

« Je crois n'avoir rien dit de drôle, remarqua le doyen.

— Est-ce que vous avez grandi en rêvant d'avoir le travail que vous avez maintenant, monsieur le doyen ? lui demanda Neni, tout amusement évaporé et remplacé par une rage qui bouillonnait si férocement qu'elle craignit qu'elle ne lui jaillisse par le nez.

— À vrai dire, j'avais d'autres ambitions, mais vous savez... dans la vie, on ne fait pas toujours...

— C'est pour ça que vous ne voulez pas que je devienne pharmacienne ? renchérit-elle en se levant et en glissant son sac à son épaule. Parce que vous êtes assis là, dans ce bureau, et pas à un autre endroit ?

— Je vous en prie, rasseyez-vous, madame Jonga, lui dit le jeune homme en l'y invitant d'un geste de la main. Il n'est pas nécessaire de...

— Je veux devenir pharmacienne ! s'écria Neni. Et je vais le devenir. »

Lorsque Jende rentra du travail ce soir-là, elle ne lui dit rien de sa conversation, hormis que la probabilité était faible pour elle d'obtenir une bourse, quelle qu'elle soit. « Dans ce cas, pourquoi est-ce que tu veux toujours aller à la cérémonie de ta communauté, là ? » demanda-t-il sur un ton qui lui donna l'impression de l'avoir cruellement déçu. « Parce qu'il faut quand même fêter ça », répondit-elle, mais il ne fut guère convaincu. Car à quoi bon manquer le travail et perdre de l'argent juste pour la regarder intégrer une communauté qui n'allait pas les aider ? « Vas-y avec tes amies, lui dit-il. Ou bien demande à Winston. »

Winston lui répondit qu'il serait heureux de l'accompagner lorsqu'elle lui téléphona pour l'inviter. Il se moqua gentiment de sa réussite, lui disant de bien vérifier qu'elle intégrait une fraternité universitaire et non une société secrète, car parfois la différence était mince, et Neni se moqua gentiment en retour en lui disant que la seule société secrète qu'elle pourrait envisager un jour d'intégrer était celle dont lui faisait partie et grâce à laquelle il était passé de caissier dans un petit supermarché de Chicago à avocat de Wall Street. Winston se mit à rire, l'assura qu'il était vraiment fier d'elle, et le jour de la cérémonie d'intronisation il quitta son bureau plus tôt afin de la rejoindre, ainsi que Fatou et les enfants, devant l'auditorium. Tandis que Fatou attendait dans le couloir avec Timba, Winston et Liomi applaudirent et poussèrent des cris de joie lorsque Neni, aux côtés de vingt-huit autres étudiants, fut officiellement déclarée membre de Phi Thêta Kappa. À la fin, Winston emmena tout le monde manger des sushis. Il commanda des assiettes d'anguilles et de makis à l'avocat et des makis à la crevette et au concombre. Il encouragea Fatou à boire autant de saké qu'elle voulait, riant avec elle chaque fois qu'elle descendait un verre puis le reposait d'un coup sec sur la table.

« Si c'est comme ça qu'on fête quand elle va dans une société, dit Fatou en riant de sa propre attitude, digne des filles qu'elle voyait sur MTV, comment est-ce qu'on va fêter quand elle va devenir pharmacienne ?

— Il nous emmènera au restaurant de l'hôtel Trump, répondit Neni en riant à son tour, sa cuillère de miso à la main. Et il engagera Donald Trump lui-même pour nous faire griller des steaks ! »

Winston secoua la tête.

« Non, dit-il, souriant de voir ces femmes rire à ses dépens. Le jour où notre fille là deviendra pharmacienne, je vous emmènerai tous dans un endroit que l'on appelle le Four Seasons. »

48

La saison des pluies à Limbé commence en avril.
La pluie tombe tous les jours ou presque pendant une
ou deux heures, pas suffisamment pour empêcher les
habitants de sortir, mais suffisamment pour les obliger
à chausser leurs *chang shoes* avant de braver les rues
boueuses. Quand arrive le mois de mai, les pluies
sont plus abondantes et le temps plus frais entre deux
averses, mais pas au point de leur faire enfiler leurs
sweaters. Les pluies de mai surviennent habituellement
la nuit, frappant si fort les toitures en tôle que certains
craignent qu'elles ne leur tombent sur la tête.

La nuit où Pa Jonga mourut fut une de ces nuits-là.

Sa femme et ses enfants avaient passé toute la
soirée et le début de la nuit à aller et venir en courant sous une pluie battante pour se rendre dans la
cuisine, derrière la maison, et faire bouillir le *masepo*
et les bâtons de citronnelle. Ils lui faisaient boire la
décoction avec le paracétamol et la nivaquine que le
pharmacien du Demi-Mile avait prescrits. Le pharmacien avait diagnostiqué à Pa Jonga la malaria, ou
bien la fièvre typhoïde, et avait recommandé qu'il
prenne ses médicaments, le ventre plein, trois fois par

jour. Ma Jonga et ses fils avaient fait tout ce que le pharmacien avait dit, mais ni la médecine de l'homme blanc ni la médecine du pays n'avaient fonctionné : Pa Ikola Jonga était mort à 4 heures du matin, presque au même moment que les premiers appels à la prière de la mosquée du quartier.

Jende n'avait plus que deux heures à travailler avant la fin de son service dans le restaurant de Hell's Kitchen quand son frère cadet, Moto, l'appela sur son téléphone portable, une heure après le décès. Le corps du vieil homme étendu sur le lit était encore chaud.

« *Papa, don die, oh*[1], pleurait Moto. *Papa don die.* »

Son patron permit à Jende de partir plus tôt.

« Je suis sincèrement désolé, lui dit-il. Transmettez mes condoléances à votre famille en Afrique. »

Jende resta assis, la tête baissée, pendant tout le trajet du retour en métro, trop choqué pour pleurer. Il trouva Neni en train de gémir dans son téléphone portable lorsqu'il entra dans leur appartement. Dès qu'elle le vit, elle lâcha le téléphone et accourut pour le prendre dans ses bras. Ce fut alors que, derrière ses paupières, le barrage céda.

« Papa, oh, papa, pleura-t-il, pourquoi ne m'as-tu pas donné une dernière chance de te revoir ? Eh, papa, comment as-tu pu me faire ça ? » Son nez, ses yeux, sa bouche crachaient des fluides de toute part. « Pourquoi ne m'as-tu pas attendu, papa ? Eh ? Pourquoi m'avoir fait ça ? »

Winston et sa belle, Maami, arrivèrent juste après minuit. Winston prit un jour de congé et Maami – qui avait récemment quitté Houston pour emménager à

---

1. Papa est mort, oh. Papa est mort. *(N.d.T.)*

New York après que Winston eut regagné son cœur, et l'eut engrossée dans la foulée – apporta son *laptop* pour travailler sur sa comptabilité dans la chambre. Nombreux furent les amis qui passèrent ce soir-là, les mêmes amis venus danser le jour où Timba était née. Aucun d'entre eux ne demanda si Jende allait rentrer, car tous pensaient qu'ils seraient informés s'il partait, et que s'il ne partait pas, eh bien – aucun homme n'avait obligation de dire à autrui qu'il ne pouvait retourner enterrer son père au pays.

Pa Jonga fut emmené à la morgue de la province de Limbé et enterré deux semaines plus tard. Jende envoya l'argent pour l'enterrement, deux jours de grandes célébrations, avec nourriture, boissons, oraisons et libations, danses, chants et larmes. Cet événement coûta plus d'argent que Pa Jonga n'en avait gagné durant les dix dernières années de sa vie. Son corps, paré d'une tunique blanche, fut placé sur un lit de briques recouvert d'un drap immaculé. Toute la nuit, Ma Jonga le veilla, assise par terre au chevet du lit, vêtue d'un *kaba* noir, hochant la tête chaque fois qu'un proche défilait dans la chambre pour voir la dépouille et lui dire d'être forte.

Ashia, mama, disaient-ils. *Tie heart, na so life dey, oh. How man go do*[1] ?

Le lendemain, les restes furent bénis par le pasteur de la Mizpah Baptist Church, alors même que Pa Jonga n'avait pas mis les pieds dans une église depuis des années. Ma Jonga avait toujours souhaité qu'il se fasse baptiser, comme l'étaient Jende et ses

_____

1. Dieu te bénisse, maman. Mon cœur est serré, mais c'est la vie, oh. Que veux-tu y faire ? *(N.d.T.)*

autres fils ; Ma Jonga avait rêvé voir le pasteur le plonger dans le petit cours d'eau qui traversait le jardin botanique, puis le relever sous les chants de la congrégation, *Sonnez les cloches du paradis ! La joie règne aujourd'hui, car une âme a été sauvée du chaos !* Mais Pa Jonga n'avait rien voulu entendre de ces bondieuseries. « Quand je mourrai, disait-il à sa femme, je ne suivrai Jésus que si je le vois de mes deux yeux. »

« Quelle Église va bien pouvoir accepter de le baptiser maintenant ? avait demandé Jende à Moto tandis qu'ils cherchaient par quels moyens offrir à Pa Jonga l'un des plus beaux enterrements que New Town ait jamais connus (car aucun homme ayant un fils en Amérique ne pouvait avoir un enterrement ordinaire, ainsi le voulait la croyance à Limbé).

— N'importe quelle Église qui aime l'argent le baptisera, avait répondu Moto. Je sais que tu as déjà envoyé autant d'argent que tu pouvais, si tu voulais bien envoyer un peu plus, nous pourrions donner une bonne enveloppe à l'Église pour qu'elle nous dépêche un pasteur qui fasse le baptême et l'envoie direct au paradis. »

Pour la première fois depuis bien des jours, Jende avait ri.

Il envoya l'argent et apprit le lendemain que la Mizpah Baptist Church avait accepté de baptiser son père. Ma Jonga possédait encore sa carte de la paroisse, en dévouée fidèle qu'elle était, également membre du groupe de femmes kakanes de l'église. C'était pour elle que le pasteur avait accepté de venir jusque dans leur maison et de bénir Pa Jonga dans son voyage vers le paradis. L'argent que Jende avait envoyé ne fut pas utilisé pour payer l'église, finalement, mais comme offrande à son père, pour célébrer sa longue et heureuse vie.

À la fin de l'office funèbre, les femmes kakanes, toutes vêtues de leur *social wrappers*, conduisirent le cortège depuis la maison jusqu'au cimetière. Une fanfare embauchée pour l'occasion marcha derrière les femmes, suivie par la Land Rover louée pour transporter le cercueil aux poignées cuivrées de Pa Jonga. Derrière la Land Rover, une procession de trois kilomètres de long défila, composée de membres de la famille et d'amis, certains brandissant des portraits encadrés du défunt au-dessus de leur tête. Ils défilèrent et dansèrent, et poussèrent des cris partout dans New Town et à travers le marché, pleurant et chantant, *Yondo, yondo, yondo, yondo suelele.*

Jende vit tout cela sur la vidéo qu'il avait demandé à Moto de tourner.

Il regarda les six heures de DVD d'un seul coup. Il vit sa mère s'écrouler de chagrin lorsque le cercueil s'ouvrit et révéla le corps de son père rapporté à la maison pour la veillée. Il écouta les oraisons décrivant Pa Jonga comme un homme d'une grande bonté, bon fermier et grand joueur de dames également. Il regarda les danses qui se poursuivirent jusqu'au petit matin du samedi. Il écouta le sermon que le pasteur prononça dans la maison, un sermon disant que ni la mort ni la vie, ni les anges ni les démons, ni le présent ni le futur, ni aucun pouvoir, quelle que soit sa nature, ni les hauteurs ni les profondeurs, ni aucune créature que la Terre ait jamais portée ne pouvait séparer les enfants de Dieu de Son amour. Jende regarda le moment où son père fut mis en terre et où le pasteur proclama :

« Ikola Jonga, tu es poussière, et à la poussière tu retourneras. »

Sa peine de n'avoir pu venir enterrer son père était aussi lourde que le chagrin causé par sa mort. Chaque moment de cette vidéo de piètre qualité le fit pleurer, excepté ceux où il fut emporté par l'étonnement en voyant le poids qu'avaient pris certains amis ou membres de la famille qu'il n'avait pas vus depuis presque cinq ans, les cheveux blancs qu'ils avaient gagnés ou les dents qu'ils avaient perdues.

Au lendemain du visionnage, son dos commença à le faire souffrir. Il fut obligé de partir plus tôt de son premier travail, un après-midi, et de téléphoner pour dire qu'il ne pourrait être présent au second, le soir venu. La douleur qu'il sentait aux pieds semblait être remontée jusqu'à son dos, mais avec plus de vigueur encore. Il passa ainsi plusieurs matinées étendu par terre avant de partir travailler, se tortillant de douleur, avalant jusqu'à cinq gélules de Tylenol à la fois. Un collègue lui recommanda un médecin qui acceptait les paiements cash dans le quartier de Jamaica, dans le Queens. Celui-ci lui compta soixante dollars pour vingt minutes de consultation, après l'avoir informé que l'assurance maladie-accident que Neni avait souscrite sur Internet – lorsque leur droit d'éligibilité au programme gratuit d'aide aux soins prénataux avait pris fin – ne leur serait pour ainsi dire d'aucune utilité. (Fort heureusement, les enfants bénéficiaient d'une assurance maladie prise en charge par l'État de New York.)

Dans son cabinet sans fenêtre, au sous-sol d'un bâtiment, le médecin examina Jende et lui annonça que ses douleurs étaient probablement liées au stress.

« Y a-t-il des facteurs de stress importants dans votre vie ? » lui demanda-t-il.

Des facteurs de stress importants dans ma vie ? voulut répondre Jende. Oui, docteur, il y en a. Dans quelques semaines, je dois comparaître devant le juge de l'Immigration pour continuer à le supplier de ne pas m'expulser. Mon père vient de mourir et je n'ai pas pu aller à son enterrement. Quelle plus grande honte peut-il y avoir pour un fils aîné ? Comme ma mère se fait trop vieille pour élever des cochons, cultiver et vendre au marché, je vais devoir commencer à lui envoyer de l'argent plus régulièrement. J'ai une femme et deux enfants à nourrir, habiller et loger. Ma femme doit reprendre l'école pour conserver son visa étudiant, mais je risque de ne pas pouvoir payer ses frais de scolarité en faisant seulement la vaisselle dans des restaurants. Elle devra peut-être abandonner ses études et vivre sans aucun papier. Elle terminera peut-être devant le juge de l'Immigration, elle aussi, à le supplier pour avoir le droit de rester dans ce pays afin de trouver un moyen d'arriver au bout de ses études. Mais oubliez les études : certains jours, nous n'avons même pas de quoi acheter du poulet. Je m'oblige à la plus grande rigueur concernant mes économies, pour être prêt quand le pire viendra, mais je me demande maintenant : pourquoi toutes ces économies ? Le pire est arrivé, et mon dos se brise. Oui, docteur, je peux dire qu'il y a des facteurs de stress importants dans ma vie.

49

Il sut que tout était fini au moment où il sortit du cabinet.

Ce soir-là, après le travail, il demanda à Neni de venir s'asseoir à la table du coin cuisine. Il lui prit la main et la regarda dans les yeux.

« Neni, commença-t-il.

— Qu'est-ce qui ne va pas ? Qu'est-ce que le docteur a dit ?

— Neni, dit-il une nouvelle fois.

— Jende, ma parole…

— Je suis prêt à rentrer chez nous.

— Chez nous où ça ? Comment, "rentrer chez nous" ? »

Il prit une profonde inspiration et resta silencieux pendant plusieurs secondes.

« Chez nous à Limbé, dit-il à sa femme. Je veux rentrer à Limbé. »

Elle retira sa main de la sienne et se recula sur sa chaise, comme si Jende venait de lui annoncer qu'il était atteint d'une maladie sournoise et contagieuse.

« C'est quoi encore, cette histoire ? » demanda-t-elle.

Il y avait de la colère dans sa voix.

« Je ne veux plus rester dans ce pays.

— Tu veux qu'on fasse nos bagages et qu'on retourne à Limbé ? C'est ça que tu dis ? »

Il hocha la tête, la regardant avec peine, comme un enfant implorant d'être pardonné.

Elle sonda ses yeux, des yeux rouges et lourds qui semblaient être ceux d'un homme malade, brisé. Lorsqu'il tenta de reprendre sa main, elle s'éloigna davantage et la cacha derrière son dos.

« Tu veux retourner à Limbé ?

— Oui.

— Pourquoi ? Pourquoi est-ce que tu parles comme ça, Jende ? Que veux-tu dire par là ?

— Je n'aime pas ce que ma vie est devenue dans ce pays. Je ne sais pas combien de temps je peux continuer à vivre comme ça, Neni. J'ai trop souffert à Limbé, mais la souffrance ici, celle que j'endure maintenant... je ne peux plus supporter ça. »

Neni Jonga fixa son mari comme pour compatir avec lui, mais elle ne ressentait qu'un grand agacement.

« C'est à cause de quelque chose que le docteur t'a dit ? demanda-t-elle. C'est à cause de ton dos ?

— Non... Ce n'est pas seulement à cause de mon dos. C'est à cause de tout, Neni. Tu n'as pas vu à quel point je suis malheureux ?

— Si, bien sûr, *bébé**. J'ai bien vu que tu étais malheureux. Mais ton père est mort, et tu as porté le deuil. N'importe quelle personne qui aime son père comme tu aimais le tien serait malheureuse.

— Ce n'est pas seulement à cause de mon père. C'est à cause de tout ce qui s'est passé. Du boulot que j'ai perdu. De mon problème de *papiers**. Et

bosser, bosser, bosser tout le temps maintenant. Pour
quoi ? Pour si peu d'argent ? Jusqu'à quel point un
homme peut supporter de souffrir dans ce monde,
eh ? Combien de temps encore... »

Mais sa voix dérailla et il fut obligé de tousser.

« Tu sais que nous pouvons traverser n'importe
quoi, Jends, répondit Neni en lui prenant la main.
Nous avons déjà surmonté tant d'épreuves. Tu sais
que nous allons y arriver, eh ? »

Il secoua la tête.

« Non, dit-il. Je ne sais pas si je vais y arriver.
Je fais tout mon possible, mais je ne sais pas si ma
vie dans ce pays va s'améliorer. Combien de temps
encore je vais continuer à faire la plonge ?

— Seulement jusqu'à l'obtention des *papiers**.

— Ce n'est pas la vérité, dit-il en secouant tristement la tête. Les *papiers**, ce n'est pas tout. En
Amérique, aujourd'hui, il ne suffit pas d'être en règle.
Regarde tous ces gens qui ont des papiers et qui
galèrent. Regarde tous ces Américains qui souffrent
eux-mêmes. Alors qu'ils sont nés dans ce pays. Ils ont
des passeports américains, et pourtant ils dorment dans
la rue, ils vont se coucher avec la faim, ils perdent
leur boulot et leur maison chaque jour avec cette...
cette crise économique. »

Timba se mit à pleurnicher dans la chambre. Ils
s'arrêtèrent de parler, regardant ailleurs en attendant
que le bébé se rendorme tout seul. Ce qu'il fit.

« Avoir des papiers dans ce pays, ce n'est pas tout,
poursuivit Jende. Tu crois que ça va changer quoi
dans ma vie si j'ai des papiers demain ?

— Tu auras un meilleur travail, non ?

— Quel meilleur travail ? Les études que j'ai faites

ne sont pas de vraies études. Je vais faire quoi ? Devenir caissier chez Pathmark ? Passer dix ans à peser des crevettes comme Tunde ?

— Mais, *bébé**, c'est un bon travail, de bosser chez Pathmark. Tu sais ça. Tunde a un très bon boulot. Il a des avantages, des tas d'assurances. Il cotise même pour la retraite – c'est ce qu'Olu m'a dit. Et en plus de tout ça, il achète à manger pour sa famille à prix pas cher. Ce n'est pas un bon travail, ça ? »

Jende regarda Neni et gloussa de rire, un gloussement sans joie, puis il secoua la tête une nouvelle fois. Neni pensait peut-être que son amie Olu avait une bonne vie, car son mari travaillait à la poissonnerie chez Pathmark, mais Jende avait bien du mal à croire que Tunde était heureux. Comment l'aurait-il été, à passer chaque jour de la semaine au milieu des poissons, à rentrer chez lui le soir en empestant la marée ?

« Tu crois que Tunde et Olu ont une si bonne vie, eh ?

— Je crois qu'ils s'en tirent bien, et que nous pouvons faire pareil si tu as tes papiers et un boulot comme celui-là.

— Et tu crois que je vais pouvoir m'occuper de ma famille combien de temps avec ce que Pathmark me paiera ? Eh, Neni ? Comment tu veux que je t'envoie à l'école de pharmacie avec ce salaire-là ? Comment tu veux que j'envoie Liomi à l'université ? Comment tu veux que je nous sorte de cette maison pleine de cafards ?

— Dans ce cas, nous partirons à Phoenix. Tu as toujours voulu ça, eh ?

— Je ne vais pas partir à Phoenix ! Tu crois que Phoenix aura mieux à nous offrir ? Moi qui étais tellement jaloux d'Arkamo parce qu'il possédait une belle maison avec cinq pièces là-bas, j'ai appris il y a deux jours qu'il avait tout perdu. Le grand magasin qui le faisait bosser a fermé, il n'a plus de travail, il n'a pas pu payer la banque, et la banque a repris sa maison. Tu sais où il vit avec sa famille maintenant ? Dans la cave de sa sœur, sans même une fenêtre ! C'est ça que tu veux, Neni ? Finir dans une cave à Phoenix ? »

Neni soupira et secoua la tête.

« OK, *bébé**, dit-elle. Alors on va rester à New York. Tu vas peut-être pouvoir reprendre ton boulot de chauffeur ? Tu vas peut-être trouver un nouveau boulot comme celui que tu avais avec M. Edwards ?

— Tu ne sais pas ce que tu dis.

— Je dis seulement que…

— Tu penses que c'est facile d'avoir un boulot comme ça ? Tu penses que c'est simple pour quelqu'un comme moi d'obtenir un bon travail comme ça ? Tu n'étais peut-être pas là quand j'ai envoyé cent curriculums pour toutes ces annonces de chauffeur qu'on avait trouvées sur Internet et que personne ne m'a jamais appelé ? Tu sais bien que j'ai eu ce travail parce que M. Dawson apprécie beaucoup Winston et qu'il lui faisait confiance. J'ai eu ce travail grâce à Winston, pas grâce à moi. Alors arrête de parler comme quelqu'un qui a perdu la raison. »

Elle voyait bien qu'elle l'avait fâché. Elle essaya de lui masser l'épaule pour apaiser sa colère, mais il s'écarta et se leva.

« S'il te plaît, *bébé**, dit-elle en levant les yeux vers lui. Tout va rentrer dans l'ordre, eh ? »

Il sortit du salon sans même lui répondre et s'en

alla dans la cuisine. Quand elle le rejoignit, elle le trouva en train d'ouvrir tous les tiroirs et les placards. « *Bébé**, tu cherches quoi ?

— Il y a quelque chose que tu dois bien savoir, Neni, dit-il en se tournant face à elle. Tu dois bien savoir que tout ce qui s'est passé pour nous permettre de rester ici, tout est arrivé grâce à Winston. Tu comprends ça ? Si Winston ne m'avait pas proposé de payer le reste des honoraires de Boubacar, tu sais que nous n'aurions pas tout l'argent que nous avons pu économiser aujourd'hui. Nous n'aurions rien si mon cousin n'avait pas payé presque tous les honoraires de Boubacar et les frais pour mon dossier d'immigration, s'il ne m'avait pas aidé à trouver un bon boulot, s'il ne m'avait pas aidé à trouver cet appartement ! Mais si la situation empire pour nous dans ce pays, si le gouvernement essaie de m'expulser, si tu dois rester à la faculté pour conserver ton visa étudiant, si l'argent commence à manquer, si l'un de nous deux tombe malade, alors qui va nous aider ? Winston va devenir père de famille. Il va se marier. Avoir d'autres enfants. Ses petites sœurs vont avoir leur diplôme à l'université de Buéa l'année prochaine, et il devra les faire venir ici. Winston ne sera plus là pour nous sauver. Et même s'il l'était, je suis un homme ! Je ne peux pas continuer à attendre que mon cousin vienne à mon secours chaque fois.

— Mais qui sait comment fonctionne le bon Dieu ? Peut-être que tu vas finir par trouver une place de chauffeur auprès de quelqu'un d'autre, eh ?

— Tu n'écoutes pas ce que je dis, Neni. Tu n'écoutes pas ! Oublie comment fonctionne le bon Dieu ! Si j'essaie encore de trouver une place de chauffeur, tu crois vraiment qu'un grand patron de Wall

Street va embaucher un Africain sorti de la rue comme ça ? Avec ce qui se passe en ce moment, tout le monde recherche ces jobs-là. Même les gens qui portaient des costumes-cravate pour bosser à Wall Street recherchent des jobs comme ça. Tout n'est plus si facile. Comment tu penses que je vais trouver un nouveau boulot qui paye trente-cinq mille dollars par an ?

— Peut-être que tu peux…

— Peut-être que je peux quoi ?

— Il y a d'autres choses…

— Pourquoi tu discutes avec moi ? Tu ne me crois pas ou quoi ? Tu aurais dû être là la semaine dernière, quand j'ai rencontré un gars qui bossait comme chauffeur pour un autre grand patron de Lehman. Des fois, on attendait ensemble en bas du building ; ce gars-là était en forme et bien portant. Et là, je l'ai croisé à Manhattan : il avait l'air d'avoir fait son dernier vrai repas il y a un an. Il n'a pas réussi à retrouver une place. Il a dit que trop de gens voulaient devenir chauffeurs maintenant. Même des gens qui bossaient dans la police, même des gens avec des diplômes de l'université, ils veulent devenir chauffeurs. Tout le monde perd son boulot partout et cherche quelque chose, n'importe quoi, pour payer ses factures. Alors tu dis que si ce gars-là, un Américain qui a des papiers, n'arrive pas à trouver un nouveau boulot de chauffeur, pourquoi tu veux que j'en trouve un ? Ils disent que le pays va se relever, mais tu sais quoi ? Je ne sais pas si je vais pouvoir y rester en attendant que ça arrive. Je ne sais pas si je vais pouvoir continuer à souffrir comme ça simplement pour vivre en Amérique. »

50

Il n'était pas question de partir. Jamais. Il n'était pas question pour elle de retourner à Limbé.

Pendant des années, elle était restée chez son père sans rien faire d'autre que s'occuper du foyer, d'abord trop éplorée et trop honteuse pour retourner étudier après avoir quitté l'école et perdu sa fille. Puis – une fois prête à reprendre les études, quatre ans après la mort du bébé –, entravée une nouvelle fois, quand son père n'avait pas jugé utile de payer pour renvoyer au lycée une fille de presque vingt ans. Ce dernier avait alors voulu faire d'elle une couturière, ce qu'elle avait refusé, incapable de s'imaginer assise derrière une machine à coudre cinq jours par semaine. « Alors très bien, avait dit son père, reste à la maison et imagine-toi en train de ne rien faire pour le restant de tes jours. » Ce fut seulement lorsque Liomi fêta son premier anniversaire que son père accepta de lui payer des cours du soir en informatique, après l'avoir convaincue que des compétences de base dans ce domaine pourraient l'aider à trouver un travail dans un bureau. Mais après un an de cours du soir, elle n'avait trouvé aucun travail tant l'offre était rare à Limbé, qui plus est pour une jeune femme qui n'était pas allée plus loin que le lycée. Elle s'était terriblement ennuyée, frustrée de rester enfermée, ne pouvant jouir d'aucune autonomie, car elle dépendait financièrement de ses parents, ne pouvant épouser Jende, car son père refusait de la laisser s'unir à un employé municipal, et incapable de rien y faire parce que Jende, comme elle-même, ne pouvait se résoudre à défier un parent et se marier contre la volonté de celui-ci.

Et quand la fin de la vingtaine avait sonné, une seule idée occupait son esprit : l'Amérique.

Elle ne pensait pas que l'Amérique était un pays où les difficultés n'existaient pas – elle avait vu un nombre suffisant d'épisodes de *Dallas* et de *Dynasty* pour savoir que ce pays-là avait aussi son lot de crapules. Neni pensait plutôt, d'après ce qu'elle avait vu dans *Le Prince de Bel-Air* ou le *Cosby Show*, que l'Amérique était un endroit où les Noirs connaissaient les mêmes chances de réussite que les Blancs. Les Afro-Américains qu'elle voyait à la télévision au Cameroun étaient des gens prospères et heureux, bien éduqués et respectables. Ainsi en était-elle venue à croire que si eux pouvaient réussir en Amérique, alors elle aussi. Ce pays donnait à tous, Noirs ou Blancs, les mêmes chances de devenir ce qu'ils voulaient devenir. Même après avoir vu *Boyz'n the Hood* et *Do the Right Thing*, rien ni personne ne put ébranler ses certitudes ni la convaincre que le mode de vie des Noirs dépeints dans les films n'était pas représentatif de leur vie réelle, de la même manière que les Américains comprenaient très certainement que les images de guerre ou de famine en Afrique qu'ils voyaient à la télévision n'étaient pas représentatives de

413

la vie là-bas. Personne parmi les habitants de Limbé qui avaient émigré en Amérique n'envoyait au pays de photos montrant une vie semblable à celle montrée dans ces films. Toutes les photos qu'elle avait vues des Camerounais installés en Amérique étaient l'image incarnée du bonheur parfait : des enfants qui riaient dans la neige ; des couples qui souriaient dans un centre commercial ; des familles qui posaient devant de belles maisons, avec la belle voiture à côté. L'Amérique, pour elle, était synonyme de félicité.

Alors le jour où Jende lui fit part de la proposition de Winston de lui payer un billet d'avion pour lui permettre de partir en Amérique puis, à terme, de les faire venir, elle et Liomi, ses larmes coulèrent tandis qu'elle tapait pour celui-ci un e-mail de remerciement de cinq paragraphes. Elle commença à regarder des films américains tels que *Ma meilleure ennemie* et *Mrs. Doubtfire*, pas seulement pour le plaisir, mais aussi comme préparation, entrevoyant à New York un avenir où elle finirait son cursus scolaire, posséderait une maison et élèverait une famille heureuse. Même si, à son arrivée, elle avait été surprise d'apprendre que rares étaient les Noirs à vivre comme dans les séries télé et que personne ou presque, Noirs et Blancs confondus, n'avait de majordome comme dans *Le Prince de Bel-Air*, cette découverte ébranla bien peu son sentiment de pouvoir faire beaucoup en Amérique. L'Amérique avait peut-être ses défauts, mais cela restait un beau pays. Même ainsi, Neni pouvait toujours espérer bien plus qu'à Limbé. Malgré les difficultés du quotidien, elle pouvait toujours envoyer à ses amies de Limbé des photos et leur dire : « Regardez-moi, regardez-moi et mes enfants, nous avons fini par réussir à construire notre vie. »

Mais à présent, après tant d'efforts, à deux semestres seulement d'obtenir le diplôme qui lui permettrait d'entrer à l'école de pharmacie, Jende voulait la faire rentrer au pays. Jende voulait la traîner à Limbé. Jamais de la vie.

« Mais tu vas faire quoi, eh ? lui demanda Fatou tout en lui faisant ses tresses.

— Je ne sais pas, répondit Neni. Vraiment, je ne sais pas. »

Les mains sur ses épaules, Fatou fit pivoter Neni et lui baissa la tête afin de terminer une tresse.

« Le mariage, reprit Fatou, on veut toutes ça. Mais une fois que tu l'as, il t'apporte tout ce que tu veux pas. »

Neni s'esclaffa. Fatou savait toujours inventer des proverbes à propos ; jamais elle ne pouvait s'empêcher de prodiguer ses conseils tarabiscotés.

« Mais les femmes de ce pays, là, elles peuvent faire ce qu'elles veulent, poursuivit-elle, la femme africaine doit rester derrière son mari et le suivre avec des oui, oui, oui. C'est ça que doit faire la femme africaine. Jamais elle ne doit dire à son mari, non, non je ne vais pas le faire.

— Alors tu fais tout ce que te demande Ousmane, eh ?

— Oui. Je fais. Tout ce qu'il veut, je fais. Pourquoi tu penses qu'on a sept enfants ?

— Parce que Ousmane l'a souhaité ?

— Tu crois que quoi ? Quelle femme peut être assez folle pour souffrir comme ça sept fois dans sa vie ? »

Neni rit, mais cet après-midi-là fut l'une des rares fois où elle s'amusa de son sort avec une amie. La plupart du temps, elle se contentait de secouer la tête, hébétée, comme elle le fit deux jours plus tard lorsque Betty passa déposer chez elle ses enfants avant de se rendre à son deuxième travail, dans une maison de santé du Lower East Side.

« Dis-lui que tu n'y vas pas, lui conseilla Betty dans la cuisine pendant que ses enfants se disputaient la télécommande, dans le salon. Comment, "la vie est trop dure ici" ? Si la vie n'était pas trop dure dans notre propre pays, pourquoi on serait partis pour venir ici ?

— Il croit qu'un homme doit mieux souffrir dans son propre pays que dans un pays étranger.

— Ha ! Ma parole, ne me fais pas rire. Il croit vraiment qu'on souffre mieux au Cameroun qu'en Amérique ? »

Neni haussa les épaules.

« Tu vas le regretter si tu rentres là-bas, je te le dis tout de suite, poursuivit Betty. Pourquoi agir comme des enfants, eh ? La vie est dure partout. Toi-même tu sais que les choses elles vont peut-être aller mieux un jour. Ou peut-être pas. Personne ne connaît demain. Mais nous devons nous accrocher.

— Mais la vie a été très dure. Depuis que Jende a perdu son...

— Et l'argent que tu as eu avec Mme Edwards ?

— Chhh ! » lui fit Neni. Elle regarda vers la porte pour s'assurer que Liomi n'était pas là. « Jende dit qu'on ne peut pas le dépenser, murmura-t-elle. Il est caché sur un compte séparé. Il dit que l'argent sera seulement utilisé quand le pire arrivera.

« — Et pourquoi c'est lui qui décide quand dépenser l'argent ?

— Ah, Betty, pourquoi tu le prends comme ça ? » répondit Neni.

La bouche à moitié ouverte et les narines dilatées, Betty la toisa, balayant lentement du regard son visage, du menton au front, deux fois.

« Neni ? demanda-t-elle alors en penchant la tête.

— Eh ?

— Est-ce que toi-même tu as marché jusqu'à la maison de la dame et obtenu cet argent ? »

Neni hocha la tête.

« Est-ce que c'est l'argent de Jende, votre argent à tous les deux, ou bien ton argent à toi ?

— Notre argent à tous...

— Alors dis à ton mari que cet argent est à toi aussi et que tu veux t'en servir pour rester !

— Quel est ce discours, là ? répondit Neni. Tu crois que je suis une femme américaine ou quoi ? Que je peux dire à mon mari comment je veux faire ?

— Pourquoi pas ?

— Tu ne sais pas quel genre d'homme est Jende. C'est un homme bon, mais un homme quand même.

— Alors tu vas rentrer au Cameroun ?

— Je ne veux pas rentrer !

— Eh, donc ne rentre pas ! Dis-lui que tu veux rester en Amérique et persévérer. Tu as encore un million de choses à faire ici avant de songer à plier bagage – d'abord, tu dois obtenir tes papiers. Je t'ai dit : si tu as besoin d'emprunter de l'argent pour payer les frais de scolarité, je connais des gens qui peuvent t'aider. Je vais passer des appels demain, ou même ce soir. Je vais commencer à appeler des gens.

Mais, ma parole, arrête de penser à rentrer. Dis à Jende que tu ne veux pas partir. Que tu veux rester ici et persévérer ! »

Neni regarda Betty et ses dents du bonheur qui divisaient sa bouche en deux parties identiquement belles. Cette femme connaissait la persévérance. Après trente et un ans dans ce pays, Betty persévérait toujours. Neni ne comprenait même pas pourquoi. Betty était arrivée enfant avec ses parents, et avait obtenu ses papiers grâce à eux. Elle était citoyenne depuis dix ans environ, et telle était pourtant sa situation, à quarante ans passés, cumulant deux emplois d'aide-soignante certifiée dans des maisons de santé tout en terminant son école. Neni ne comprenait pas comment cette vie était possible. Si elle-même obtenait la citoyenneté, il ne lui faudrait pas plus de cinq ans pour devenir pharmacienne. Une pharmacienne roulant dans une belle voiture, propriétaire d'une maison à Yonkers, Mount Vernon ou New Rochelle.

Ce soir-là, assise devant l'ordinateur pendant presque deux heures, elle chercha conseil sur Google. « Comment convaincre son mari. » « Comment obtenir ce qu'on veut. » « Quand un mari veut rentrer au pays. » Mais aucun conseil ne correspondait vraiment à sa situation.

Plus tard, alors qu'elle se regardait devant la glace avant d'appliquer son masque de beauté, elle se fit la promesse de combattre Jende jusqu'au bout. Elle le devait.

Le problème n'était pas qu'elle aimait New York City, ce qu'elle y avait vécu et ce qu'il restait pour elle à y vivre. Le problème n'était pas qu'elle espérait devenir un jour pharmacienne – et prospère, avec ça.

Pas non plus qu'elle laisserait derrière elle des choses qui jamais n'existeraient au pays, comme des calèches roulant dans les rues de la ville, des sapins de Noël géants et illuminés dans les squares et sur les places, et de jolis parcs où des musiciens jouaient sans réclamer d'argent près des arbres aux feuilles colorées. Non, le problème n'était pas de laisser tout cela derrière elle. Le problème était ce dont ses enfants seraient privés, et l'endroit dans lequel ils allaient retourner : Limbé. Le problème était l'infinité de chances qu'ils allaient manquer, cet avenir que son propre père avait failli lui refuser. Elle décida de se battre pour ses enfants et pour elle-même, car quiconque partait loin de chez lui ne pouvait revenir sans avoir amassé une fortune ou réalisé son rêve. Elle devait se battre pour que jamais elle-même ou ses enfants ne deviennent l'objet de quolibets, comme elle l'avait autrefois été lorsqu'elle était tombée enceinte et avait abandonné sa scolarité.

« Et comment tous ces gens vont nous regarder ? dit-elle à Jende quelques jours plus tard, avant qu'il ne parte travailler. Regarde cette famille, là, ils vont dire. L'Amérique ne les a pas acceptés.

— Et c'est ça qui t'inquiète, eh ? fut sa réponse. Tu veux passer le reste de la vie comme ça car tu as peur que les gens se moquent de toi ?

— Non ! s'écria-t-elle en le montrant du doigt alors qu'il enfilait sa veste. Ce n'est pas ça qui m'inquiète. Ce qui m'inquiète, c'est toi ! »

Quelques minutes plus tard, une fois Jende parti, Betty appela.

« Maintenant, je comprends pourquoi il y a des femmes qui épousent d'autres femmes, dit-elle sans

419

laisser le temps à Neni de lui raconter les événements du matin.

— Pourquoi tu dis ça ? lui demanda-t-elle sans vraiment l'écouter, regrettant d'avoir décroché.

— Je vais chez Macy pour acheter une robe en solde là, et Alphonse dit que je passe mon temps à dépenser.

— Alors pourquoi tu me parles de mariage entre femmes ?

— Tu crois qu'une femme va faire des reproches à une autre femme parce qu'elle se fait du bien en s'achetant une robe ? Je ne vais pas porter une vieille robe alors que je suis invitée à un mariage et que ma photo va se retrouver sur Facebook. Ensuite, les gens vont commenter ma photo : "Betty a l'air si vieille, Betty a l'air si grasse là !" À notre époque, tu dois faire attention à...

— Betty, pardon, mais je dois aller faire des courses...

— Qu'est-ce qu'il y a ?

— Rien.

— Quoi, "rien" ? »

Neni ignora sa question.

« C'est Jende ?

— Qui d'autre ? répondit Neni. Je ne sais pas quoi lui dire de plus. »

Betty poussa un grognement de désapprobation, une fois, puis deux.

« Tu sais, dit-elle, j'ai entendu beaucoup de choses folles dans ma vie, mais jamais que quelqu'un quittait l'Amérique pour retourner dans la misère de son pays.

— Il croit savoir quelque chose que nous autres ne savons pas.

420

— Il a dit quoi quand tu lui as parlé du divorce ?

— Je ne lui en ai pas parlé.

— Tu n'as toujours rien dit ! Depuis tout ce temps...

— Eh, tu crois que j'ai besoin de tes reproches en plus de tout ça ? J'ai réfléchi...

— Tu ne peux pas te contenter de réfléchir.

— Je ne me *contente* pas de réfléchir ! Je vais lui en parler ; mais pas aujourd'hui – il va rentrer trop tard du boulot.

— Alors tu vas lui demander quand ? Plus tu attends, plus...

— Quelques jours, ça va rien changer.

— Alors tu vas attendre un an ?

— J'ai dit que j'allais lui parler. »

51

Un sujet de ce genre devait être abordé avec la plus grande précaution. Sans trop de légèreté. Il devait être abordé avec suffisamment de subtilité pour ne pas se transformer en dispute. Voilà pourquoi elle attendit qu'il se trouve dans la salle de bains, en train de se brosser les dents. Elle entra alors qu'il étalait sur la brosse son Colgate, un trait de pâte bien droit, comme il le faisait toujours, même à Limbé où un tube de dentifrice coûtait autant qu'un sac de taros.

Assise sur la lunette des toilettes, elle attendit de le voir tourner le robinet et mouiller sa brosse à dents.

« J'ai pensé… », commença-t-elle en le regardant dans le miroir.

Il fourra la brosse dans sa bouche et commença à se brosser vigoureusement.

« C'est que, j'étais… Betty, elle a un cousin… elle dit qu'il peut… qu'il est devenu américain. »

Il cracha dans le lavabo.

« Eh ? répondit-il sans même prendre la peine de se retourner.

— Il peut nous aider, *bébé**. Avec les *papiers**. »

De nouveau, il fourra la brosse dans sa bouche et

continua à se brosser les dents : en haut, à gauche, à droite, en bas. Ses yeux dans le miroir n'avaient jamais été aussi rouges.

« Si tu comptes me dire ce que je pense, dit-il, la bouche pleine de mousse, alors tais-toi maintenant.

— Mais… *please*, écoute-moi, *bébé**. S'il te plaît. Betty lui a demandé et il a dit qu'il pouvait nous aider. »

Les lèvres entrouvertes, un mince filet de dentifrice coulant sur son menton, il fit volte-face et la regarda. Neni détourna les yeux.

« L'argent de Mme Edwards, poursuivit-elle. On devrait l'utiliser pour le payer. »

Il ouvrit le robinet et, prenant de l'eau dans ses mains, se rinça la bouche avant de se laver la figure en éclaboussant le miroir, et même la poubelle par terre. Sa toilette terminée, il attrapa la serviette jetée sur la porte de la douche et enfouit son visage dedans, respirant au travers.

« On divorce, je me marie avec lui. J'obtiens des papiers grâce à lui, puis lui et moi on divorce, et toi et moi on se remarie. Mais on continuera à vivre… »

Comme si Jende venait d'entendre quelque chose d'absolument stupéfiant, il découvrit subitement son visage, qui semblait à présent plus noir encore que ses cheveux. Il tourna son regard vers elle.

« Les boulons là qui tiennent ton cerveau en place, dit-il en pointant un doigt sur sa tempe, ils se sont desserrés, pas vrai ?

— Nous ne sommes pas obligés de retourner au Cameroun, Jends », répondit-elle d'une voix si désespérée qu'elle baissait à chaque mot.

Il laissa tomber la serviette par terre et ouvrit la porte.

« Si tu ouvres encore une fois ta bouche pour me faire des propositions bêtes comme ça...

— Mais, *bébé**...

— J'ai dit, si tu me répètes encore une fois ce genre de bêtise-là, je jure sur Dieu...

— L'argent de Mme Edwards est mon argent aussi ! »

Sur le seuil de la porte, il la toisa de haut en bas.

« Si tu oses encore ouvrir ta bouche et dire un seul mot, Neni... !

— Tu vas faire quoi ? »

Il lui claqua la porte au nez et la laissa, pétrifiée, sur la lunette des toilettes.

52

Boubacar accepta de faire comme Jende l'avait demandé : déposer une requête auprès du juge afin de clore son dossier, en échange du départ de Jende.

« Un départ volontaire, c'est comme ça qu'ils appellent ça, lui dit Boubacar. Tu as quatre-vingt-dix jours pour partir calmement. Le gouvernement sera content. Ils n'auront pas à payer ton billet.

— Et je pourrai revenir en Amérique ? demanda Jende.

— Bien sûr, répondit l'avocat. Si l'ambassade te donne un nouveau visa. La question, c'est de savoir s'ils le feront ou pas. Je ne peux pas te le dire. En tout cas, tu ne seras pas interdit de séjour aux États-Unis. Tu pourras toujours revenir, mais quant à obtenir un nouveau visa… Seule l'ambassade au Cameroun peut décider ça. »

Qu'allaient devenir sa femme et ses enfants ? voulut savoir Jende. Pourraient-ils revenir eux aussi ? Le bébé le pourrait, car il était américain, lui dit Boubacar. Neni, quant à elle, le pourrait aussi en faisant les démarches nécessaires pour quitter la faculté et en respectant un certain délai après la clôture de son dossier par le Bureau international des étudiants. L'ambassade accepterait probablement de lui délivrer un jour un nouveau visa, car on ne pouvait lui reprocher d'être venue en Amérique avec un visa étudiant et de n'avoir pu terminer ses études parce qu'elle avait eu un bébé.

« Mais ton fils, Liomi, ajouta Boubacar, il rencontrera sûrement les mêmes ennuis que toi.

— Pourquoi ? C'est un enfant. Ils ne peuvent pas le punir parce que ses parents l'ont emmené ici. C'est moi qui ai dépassé mon visa. C'est de ma faute à moi, monsieur Boubacar. Pas de la sienne.

— Eh ? Tu crois ça, *abi* ? dit l'avocat en éclatant de son rire mélodieux. Laisse-moi te dire quelque chose, mon frère. Le gouvernement américain, il se moque de savoir si tu es dans l'illégalité parce qu'on t'a emmené ici quand tu n'étais qu'un bébé d'un jour, ou bien parce qu'on t'a bandé les yeux, jeté dans un container, et que tu t'es réveillé à Kansas City. Tu entends ça ? Le gouvernement américain se fout de savoir à qui revient la faute. Une fois que tu es un clandestin dans ce pays, tu restes un clandestin. Et tu en paies le prix.

— Mais…

— C'est pour ça que tu dois bien réfléchir à ta décision, continua Boubacar. Tu dis que l'Amérique ne t'a pas accepté, eh ? Je te crois. Parfois, j'ai l'impression que c'est pareil pour moi. L'Amérique, c'est l'enfer parfois, je sais ça. J'ai souffert depuis le jour où je suis arrivé en Amérique, je te le dis, moi. » Il éclata de rire, mais un rire dans lequel pesaient cette fois toutes les difficultés rencontrées par le passé. « Tu vois, poursuivit-il, ça fait vingt-neuf ans que je suis là. Les trois premières années, je passais des heures tous les mois à essayer de me dégoter un billet de retour pour le Nigeria. Mais tu sais quoi, mon frère ? La patience. La persévérance. La clé, c'est ça. Tu persévères comme un homme. Regarde-moi, eh ? J'ai une jolie maison à Brooklyn. Ma fille est à l'école de médecine. Mon fils est ingénieur dans le New Jersey. Mon autre fille est étudiante au Brooklyn College. Elle va tenter d'entrer à l'école de droit et de devenir avocate, comme moi. Je suis très fier d'eux. Quand je les regarde, je n'ai pas le moindre regret d'avoir autant souffert. Je peux dire sans aucune honte que la vie est belle pour moi. J'ai persévéré, et regarde-moi maintenant. Je ne vais pas te raconter des histoires et te dire que les choses vont être faciles pour toi pendant les prochains mois ou la prochaine année, car c'est un long et dur parcours qui attend l'immigré s'il veut devenir un brillant Américain. Mais tu sais quoi, mon frère ? Tout le monde peut y arriver. Je suis l'incarnation même du travail et de la persévérance. Tout le monde peut y arriver. »

« Mensonges », lâcha Winston quand Jende lui raconta ce que Boubacar avait dit.

Bien sûr, il ne souhaitait pas que Jende retourne au pays. Le Cameroun n'avait rien à offrir de comparable à l'Amérique, mais cela ne devait pas pour autant encourager à rester celui qui n'avait plus rien à faire dans ce pays.

« Pourquoi tout le monde croit qu'on ne peut rien faire en dehors d'ici ? demanda Winston.

— Tout ce stress, approuva Jende, tout ça pour quoi ?

— Pour mourir et laisser tes enfants payer les factures à ta place », répondit Winston.

427

Même si Jende obtenait ses papiers, poursuivit-il, sans vrai diplôme et étant un homme noir immigré, jamais il ne serait à même de gagner un salaire qui lui permettrait de vivre la vie dont il rêvait, et encore moins d'acheter une maison ou de payer les études de sa femme et de ses enfants. Jamais peut-être il ne pourrait arriver à dormir la nuit.

« Chaque fois que quelqu'un au *pays** me dit qu'il veut laisser un bon poste pour se précipiter en Amérique, je lui réponds : "Prends garde, oh. Prends garde. *Make man no say I no be warn ei say America no easy*[1]." »

— Tu aurais dû me mettre plus sérieusement en garde, dit Jende en riant.

— Non, fit Winston en riant à son tour. Je ne t'ai pas mis en garde. Je t'ai juste payé un billet pour que tu viennes voir par toi-même.

— C'est la vérité.

— Mais si, aujourd'hui, quelqu'un me demande s'il doit laisser tomber son travail pour venir ici, je jure, Bo, je le supplie d'oublier ça.

— Attends la fin de la récession, et tu verras.

— La fin ? Quelle fin ?

— Un jour, c'est sûr, le pays va aller mieux.

— Comment tu peux savoir ça, Bo ? Moi, je ne sais pas. Même les gens comme moi qui ont fait l'école de droit ne peuvent plus être sûrs d'avoir une bonne vie dans ce pays. J'ai lu des articles qui parlaient de clandestins mexicains qui essaient maintenant de retourner dans leur pays. Et pourquoi ? Parce qu'il n'y a plus rien pour eux ici.

---

1. Personne ne pourra dire que tu n'avais pas été prévenu des difficultés qui t'attendaient en Amérique. *(N.d.T.)*

— Ce sont les gens comme toi qui ont été chanceux, répondit Jende. Chanceux d'avoir trouvé un bon travail et de l'argent.

— Tu penses que je suis chanceux ?

— N'es-tu pas plus chanceux que nous autres ? Si tu ne crois pas ça, alors viens vivre dans notre taudis à Harlem, et je prendrai ton appartement à Columbus Circle.

— Peut-être que je suis chanceux, dit Winston après un gloussement de rire. Sauf que je travaille comme un âne du matin au soir pour des gens qui prennent tout et ne laissent que bien peu aux autres. Mais à la fin de la journée, je rentre chez moi avec des liasses d'argent sale, alors…

— Alors, tu veux faire quoi ?

— Faire quoi ? Je ne peux rien faire. Et même si je pouvais, je crois que je ne ferais rien, car j'aime trop l'argent, même si je n'aime pas la manière dont je le gagne.

— Comme disent les Américains : "*Gotta do wha ya gotta do*", "Faut faire ce qu'il faut".

— C'est pour les gens comme toi que j'ai de la peine, Bo, poursuivit Winston. Ce pays…, soupira-t-il. Un jour, je te le dis, on ne verra plus de Mexicains traverser la frontière. Attends un peu et tu verras.

— Et les Américains s'enfuiront au Mexique ! répondit Jende.

— Ça ne m'étonnerait pas », approuva Winston, et tous deux éclatèrent de rire à l'idée d'un flot d'Américains traversant le Rio Grande.

Jende raccrocha, content que Winston le soutienne dans sa décision. Jende avait besoin de cette approbation – que personne ne lui avait jamais donnée, pas même sa mère. Lorsqu'il avait annoncé à Ma Jonga son intention de rentrer, celle-ci s'était demandé pourquoi Jende rentrait alors que tout le monde cherchait à quitter Limbé, alors que les hommes de son âge fuyaient à Bahrein et au Qatar, ou migraient à pied et dans des bus bondés jusqu'en Libye afin de traverser la mer dans des canots surchargés pour atteindre l'Italie et réaliser leurs rêves, à condition que la Méditerranée ne leur ôte pas la vie.

53

Le jour où naquit Liomi, elle le tint dans ses bras et passa près d'une heure à pleurer. La grossesse avait été longue, presque quarante-deux semaines, avec tous les plus horribles symptômes possible et imaginables : terribles nausées du matin et vomissements pendant les quatre premiers mois ; migraines incessantes pendant les deux suivants ; mal de reins qui la rendait incapable de se tourner dans le lit ou de se lever sans pousser de grognements ; pieds si enflés qu'elle ne pouvait plus entrer dans les chaussures taille 42 que Jende lui avait achetées ; trente heures de contractions avant l'accouchement. Durant le dernier mois, elle avait dû prendre une canne pour aller faire ses courses et se promener, ne voulant plus passer des journées entières au lit et subir les moqueries de ses sœurs et amies, selon lesquelles elle agissait comme si la grossesse était une maladie. « Arrête de te comporter comme une vieille là », lui disaient-elles en se moquant de sa drôle de démarche et de son ventre proéminent. « Qu'est-ce que tu ferais si tu étais enceinte et que tu avais déjà cinq autres enfants ? » lui avait demandé son père, furieux, lorsqu'elle avait refusé de porter des sacs de nourriture sur la tête, puisque les femmes enceintes ne devaient pas porter de charges trop lourdes. Ces commentaires sarcastiques, Neni les détestait, mais sans mari pour la défendre, elle n'avait d'autre choix que de rester dans la maison de son père et de subir son entourage. Quand Liomi finit par venir au monde (deux sages-femmes avaient dû la manipuler et appuyer sur son ventre pendant près d'une heure pendant que sa mère et sa tante lui tenaient les jambes et criaient : « Pousse, pousse ! Si tu sais apprécier ce qu'il y a d'agréable dans la conception, tu dois savoir apprécier ses difficultés aussi ! »), elle serra son petit corps couvert de sang et enflé dans ses bras et pleura si fort qu'elle craignit d'épuiser toute l'eau et toute la force qui restaient dans son corps. « C'est fini, lui disaient les femmes dans la salle d'accouchement, alors pourquoi tu pleures ? » Mais ce n'était pas fini, et ces femmes-là, comme elle, le savaient bien. Ce n'était là que le début de nouvelles souffrances à venir, mais toutes ces souffrances valaient bien la peine d'être supportées du moment que son bébé était vivant et bien portant et qu'elle pouvait regarder ses yeux et voir quel merveilleux, merveilleux cadeau la vie lui avait donné.

« Pourquoi voudriez-vous le faire adopter, dans ce cas ? » lui demanda Natasha.

Assise sur le sofa, Neni se pencha pour attraper un mouchoir sur la table basse et détourna les yeux tandis qu'elle se tamponnait le visage. À un mètre de là, sur le bureau de la pasteur, l'ordinateur s'était mis en veille et montrait une succession de photos où l'on voyait Natasha, son mari, ses enfants et petits-enfants. Une famille heureuse.

« Je comprends tout à fait que vous vouliez le

432

meilleur avenir possible pour votre fils, dit Natasha.
Mais vous devez vous demander s'il s'agit vraiment
de la meilleure solution. Qu'allez-vous sacrifier pour
obtenir ce que vous voulez ? Et que savez-vous de
cet homme à qui vous souhaitez parler ?

— Je l'avais comme professeur d'algèbre, l'année
dernière, souffla Neni d'une voix pleine de détresse.

— Mmm hmm. C'est un bon ami à vous ? »

Neni secoua la tête.

« Je ne l'ai pas vu souvent. Mais le dernier jour
du semestre, j'ai pris un café avec lui et nous nous
sommes promis de rester en contact. C'est un homme
très gentil. Il a toujours été aimable avec moi, et avec
mon fils aussi, quand il l'a rencontré.

— Et vous êtes restés en contact ?

— On s'est envoyé quelques e-mails, mais c'est
tout. J'étais aussi sur la liste des destinataires lorsqu'il
a envoyé les photos de ses quarante ans avec son
petit ami, à Paris. Et moi, je l'ai mis sur la liste des
destinataires quand j'ai annoncé à tout le monde la
naissance de Timba. Il m'a envoyé ses félicitations et
m'a dit qu'il rêvait lui aussi d'avoir un enfant. Voilà.

— Je vois. »

Neni hocha la tête.

« Il m'a dit que lui et son petit ami, ils voulaient
vraiment adopter. C'est pour ça qu'il y a deux nuits,
en pensant à mon fils, j'ai eu cette idée, comme une
illumination. Quand je me suis réveillée le matin, je
ne pensais plus qu'à ça.

— Vous n'en avez pas encore parlé autour de vous ?

— À qui j'en parlerais, Natasha ? Mes amies vont
penser que j'ai perdu la raison, et mon mari, je ne
sais même pas comment... C'est pour ça que je vous

433

ai appelée en premier, car si vous pouvez m'aider à parler à mon mari, à lui faire comprendre que c'est la meilleure solution pour Liomi…

— Vous êtes sérieuse, Neni ? »

Neni ne répondit pas.

« Vous pensez vraiment que donner votre fils à ce professeur, que vous connaissez à peine, et à son compagnon, va rendre Liomi heureux ? Va vous rendre heureuse ? Car il vous faudra…

— Si être adopté par un couple américain permet à mon fils de rester et de devenir un citoyen de ce pays, alors je serai heureuse. Je lui dirai que c'est la meilleure solution, et il sera heureux, lui aussi. Ce n'est pas grave s'ils sont gays, du moment qu'ils promettent de bien le traiter.

— Mais votre mari, ça ne le gênera pas ? Quelle est sa position sur le sujet ?

— Il n'a pas peur des gens gays.

— Mais que pense-t-il de… Peu importe. La question n'est pas là. Ils sont gays, très bien ; je ne le suis pas quant à moi, très bien aussi. Mais ce qui me préoccupe, c'est de savoir comment tout cela va s'organiser. À supposer que vous contactiez votre professeur, que vous vous donniez rendez-vous et qu'il vous dise : "Oui, aucun problème, si vous êtes obligée de rentrer au Cameroun, mon compagnon et moi serons heureux d'adopter votre fils" ; et à supposer que votre fils accepte sans rechigner : vous l'embrassez une dernière fois à l'aéroport, vous partez prendre votre avion… À votre avis, qu'allez-vous ressentir au moment où l'avion décollera, sachant que vous ne le reverrez pas pendant des années ?

— Je ne sais pas… Je serai inquiète, mais… Je

n'aime pas vivre en me demandant trop souvent ce que je vais ressentir. Quand je dois faire... »

Natasha se pencha et rapprocha la boîte de mouchoirs de Neni, qui reniflait.

« Je sais que vous êtes venue me voir pour obtenir mon assentiment, répondit la pasteur, pour que je vous dise que cette décision est difficile, mais qu'elle est la bonne. Mais je ne peux pas vous dire ça... Je ne peux sincèrement pas, car je pense que vous le regretterez. Je ne crois pas une seconde que vous vous remettrez d'une épreuve pareille, sachant l'amour que vous portez à votre fils. Mais si vous le faites malgré tout... Je suis désolée de vous le dire, Neni, mais vous le regretterez. Et je ne pense pas que vous serez capable de vivre avec ça.

— Je ne vais pas le regretter, répondit Neni. Je ne vais pas regretter de laisser mon fils pour qu'il devienne citoyen américain, qu'il grandisse et...

— Êtes-vous seulement sûre qu'il deviendra citoyen américain si votre ami l'adopte ?

— J'ai regardé sur Google, j'ai lu que les Américains peuvent adopter des enfants sans papiers et demander la *green card* pour eux. Il faut attendre quelques années, et l'enfant devient citoyen.

— C'est la première fois que j'entends ça. À votre place, je consulterais un avocat spécialisé, surtout si le couple adoptant est gay. Il y a la loi de défense du mariage à considérer.

— Mais je ne peux pas prendre de l'argent pour payer un avocat sans demander à mon mari ! s'écria Neni en levant les mains en l'air. Et si j'essaie de lui parler de ça... Ces derniers temps, je ne peux plus *rien* lui dire...

— Ne vous en faites pas pour l'argent – je pourrai toujours vous aider à obtenir une consultation gratuite ou demander l'aide de l'église pour régler les frais d'avocat.

— Oh, merci vraiment beaucoup, Natasha ! Du fond de mon cœur, merci vraiment beaucoup !

— Cependant, avant de vous lancer et de commencer à dépenser de l'argent, reprit la pasteur, s'il vous plaît, demandez-vous encore une fois...

— Me demander quoi ?

— Si cette solution est réellement la meilleure. Prenez le temps de...

— Mais je n'ai plus de temps ! s'écria Neni. Mon mari est prêt à repartir au Cameroun dès maintenant ! Je ne sais pas quoi faire d'autre ! Je suis tellement fâchée contre lui que je ne peux plus manger, que je ne peux plus dormir...

— Il doit bien exister un autre moyen de tirer votre famille de cette situation.

— Il existe des moyens, mais mon mari dit non ! s'écria de nouveau Neni en sortant d'autres mouchoirs de la boîte pour essuyer ses larmes. Il veut ce qu'il veut, et moi, je ne peux rien faire ! »

Natasha s'adossa sur sa chaise et resta silencieuse pendant presque une minute, à regarder Neni pendant qu'elle finissait de pleurer, tamponnait ses yeux et se mouchait le nez. Une fois Neni calmée, Natasha se leva, ramassa par terre les mouchoirs usagés et en apporta une boîte neuve.

« Oh, Natasha, je vais faire quoi ? demanda Neni alors que la pasteur se rasseyait. Parfois, j'ai l'impression que cette vie est un film, un film sur une Africaine qui a perdu la raison.

— Eh bien, nous devons nous en remettre à Dieu

et espérer que ce film aura un dénouement heureux. Que Neni et sa famille vivront heureux jusqu'à la fin des temps ! »

Neni éclata de rire, avant de se remettre à pleurer ; elle riait et pleurait à la fois. Natasha la regarda qui tour à tour séchait ses larmes, riait puis pleurait de nouveau, incrédule qu'elle était en voyant où sa vie l'avait menée.

« Je sais combien tout cela est difficile pour vous, mais rendez-vous compte de ce que vous êtes prête à faire. Divorcer de votre mari pour épouser un homme que vous connaissez à peine. Faire adopter votre fils, sachant que vous ne le reverrez pas avant des années. » Natasha s'interrompit, regardant Neni avec le plus grand sérieux. « Je pense qu'il vous faut prendre un peu de recul, vous demander pourquoi...

— Je dois faire ce qu'il faut.

— Je ne dis pas le contraire.

— Je n'aime pas cette façon qu'ont les gens de dire aux femmes : "Oh, tu veux tellement de choses, toi, pourquoi tu veux tellement ?" Quand j'étais jeune, mon père me disait ça : "Un jour, tu vas apprendre que tu es une femme et qu'une femme ne doit pas vouloir autant." Il me disait que je devais me contenter de la vie que j'avais, même si cette vie n'était pas celle que je voulais.

— Mmm-mmm, fit Natasha en secouant la tête.

— Je n'ai pas honte de voir grand. Demain, quand ma fille sera grande, je lui dirai de vouloir tout ce qu'elle souhaite avoir, comme je le dis à mon fils. »

Quelqu'un frappa à la porte du bureau, pour dire que le prochain rendez-vous de Natasha était arrivé.

« J'arrive dans cinq minutes », répondit-elle.

Elle se leva, fit le tour de la table basse et s'assit près de Neni en lui prenant les mains.

« Je vous soutiendrai, lui dit-elle. Quelle que soit votre décision, je serai avec vous. »

Neni hocha la tête, puis la baissa.

« Je ne vous jugerai jamais, soyez sûre de cela. »

Pendant quelques secondes, Neni resta silencieuse, la tête baissée.

« Dans mon pays, dit tout bas Neni, il y a beaucoup de mères qui envoient leurs enfants vivre chez d'autres gens. Elles préfèrent que leurs enfants soient élevés par des proches qui ont plus d'argent.

— Hmm.

— Parfois, ces mères et ces pères sont pauvres, mais parfois aussi, ils sont mariés, vivent ensemble et ont assez d'argent pour nourrir leurs enfants, mais ils veulent quand même les faire grandir dans une maison riche.

— Et les choses se passent bien, en général ?

— Parfois, les proches traitent bien les enfants ; parfois, ils les battent, mais les mères les laissent quand même là-bas. Je n'ai jamais compris pourquoi. »

Elle prit une profonde respiration et s'adossa dans le canapé, les mains croisées sur son ventre, le regard rivé sur le sol.

« À quoi pensez-vous ? lui demanda Natasha.

— Peut-être que j'ai changé.

— Mmm-mmm. Changé comment ?

— Je ne sais pas.

— Je vais vous poser la question autrement : êtes-vous contente d'être la femme que vous devenez ? »

Les yeux de Neni se remplirent de larmes, mais elle ne les laissa pas couler. Le regard levé vers la fenêtre, elle ravala son chagrin.

54

Terminés, les moments de tendres étreintes dans la cuisine, les minutes de passion furtive dans la salle de bains pendant que les enfants étaient endormis. Ils vivaient à présent dans deux mondes séparés, chacun campant sur ses positions, certain de la méprise de l'autre. Hésitant toujours à assumer sa décision – car à quoi bon, puisque la décision finale ne lui reviendrait pas ? –, elle s'engageait dans des discussions tendues concernant leur avenir, des discussions qui chaque fois s'achevaient par des reproches pour elle, par des accès de rage pour lui. « On rentre au pays, lui disait-il, et c'est tout. — Comment tu peux nous faire ça ? répondait-elle d'une voix haut perchée. Comment tu peux être égoïste *à ce point* ? » Parlait-elle pendant qu'il mangeait, il repoussait son assiette et éclatait de colère, la blâmant d'avoir cru que l'Amérique était le meilleur pays du monde. « Je t'explique, lui disait-il en la prenant de haut, l'Amérique, ce n'est pas ça du tout ; c'est un pays plein de mensonges et de gens qui aiment entendre des mensonges. Si tu veux savoir la vérité, je te la dis : ce pays n'a plus de place pour les gens comme nous. Que ceux qui ont perdu la raison croient aux mensonges et restent ici à jamais, en espérant que la situation s'arrangera et qu'ils seront heureux un jour. Mais moi, je ne vais pas passer ma vie à espérer devenir soudain heureux par l'opération du Saint-Esprit. Je refuse ça ! »

Leur pire dispute éclata quatre jours avant la comparution de Jende au tribunal, lorsqu'elle lui lança, tandis qu'il gémissait de douleur, allongé à même le sol, que sa meilleure chance de guérir son dos était de rester à New York, où les docteurs étaient bien plus compétents qu'à Limbé. Elle avait parlé sans réfléchir, tout en le massant, sans penser un seul instant à la manière dont pourrait réagir un homme tenaillé par une telle douleur à l'idée de sa comparution prochaine.

« Tais-toi », lui ordonna-t-il entre deux gémissements.

Le lendemain, en repensant à la scène, elle regretta de ne pas avoir écouté son avertissement. Mais une seule chose la préoccupait alors : gagner la bataille et faire entendre raison à Jende.

« Pourquoi tu es si têtu ? lui demanda-t-elle. Tu sais que les docteurs ici peuvent soigner ton… »

Il la poussa et se leva en la regardant avec de gros yeux tandis qu'il se massait seul l'épaule.

« Je disais juste…

— Tu ne m'as pas entendu quand je t'ai dit "Tais-toi" ?

— Mais cette douleur ne va jamais partir si… »

Elle ne vit pas la gifle arriver. Elle tomba en arrière tant le coup fut brutal, sa joue lui brûlait comme si quelqu'un avait étalé dessus du goudron encore chaud. Il se dressait devant elle, les poings serrés, hurlant de la plus terrible voix qu'elle avait entendue, la traitant de bonne à rien, de femme idiote, imbécile, égoïste, qui se réjouirait de voir son mari mourir dans la douleur pour qu'elle puisse, elle, continuer de vivre à New York. Elle bondit sur ses pieds, la joue encore brûlante.

« Tu viens de me frapper ? s'écria-t-elle, la main sur la joue. Tu viens de me frapper, là ?

— Oui, répondit-il, les yeux grands ouverts. Et si tu oses ouvrir ta bouche encore une fois, je vais te frapper à nouveau !

— Eh bien, frappe ! »

Il fit demi-tour, prêt à s'en aller, mais elle le retint par la chemise. Il tenta de se dégager, mais elle s'accrocha, l'empêchant d'avancer, lui criant à la figure alors que ses larmes montaient :

« C'est pour ça que tu m'as amenée en Amérique, eh ? Pour me tuer et renvoyer mon cadavre à Limbé. Vas-y, frappe-moi, Jende… Ma parole, frappe-moi encore ! »

Elle le poussa des deux mains, en criant comme les cochons de Ma Jonga prêts à être égorgés. « Vas-y, fais-le, tue-moi, lui ordonna-t-elle. Pourquoi tu ne le fais pas ? Frappe-moi et tue-moi tout de suite !

— Ne m'oblige pas à recommencer, dit-il en levant la main. Je te préviens.

— Oh, non, frappe-moi, ma parole, répondit-elle. Lève ta main et frappe-moi encore ! Tu t'es fait battre par l'Amérique et maintenant que tu ne sais plus quoi faire, tu crois qu'il faut me battre, moi. Alors, vas-y, ma parole, et frappe… »

Alors il la frappa. Il la frappa fort. Une claque, fourbe, sur la joue. Puis une autre. Et une autre. Et une autre encore, assourdissante, sur l'oreille. Les coups pleuvaient sur elle avant même qu'elle lui demande d'en redonner. Elle poussait des cris perçants, stupéfaite ; elle tomba à terre en gémissant.

« Je meurs, oh ! Je suis morte, oh ! »

Liomi accourut depuis la chambre. Il vit sa mère recroquevillée dans un coin et son père dressé devant elle, la main levée, près de s'abattre.

« Retourne dans la chambre immédiatement », aboya son père.

Le garçon resta sans parler, sans bouger, impuissant.

« J'ai dit, retourne dans la chambre ou je t'arrange la face à toi aussi ! aboya-t-il une nouvelle fois.

— Maman…

— Obéis, ou sinon… ! »

Liomi éclata en sanglots et courut dans la chambre.

Quelqu'un frappa à la porte.

« Est-ce que tout va bien ? » fit la voix d'un homme sur le palier.

Neni étouffa ses pleurs.

Jende ouvrit la porte.

« Oui, monsieur, répondit-il au voisin, un monsieur âgé, en glissant sa tête pleine de sueur dans l'embrasure de la porte. Tout va bien, merci, monsieur.

— Et votre femme ? demanda le voisin. J'ai cru l'entendre crier.

— Je vais bien », répondit Neni, par terre, d'une voix aussi fausse qu'un billet contrefait.

L'homme s'en alla.

Jende enfila ses chaussures et s'en alla, lui aussi, claquant la porte derrière lui. Personne d'autre ne vint. Si d'autres voisins avaient entendu quelque chose, personne ne dit rien. Aucun agent de police ne se présenta à leur porte pour interroger Jende sur cette violence domestique, ni pour encourager Neni

442

à porter plainte. L'idée même n'était pas concevable dans son esprit ; même si elle savait que les femmes d'Amérique réagissaient de la sorte quand leur mari les battait. Mais une telle chose était inimaginable pour Neni ; jamais elle n'aurait pu porter plainte contre son mari. La battrait-il une deuxième fois, elle demanderait à Winston de lui parler. Et si une troisième fois survenait, elle appellerait Ma Jonga. Entre le cousin et la mère de Jende, une personne au moins parviendrait bien à lui faire entendre raison. Une dispute dans un mariage n'était pas chose dont la police devait se mêler – c'était une affaire de famille, une affaire privée.

Elle passa vingt minutes à pleurer par terre, puis se releva et se rendit dans la salle de bains en essuyant ses larmes sur le bord de sa robe. Liomi était assis sur le lit et pleurait. Elle le prit dans ses bras et pleura avec lui, tous deux trop terrifiés pour parler. Ils s'endormirent ensemble dans le grand lit, Liomi prenant la place de son père, Timba au milieu. Neni Jonga s'endormit, tandis que ses larmes coulaient sur l'oreiller, convaincue que son mari l'avait battue, non parce qu'il ne l'aimait plus, mais parce qu'il était perdu et ne trouvait aucune issue à la misère qui avait déferlé sur sa vie.

Jende dormit seul sur le sol du salon, à cause de sa colère, mais aussi à cause de son dos.

Le lendemain matin, Neni se réveilla avec lui, comme souvent, et prépara son petit déjeuner, qu'il mangea avant de partir travailler.

Lorsqu'il revint, quatorze heures plus tard, il tenait à la main un bouquet de roses rouges et un nouveau jeu vidéo pour Liomi, qui le prit et remercia son père sans même le regarder, toujours terrifié de l'avoir vu battre ainsi sa mère.

« Je ferai tout pour te rendre heureuse au Cameroun, promit Jende à Neni. Nous allons avoir une belle vie là-bas. »

Neni détourna la tête.

Il voulut la prendre dans ses bras.

Elle résista.

Alors il se mit à genoux et lui attrapa les pieds.

« Je t'en supplie, dit-il en levant les yeux vers elle, pardonne-moi. »

Alors elle pardonna. Qu'y avait-il d'autre à faire ?

Trois jours plus tard, il comparut au tribunal.

« Mon client souhaiterait requérir un départ volontaire, Votre Honneur, annonça Boubacar au juge.

— Votre client comprend-il ce que cette demande implique ?

— Oui, Votre Honneur. »

Le juge feuilleta les documents posés devant lui et leva les yeux vers Jende.

« Monsieur Jonga, comprenez-vous qu'en requérant votre départ volontaire, vous devrez quitter ce pays dans un délai de cent vingt jours ?

— Je comprends, Votre Honneur », répondit Jende.

Le juge demanda alors à l'avocate des Services de la citoyenneté et de l'immigration si elle voyait une objection à ce que le prévenu requière son départ volontaire. L'avocate répondit que non.

« Très bien, annonça le juge. Dans ce cas, je vais réviser le dossier et rendre ma décision. Le clerc vous fera parvenir une notification. Il vous faudra quitter le pays avant la fin du délai accordé. »

Jende hocha la tête, mais sans éprouver le

soulagement qu'il avait imaginé. Il ne l'éprouva pas non plus lorsqu'il sortit du tribunal tout en sachant que, selon toute vraisemblance, il n'y remettrait plus jamais les pieds. Il ne l'éprouva pas lorsqu'il arriva au restaurant et enfila son tablier, tout en sachant que jamais plus il n'aurait à faire la plonge pour nourrir ses enfants. Le soulagement n'arriva que plus tard ce soir-là, lorsque Neni le regarda et, des larmes dans les yeux, lui dit comme elle était heureuse que son calvaire soit enfin terminé.

55

C'était un numéro étranger, mais pas un numéro du Cameroun, dont elle connaissait l'indicatif : 237. Pendant un instant, elle envisagea de décrocher, mais les enfants et elle étaient déjà en retard à la fête d'anniversaire qui se tenait à Flatbush pour les soixante-dix ans de la belle-mère d'Olu. Alors elle ignora l'appel, ainsi que le message laissé sur son répondeur. Elle jeta son téléphone dans son sac, espérant avoir le temps d'écouter le message en chemin, mais la sœur d'Olu, venue les chercher en voiture, ne cessa de parler pendant le trajet de son mariage avec cinq cents invités prévu pour décembre à Lagos. « Ça sera mieux que fantastique, oh », répéta cette femme au moins cinq fois, à quoi Neni fut tentée de répondre : « Oui, profite bien de ton mariage, car quand tu auras fini de danser et qu'il sera temps de vivre ta vie d'épouse, tu oublieras vite ton extase. » Mais elle ne prononça pas ces paroles – la femme s'en apercevrait d'elle-même bien assez tôt. Neni l'écouta à moitié, hochant la tête comme si la conversation l'intéressait. Ce ne fut que le lendemain matin, après une longue soirée de danse, au son des chansons de Fela et de P-Square, dans une salle pleine de femmes yorubas parées des *gele* les plus sophistiqués qu'elle ait jamais vus, qu'elle se souvint du message et, encore à moitié endormie, passa le bras par-dessus Jende, qui dormait à poings fermés, pour attraper son téléphone.

« Salut, Neni, c'est Vince, disait le message. J'espère que tout le monde va bien. Je sais que tu seras sûrement surprise de m'entendre, mais pas de panique, tout va bien. Tout se passe bien pour moi ; même très bien, à vrai dire. En fait, je t'appelais pour te poser une petite question. J'aurais voulu parler avec toi. Je ne voudrais pas t'embêter en te recontactant à l'improviste, mais… est-ce que tu pourrais me rappeler quand tu auras ce message, s'il te plaît ? Ou simplement me biper, et je te rappellerai. Je ne voudrais pas te faire dépenser une fortune en m'appelant en Inde, mais si tu pouvais me rappeler, ce serait génial. Bon, *peace and love* à Jende et à Liomi. Merci et… j'espère qu'on aura l'occasion de parler bientôt. Au fait, c'était Vince Edwards. Ah ah. Juste au cas où tu connaîtrais plusieurs Vince en Inde. *Namaste.* »

Elle sauvegarda le message et s'allongea à nouveau sur le lit. Dehors, deux hommes ivres se lançaient des jurons ; Jende ronflait près d'elle, profitant d'un repos bien mérité après seize heures de service. Elle ferma les yeux, s'efforçant de se rendormir, mais les ronflements de Jende, la pile de linge qui l'attendait par terre et le message inattendu de Vince, tout cela ôta de ses yeux les derniers grains de sommeil, si bien qu'elle se leva et, enjambant Jende et Timba, se rendit dans le salon. Il ne pouvait y avoir qu'une seule raison pour laquelle Vince souhaitait recevoir de ses nouvelles : ce qui s'était passé entre elle et Cindy.

Anna avait dû lui dire. Vince avait dû être stupéfait d'apprendre qu'il s'était trompé sur le compte d'une personne qu'il croyait bonne. Vince avait dû penser qu'il devait connaître la vérité, puisque la Vérité était sa quête. « Si nous ne vivons pas dans la Vérité, disait-il tout le temps, alors nous ne vivons pas du tout. » Par chance, elle possédait une carte téléphonique. Elle allait l'appeler, et si Vince souhaitait vraiment connaître sa version des faits, elle la lui dirait.

« Ça alors, je ne pensais pas que tu rappellerais, lui dit-il d'une voix enjouée, lorsqu'il décrocha.

— Pourquoi je n'aurais pas rappelé ?

— Je ne sais pas, souvent, les gens sont tellement occupés qu'on ne s'attend même pas à ce qu'ils rappellent.

— Je ne suis pas comme ça.

— Non, tu n'es pas comme ça, Neni. On ne peut pas généraliser. Ça alors, tu n'as pas changé ! s'exclama Vince en riant. Alors, comment ça va, vous ? Jende, Liomi ? Et vous avez eu un bébé, pas vrai ?

— Tout va bien. Comment vont Mighty et ton papa ? »

Ils allaient bien, lui répondit Vince, même s'il s'inquiétait un peu maintenant qu'ils n'étaient plus que tous les deux à la maison. Neni hocha la tête tandis qu'il parlait, sans rien répondre. Savoir comment se portaient les Edwards l'intéressait, mais pas au point d'en oublier qu'elle désirait enfin savoir pourquoi Vince l'avait appelée. Avec n'importe qui d'autre, Neni aurait assouvi sa curiosité en moins de trente secondes. Elle détestait ceux qui tardaient à en venir au fait (en particulier quand elle soupçonnait que l'appel était motivé par une question gênante), mais ce matin-là, elle s'efforça de rester gentille et courtoise avec Vince. Aussi commença-t-elle à lui poser des questions, auxquelles Vince, visiblement désireux de bavarder, répondit en lui révélant plus de choses encore qu'elle ne voulait en savoir, alors qu'elle continuait de s'interroger sur la véritable raison de son appel.

Son père se portait plutôt bien, lui dit-il, même s'il était devenu un vrai paranoïaque depuis la mort de sa mère. Il ne cessait de prendre des nouvelles de tout le monde, tout le temps. Il appelait ses parents au moins trois fois par semaine, autrement dit bien plus souvent qu'autrefois. Il écrivait des e-mails à Vince tous les jours ou presque, pour lui demander quels étaient les derniers endroits qu'il avait visités et vérifier qu'il n'avait pas besoin d'argent. Il prenait également des nouvelles de Mighty plusieurs fois par jour, par l'intermédiaire d'Anna, de Stacy ou de son chauffeur à mi-temps, qui chaque fois lui assuraient que Mighty allait très bien et lui promettaient que rien ne pouvait lui arriver.

« Quand on est parent, c'est difficile de ne pas penser tout le temps à son enfant », dit Neni.

Bien sûr, répondit Vince, mais il était tout de même étrange que son père soit tout d'un coup devenu un homme si attentif à sa famille. La situation aurait même été drôle si elle n'était pas si triste. Aux yeux de son père, rien ne semblait maintenant plus important que le bien-être de Mighty ; Clark décalait des réunions afin de pouvoir se rendre à ses entraînements de hockey, déclinait des invitations pour rester jouer aux jeux vidéo avec lui, écrivait des poèmes lorsque le petit garçon dormait.

« Quand je l'ai appelé l'autre jour, il revenait d'un cours de cuisine, lui dit Vince en riant. Il veut apprendre à lui préparer les mêmes plats que maman.

— Je suis très contente de l'apprendre. C'est une bonne chose pour Mighty, répondit Neni. Vous le savez déjà, mais Mighty désirait vraiment passer du temps avec son père.

— Oui, je suis heureux pour lui. Mais mon père me fait quand même de la peine… je crois qu'il apprend vite, qu'il tient bon, mais l'Univers lui a quand même fait subir une sacrée épreuve. C'est compliqué pour lui de la surmonter, de trouver son chemin. À son âge, il ne l'a toujours pas trouvé. Voilà ce qui arrive quand on poursuit des illusions.

— Ce n'est pas facile pour un homme d'élever seul un enfant. Nous, les femmes, nous avons ça dans le sang.

— Lui, il n'a pas ça dans le sang, crois-moi. Mais je suis fier de lui. Il fait de son mieux.

— Vous devriez lui dire, Vince. Ça le rendrait heureux. Quelle parole peut rendre un père plus heureux que d'entendre son fils dire : "Je suis fier de toi" ?

— Je l'ai remercié de s'occuper si bien de Mighty, oui. »

Neni hocha la tête, mais ne dit rien.

« La route va être longue pour lui, poursuivit Vince, mais il semble avoir compris l'importance de l'équilibre et…

— Mais Mighty, intervint Neni. Mighty doit encore avoir du mal à comprendre.

— Oui. En gros, tout va bien, mais il y a des jours où il refuse de faire quoi que ce soit. Mon père se retrouve totalement démuni. L'un dans l'autre, je dirais quand même qu'il se porte beaucoup mieux que je ne l'aurais cru ; il profite d'une chose que je n'ai jamais eue. Je me suis fait beaucoup de souci pour lui quand je suis reparti après l'enterrement.

— Vous êtes reparti juste après l'enterrement ?

— Non, je suis resté près d'un mois, mais en arrivant ici, j'ai sérieusement songé à rentrer.

— Vous ? Rentrer ? Mais vous ne détestez pas l'Amérique ? »

Vince eut un rire.

« Je n'aime pas l'Amérique, répondit-il, mais c'est là qu'est ma famille, alors je suis bien obligé de la supporter.

— Je ne comprends toujours pas ce qu'il y a de si dur pour vous à supporter.

— Toutes ces conneries que la masse ne voit pas… cette bêtise ambiante. Ces gens scotchés sur leur canapé à regarder des émissions à la con, interrompues par des pubs à la con destinées à leur donner envie d'acheter des produits à la con. Scotchés devant leur ordinateur pour acheter des trucs vendus par des entreprises pourries qui prennent pour des esclaves d'autres humains et anéantissent les chances pour leurs enfants de grandir dans un monde où ils seront réellement libres. Mais tu vois, tant qu'on a notre petit confort, qu'on fait des économies et que les entreprises créent des postes à soixante heures par semaine avec congés maladie, qu'est-ce que ça peut faire si on se rend complice de tout ça ? Autant continuer notre petit bonhomme de chemin pendant que notre pays continue quant à lui de perpétrer des atrocités dans le monde entier.

— Si tu veux, donne-moi ta nationalité américaine

et je te donne ma nationalité camerounaise ! » dit Neni en riant.

Mais Vince, lui, ne rit pas.

« De toute façon, poursuivit-il, maintenant que Mighty et mon père se débrouillent tout seuls, je ne serai sans doute pas obligé de rentrer pour de bon. Je leur rendrai visite une fois par an, peut-être.

— Une ou deux fois par an, ce serait bien.

— Je ne sais pas. Ç'a vraiment été dur de leur dire au revoir après l'enterrement.

— Je ne peux pas imaginer, répondit Neni. Je suis désolée pour tout, Vince. Vraiment désolée. J'ai voulu vous écrire pour vous dire que cette nouvelle m'avait rendue très triste, mais… Je n'ai pas réussi à…

— Ne t'en fais pas. Je sais que ce n'est pas simple d'écrire ces choses-là.

— Non, ce n'est pas seulement pour ça. Je sais à quel point ta mère et toi, vous étiez proches – Mighty m'a raconté qu'une fois, vous étiez partis tous les deux en vacances sans lui.

— C'est vrai, se rappela Vince en riant. On est allés aux Fidji, l'été qui a précédé mon entrée à l'université.

— J'ai déjà entendu parler des Fidji. Est-ce que c'est beau ?

— C'est génial, on a fait de la plongée presque tous les jours et on mangeait des fruits de mer de dingue à tous les dîners ; l'hôtel était pratiquement sur la plage.

— Ç'a dû être de très belles vacances.

— Formidables. Je me souviens d'un matin où un type sur la plage a essayé de draguer ma mère. Je suis arrivé, et je me suis fait passer pour son petit ami.

C'était à mourir de rire ! » Il gloussa. « Maman était quelqu'un de très chouette, avant. »

Pendant un instant, aucun d'eux ne parla.

« Mais que s'est-il vraiment passé entre vous ? » demanda Neni.

Vince ne répondit pas immédiatement.

« Elle est restée la même, et moi, je suis devenu quelqu'un de différent, dit-il. Tout simplement.

— Et elle vous manque.

— Oui, mais quel autre choix avons-nous dans la vie que d'accepter ?

— Je ne sais pas, Vince. Vous aimez bien parler d'accepter, mais ce n'est pas si facile quand un coup dur arrive. Tous ces gens qui disent partout qu'il faut accepter la vie telle qu'elle est, je ne sais pas comment ils font.

— Je n'en reviens pas de penser autant à la maison ces derniers temps. De toute évidence, c'est à cause de ma mère. Quand je suis retourné en Inde, j'ai appelé chez moi bien plus souvent que je ne me l'étais promis.

— Parce que vous aviez de la peine pour Mighty ?

— Oui. Je me demandais ce qu'il allait devenir, tu comprends ? Sans ma mère, et avec mon père qui bosse tout le temps. Même s'il y a toujours les amies de ma mère, Stacy et Anna, je savais que ça ne serait pas pareil.

— L'amour d'une mère ne peut pas être remplacé.

— Peut-être. Mais l'Univers nous donne différentes sources d'Amour pour nous unir en tant qu'Un. Qui sommes-nous pour décider quelle doit être la source de notre Amour ? L'amour, c'est l'Amour, et nous devons nous sentir comblé à chaque moment de notre vie. Même si, je dois bien l'admettre, Mighty aime beaucoup plus se trouver avec toi et Jende qu'avec les amies de ma mère.

— Peut-être que si elles lui donnaient des plantains et des *puff-puff*, il les aimerait davantage, répondit Neni, et ils rirent tous les deux.

— À vrai dire, répondit Vince d'une voix soudain sérieuse, c'est à ce sujet-là que je t'appelais.

— Au sujet des plantains et des *puff-puff* ?

— Non, fit Vince en riant un peu. Au sujet de Mighty.

— Vous savez que je ferais tout pour vous deux, alors s'il vous plaît, dites-moi.

— Eh bien, voilà : Stacy va déménager à Portland, répondit Vince. Nous allons avoir besoin d'une nouvelle baby-sitter pour Mighty.

— Oui, et ?

— J'en ai parlé avec mon père il y a quelques jours. Il voulait appeler une agence pour trouver quelqu'un, mais j'ai pensé à toi. Nous avons tous les deux pensé que tu serais la personne parfaite pour ce travail.

— Mais je ne cherche pas de travail, se hâta de répondre Neni.

— Je sais – il ne s'agit pas d'un travail à temps plein. Enfin, ce serait formidable si tu pouvais t'en charger à temps plein, mais j'imagine qu'avec deux enfants, tu ne peux plus…

— Je ne peux plus, non.

— Je vois. Mais pas de souci, on trouvera une solution : on prendra quelqu'un d'autre, et tu ne passeras que quelques heures par semaine avec lui.

— Combien d'heures, par exemple ?

— Autant que toi, mon père et Mighty le voudrez.

— Mais je ne comprends toujours pas. Une baby-sitter, ce n'est pas assez pour Mighty ?

— Ce n'est pas la question. Voilà : mon père et moi pensons qu'il serait bon pour lui d'avoir une figure maternelle pérenne dans sa vie. »

Neni ne répondit pas.

« Son psychologue dit que ça pourrait l'aider à faire son deuil. C'est un enfant, il a besoin de ces choses-là. Pas de quelqu'un qui remplace ma mère – personne ne la remplacera jamais, c'est évident –, mais d'une femme qu'il aime et dont il sait qu'elle l'aime très fort, elle aussi.

— Et la sœur de ton père ? demanda Neni. Ou les amies de ta mère ?

— Ma tante vit à Seattle, et les amies de ma mère, ce n'est pas la même chose, même si elles ont plein de qualités, là n'est pas la question. Ce n'est pas pareil, c'est tout. Alors qu'il y a quelque chose de spécial entre toi et Mighty. C'est pour cette raison que mon père et moi… tu sais, ça ne nous dérangerait vraiment pas de te payer, même pour emmener de temps en temps Mighty et Liomi au restaurant, ou bien l'inviter un soir à Harlem, comme vous l'aviez fait.

— Tu as parlé à ton père de cette soirée-là ?

— Oui. Mais seulement récemment.

— Et il ne s'est pas fâché ?

— Non. Bizarrement, il était très content. »

Neni hocha la tête sans rien dire.

« Tu n'as pas besoin de donner une réponse tout de suite, poursuivit Vince. Prends quelques jours pour réfléchir, pour en parler avec Jende. Je te rappelle la semaine prochaine. Ça te va ? »

Neni secoua la tête.

Elle ne pouvait pas dire oui à Vince, car ces quelques jours pour réfléchir, elle n'en avait pas besoin. Vince n'avait pas terminé son explication qu'elle savait déjà ce qu'elle répondrait : non. Elle ne pouvait pas. La décision du juge allait leur être envoyée à tout moment, ce qui signifiait que leurs jours en Amérique seraient bientôt comptés. Jende avait bon espoir que le juge accède à sa demande – tellement, en fait, qu'il avait commencé à chercher des billets d'avion et lui avait demandé, deux jours auparavant, combien elle pensait pouvoir tirer de leur lit en le vendant sur Craigslist. Même si le juge rejetait la requête ou si Jende décidait de la retirer pour Dieu sait quelle raison, la réponse aurait toujours été non, car elle ne pouvait faire cela à une femme morte. Mighty était le bébé de Cindy, et Cindy était montée au ciel en la haïssant. Comment regarder Mighty dans les yeux en toute bonne conscience après ce qu'elle avait fait à sa mère ? Que dirait Vince si Anna lui révélait un jour ce dont elle avait été témoin ? Peut-être était-elle responsable de la mort de Cindy ; peut-être pas. Mais il n'aurait pas été bien de franchir à nouveau la porte de chez elle, quelle que soit l'affection qu'elle portait à Mighty.

Elle savait que jamais elle n'aurait reposé en paix si son ennemie était entrée effrontément chez elle pour prendre sa place auprès de ses enfants.

56

Il apprit la nouvelle un vendredi après-midi : le juge avait accepté sa demande de départ volontaire.

« Tu dois être parti avant fin septembre, lui dit Boubacar. Le 30 septembre, a écrit le juge ici. Il allait te donner les cent vingt jours, mais…

— Ce n'est pas un problème, monsieur Boubacar, répondit Jende avec un sourire aussi grand que la vallée du Grand Rift. Je suis prêt.

— Je ne sais pas ce qui s'est passé. Il a changé d'avis. Tu n'as plus que quatre-vingt-dix jours maintenant. »

Jende se décala au bout de son banc pour faire de la place à un homme en costume mauve.

« Quatre-vingt-dix jours, ce sera très bien, monsieur Boubacar, dit-il. En toute vérité, je n'ai pas besoin de plus de temps.

— Bien. C'est rapide, je sais, mais je ne peux rien y faire, mon frère. Je suis désolé.

— Non, ma parole, ne t'inquiète pas pour moi, monsieur Boubacar. J'ai vu une pub pour des billets pas chers avec Air Maroc. J'en ai acheté pour le jour le moins cher. Nous partons en août.

— Ah ? Tu es vraiment prêt à partir, eh ?

— Quand tu m'as dit la semaine dernière que tu étais sûr à quatre-vingt-dix-neuf pour cent que le juge allait accepter ma demande, j'ai commencé à chercher des billets. J'ai même acheté une nouvelle valise hier. »

Il eut un rire.

« Je suis content de savoir que tu es si heureux, mon frère, lui dit Boubacar. Il y a des gens, quand ils achètent des billets, ils pleurent jusqu'au jour où ils montent dans l'avion.

— Je pouvais faire quoi, monsieur Boubacar ? Les gens chez moi disent que si Dieu te coupe les doigts, Il t'apprendra à manger avec tes orteils.

— *Abi*, si j'étais un chrétien, je dirais amen à cela. Et comment va la dame ? Elle est aussi heureuse que toi de rentrer ? »

Jende gloussa de rire.

« Elle n'est pas heureuse, dit-il, mais elle fait quand même ses bagages.

— Prends garde qu'elle ne dépense pas tout ton argent en achetant des choses, l'avertit Boubacar. Parce que les femmes là, elles veulent toujours rapporter plein de choses avant de rentrer au pays. Tout ce qui les rend plus belles est une première nécessité.

— Trop tard, oh, monsieur Boubacar, répondit Jende en riant. C'est déjà trop tard. »

Il avait donné à Neni plus d'argent pour faire son shopping qu'il ne l'avait prévu ; ces derniers jours, lui donner de l'argent était le seul moyen de la faire sourire. Jende l'avait autorisée à dépenser cinq cents dollars pour acheter ce qu'elle voulait. Elle en avait finalement dépensé huit cents, se procurant toutes ces choses qu'il serait difficile de trouver à Limbé : des petits jouets pour les enfants, afin qu'ils n'aient pas à s'amuser avec des branches et de la boue ; des conserves de nourriture et toutes les bonnes céréales que Liomi avait l'habitude de manger au petit déjeuner ; autant d'habits qu'il le faudrait pour conserver pendant bien des années encore leur aura américaine.

Pour elle-même, elle avait acheté des crèmes de beauté et des soins anti-âge à Chinatown – des produits qui, espérait-elle, préserveraient sa jeunesse et sa beauté pendant longtemps et lui assureraient un rang élevé parmi les femmes de Limbé. Neni avait entendu dire que les femmes de petite vertu couraient maintenant les rues au pays, ces *wolowose* belles et sans vergogne à cause desquelles les bonnes épouses tremblaient. Bien sûr, Jende n'était pas homme à se laisser tenter, il n'avait jamais eu un regard pour le plus large des décolletés depuis leur mariage (pas en sa présence, en tout cas), mais elle n'avait jamais eu non plus à s'inquiéter de la concurrence d'une autre femme. Pourquoi une autre femme voudrait-elle lui voler son mari alors qu'il existait des milliers d'hommes plus riches à New York City ? Mais à Limbé, il n'en serait plus ainsi. Ces femmes de petite vertu se jetteraient sur lui. Jende ne serait plus le pauvre garçon dans sa *caraboat house* de New Town, mais un homme revenu d'Amérique avec de nombreux dollars. Les *wolowose* allaient l'assaillir, pouffant de rire et exposant leurs dents, disant des choses comme, *Monsieur Jende, how noh ? You look good, oh*[1] *!*. Neni devrait lui donner de bonnes raisons de ne pas laisser traîner son regard sur

---

1. Monsieur Jende, comment ça va ? Tu es beau, oh !

elles, surtout maintenant qu'elle ne possédait plus les atouts de ces jeunettes. Elle ne ressemblerait jamais plus à ces filles-là, car la maternité avait ôté tout attrait à ses seins et laissé sur son ventre des marques de fatigue. Son corps n'étant plus le joyau d'antan, sa meilleure arme ne serait plus la nudité, mais un visage sans ride ni imperfection, et des vêtements et accessoires dont elle se parerait, une fois perdus ses deux kilos superflus.

Elle devait rentrer préparée à Limbé.

« N'oublie pas, les filles dans ton pays, elles ont aussi les bonnes crèmes d'Amérique », lui fit remarquer Fatou lorsque Neni se rendit chez elle pour lui apporter un sac à main en guise de cadeau d'anniversaire tardif et lui raconter qu'elle comptait bien protéger son mariage. « Ces filles-là, elles savent bien comment acheter les crèmes et mettre le parfum, comment ressembler à une femme américaine.

— Si elles s'approchent, je les tue », répondit Neni.

Fatou regarda les yeux de Neni, ronds et déterminés, et rit.

« Moi, jamais je ne vais avoir un problème comme ça, dit-elle. Aucune femme ne va voler mon Ousmane. Qui va vouloir d'Ousmane, avec ses jambes comme des balais là ? Aucune femme. Alors je garde mon mari. »

Neni éclata de rire. Pendant une minute, grâce à la présence de son amie, elle oublia combien l'avenir lui faisait peur et elle rit. Avoir un homme que convoitaient les autres femmes était un malheur déguisé en bénédiction, se dit-elle. Mais c'était aussi une fierté. Jende serait quelqu'un à Limbé, maintenant qu'ils revenaient. Jende allait devenir un businessman. Il

leur achèterait une belle maison en briques à Sokolo,
Batoke, ou au Mile Quatre, et embaucherait une bonne.
Dimanche dernier, tandis qu'ils dînaient en tête à tête
au Red Lobster et que Winston et Maami gardaient
les enfants, Jende lui avait dit tout cela.

« Je te promets de tout mon cœur et de toute mon
âme, *bébé**. Tu vas vivre comme une reine à Limbé.

— Quel autre choix j'ai maintenant ? lui demanda-
t-elle en regardant son assiette pour ne pas lever les
yeux vers lui. Nous devons partir tous les deux, que
je le veuille ou non.

— Oui, *bébé**, mais je veux que tu rentres au pays
heureuse. Je ne veux pas que tu rentres en pleurant
comme je t'ai vue pleurer ces derniers temps. Je
n'aime pas te voir pleurer comme ça, eh ? Je n'aime
pas ça du tout. »

Il retroussa les lèvres en prenant un air triste qui
la fit éclater de rire.

« J'aime tellement New York, Jends, répondit-elle.
Je suis si heureuse ici. Je ne... Je ne sais même pas
comment... »

Il lui prit les mains et les embrassa comme les
hommes le faisaient dans les films. Après avoir payé
leur repas, ils marchèrent jusqu'à Times Square, l'un
des endroits préférés de Jende. Avant l'arrivée de
Neni, Times Square avait été la deuxième oasis de
Jende – après Columbus Circle –, un endroit qui ne
manquait jamais de lui rappeler ce qu'il avait laissé
derrière lui. Se trouver là-bas était comme se trouver
au croisement du Demi-Mile à Limbé, où les panneaux
publicitaires Ovaltine et Guinness surplombaient les
rues poussiéreuses ; où les taximans klaxonnaient et
houspillaient les piétons imprudents ; où les débits

de boissons restaient ouverts presque toute la nuit, tous les week-ends ; où des filles de joie voluptueuses criaient des insultes aux clients trop avares ; où le bruit ne mourait jamais.

Au centre de la place, juste à l'angle de Broadway et de la 42e Rue, Jende et Neni restèrent côte à côte, immobiles pendant un moment. Il n'y aurait pas de Times Square à Limbé, pensa Neni. Pas de panneaux lumineux montrant toutes les choses qu'elle rêvait d'acheter. Il n'y aurait pas de McDonald's où manger les McNuggets qu'elle adorait. Pas de gens de toutes les couleurs, parlant des langues si diverses, écumant des lieux si amusants. Il n'y aurait pas de carrière de pharmacienne. Pas d'appartement à Yonkers, Mount Vernon ou New Rochelle.

Elle enfouit son visage au creux de l'épaule de Jende et souhaita d'être heureuse.

57

À Limbé, les dix mille dollars que Neni avait souti-
rés à Cindy et les huit mille dollars qu'ils avaient économisés (cinq mille mis assidûment de côté en gardant
environ trois cent cinquante dollars par mois pendant
les quatorze mois que Jende avait passés au service
des Edwards ; trois mille grâce aux quatre semaines
pendant lesquelles Neni avait travaillé pour Cindy),
tout cet argent allait faire d'eux des millionnaires.
Même après les dépenses liées aux billets d'avion et à
tous les préparatifs du départ, il resterait suffisamment
d'argent pour que Jende devienne l'un des hommes
les plus riches de New Town.

Avec le nouveau taux de change de six cents francs
CFA pour un dollar, Jende allait rentrer au pays avec
près de dix millions de francs CFA, soit assez pour
recommencer leur vie dans une belle maison de location avec un garage pour sa voiture et une bonne pour
que sa femme soit traitée comme une reine. Assez
pour monter son affaire, qui un jour lui permettrait
de faire construire une grande maison en briques et
d'envoyer Liomi à la Baptist High School, à Buéa,
le même pensionnat que Winston avait fréquenté, car

son feu père provenait d'un clan banso aisé ; le même pensionnat que Jende n'avait pas pu connaître, car Pa Jonga n'avait pas d'argent.

Sans le moindre traitement, son dos cessa de le torturer.

Un mois avant leur départ, Winston l'appela avec une idée : pourquoi Jende ne superviserait-il pas la construction d'un nouvel hôtel que Winston faisait bâtir à Seme Beach avec un associé, pour en devenir le manager une fois le chantier fini ?

« Nous discuterons du salaire, Bo, lui dit Winston. Nous te donnerons un bon salaire, meilleur que celui que tu gagnais quand tu travaillais comme employé pour le conseil municipal de Limbé. »

Jende rit et lui promit d'y penser. Deux jours plus tard, quand Winston passa leur rendre visite, Jende déclina sa proposition. Il appréciait son geste, mais voulait monter son propre business, voulait savoir ce que cela faisait de ne devoir rendre de comptes à personne. Toute sa vie n'avait été que des « Bien, monsieur, bien, madame ». L'heure était venue pour lui d'en faire partie et d'entendre à son tour : « Bien, monsieur Jonga. »

Dès son retour à Limbé, Jende comptait monter sa propre affaire : Jonga Enterprises. Son slogan serait : « Jonga Enterprises : la sagesse de Wall Street à Limbé. » Son objectif serait de se diversifier, de fusionner et d'avoir sur le marché le moins de concurrents possible. Mais il commencerait petit à petit. Peut-être en faisant tourner quelques taxis ou quelques *benskins*. Ou bien en embauchant des fermiers pour cultiver les trois hectares de terre que son père lui avait laissés à Bimbia, dont il pourrait vendre une partie des récoltes au marché de Limbé et exporter l'autre à l'étranger. Winston l'encouragea à commencer par ce projet. Il y avait déjà assez de taxis à Limbé, et les *benskins* – avec leur taux d'accidents élevé qui avaient fait jurer certains que les motos-taxis étaient l'œuvre du diable – étaient vouées à disparaître tôt ou tard. Mais la nourriture, avait dit Winston, était une chose dont les gens auraient toujours besoin.

« La nourriture, approuva Jende, et les débits de boissons.

— Est-ce que les habitants de Limbé se lasseront un jour de la boisson ? répondit Winston. Il paraît que des débits de boissons ouvrent partout dans la ville, comme jamais. Il paraît qu'il y en a même un qui vend de la Heineken et de la Budweiser. Heineken et Budweiser ! Au Cameroun, eh ! »

Sur le sofa, Jende se pencha pour bercer Timba qui s'agitait dans son couffin. Winston se leva et scruta le bébé. Il lui sourit, lui chatouilla le ventre, s'attendrit devant son sourire édenté, puis retourna s'asseoir.

« Voilà à quoi on voit que l'hégémonie américaine va trop loin, Bo, poursuivit Winston. Les *paysans** qui voulaient de la Guinness et de la 33 Export veulent maintenant Budweiser et Heineken.

— Et des Motorola RAZR, ajouta Jende. Ma mère m'a demandé de lui ramener un Motorola RAZR pour avoir un plus beau téléphone que toutes ses amies avec qui elle travaille à la ferme. Ne me demande pas pourquoi elle a besoin d'un téléphone à la ferme. Il n'y a même pas de réseau là-bas. Elle a juste vu le Motorola RAZR dans un film nigérian, alors maintenant elle en veut un.

— Et pourquoi tu voudrais la laisser là-bas, comme au siècle dernier ?

— J'ai dit à Neni, poursuivit Jende : "Peut-être même que New York ne te manquera pas tant que ça à Limbé. Maintenant, il y a là-bas tellement de choses qu'on trouve en Amérique." Mais non, elle ne m'écoute pas. Je la vois qui se promène dans la maison avec une tête longue comme… je ne sais même plus l'expression là.

— Ah, Bo. S'il te plaît, fais preuve de compréhension. Ça n'a pas été facile pour elle d'être…

— Mais ce n'est peut-être pas vrai ? Tout ce qu'elle voit ici, elle va le voir à Limbé. Les filles là-bas, maintenant, j'ai entendu dire qu'elles parlaient toutes comme Beyoncé. Et que personne au pays ne boit plus de *country mimbo* maintenant. Le vin de palme, c'est démodé. Nous sommes tous des Américains ou des Européens maintenant. Emmanu m'a dit qu'un club de West End vendait même du champagne Cristal.

— Sérieusement ?

— Sérieusement. Victor est le propriétaire du club. Tu te souviens de Victor ?

— Quel Victor ? demanda Winston. Celui qui jouait au foot dans l'équipe adverse, au quartier ? Celui qui vit derrière l'église catholique et qui a le même fessier qu'une femme ?

— Celui-là même, répondit Jende. Emmanu m'a juré que ce club, là, il est *helele*.

— Mais où Victor a trouvé l'argent pour investir comme ça ?

— Tu n'as pas entendu l'histoire ? demanda Jende. Ce garçon-là, il est allé en Bulgarie. Ou en Russie, ou en Australie – quelque part là-bas. Et il est revenu avec des *kolo*, ma parole. La rumeur en ville dit qu'il faisait le danseur. Qui sait quel genre de danse pratiquait le gars ? Vu l'argent qu'il a ramené avec lui, il devait faire ça très bien.

— Un homme noir qui secoue son fessier pour des femmes blanches, songea Winston tout haut. Mais elles veulent toutes ça, eh ! Et Victor savait bien faire rouler le fessier, je te le dis. Jamais je n'oublierai la fois où je dansais pour approcher une belle *ngah*, au Black and White. Je crois que c'était le soir de Noël. Ils avaient bien monté la musique, et je roulais mon fessier, prêt à aborder la fille, à partir la draguer. »

Il se leva et bougea les hanches pour montrer les pas de *makossa* de sa jeunesse.

Jende le regarda, souriant.

« Mais c'est pas tout, continua Winston avant de marquer une pause, brandissant ses deux mains ouvertes. Tout à coup, Victor sort de nulle part avec sa danse de Michael Jackson, et ma *ngah* commence par rigoler. Je crois qu'il faisait la danse de *Thriller*, tellement il y avait de fortes vibrations. Et la *ngah* rigolait, rigolait, et tout à coup, je me dis "Attends, où elle est là ?" Le bâtard m'a volé la *ngah* avec sa danse de Michael Jackson, juste sous mon nez ! Et moi, je suis resté en plan au milieu du *dance floor* ! »

Jende rit jusqu'à être plié en deux, à court d'air.

« Ah, Limbé ! s'exclama-t-il. Je n'arrive pas à croire que je vais retourner là-bas.

— Eh, je te demande juste une chose : ne va pas devenir un *American Wonder* quand tu seras rentré là-bas, dit Winston en riant, tandis qu'il se rasseyait. Joue-la mature, ma parole. »

Jende secoua la tête.

Jamais il ne deviendrait un *American Wonder*, l'un de ces *mbutukus* revenant d'Amérique parlant avec un accent grotesque, en ponctuant chaque phrase de « *wanna* » et « *gonna* ». On les voyait partout en ville avec leurs costumes, leurs bottes de cow-boy et leurs casquettes de base-ball, prétendant ne plus comprendre la culture du Cameroun, car ils étaient maintenant trop américains. *Come and see American Wonder*, disait la chanson à leur sujet. *Come and see American Wonder. Do you know American Wonder ? Come and see American Wonder.*

Jamais Jende ne laisserait les gens rire de lui. Il serait un homme respectable.

Plus tard ce soir-là, quand Neni et Liomi rentrèrent avec une nouvelle paire de baskets pour le garçon, Jende fit part à Neni de son idée de faire commerce de ses récoltes. Elle garda la tête baissée, sans dire un mot, tandis qu'elle déballait les baskets de Liomi pour les ranger à l'intérieur d'un sac « *Ghana must go* ».

« On arriverait peut-être à trouver le moyen de faire de l'export ici, eh ? suggéra-t-il. De vendre aux épiceries africaines de New York ?

— Pourquoi tu as besoin de mon avis ? répondit-elle en levant la tête pour le regarder comme s'il la dégoûtait. N'es-tu pas celui qui détient toutes les réponses ? »

Son simple regard semblait vouloir le transpercer comme un couteau bien aiguisé tranchant le ventre d'un cochon. Moins d'une semaine s'était écoulée depuis leur visite à Times Square, et le mépris l'avait de nouveau gagnée, aigrie d'être forcée de partir d'Amérique avec ses enfants.

« Mais, *bébé**, lui dit-il, je dis seulement ça pour…

— Pour quoi ? Non, ma parole, ne me demande rien. Fais juste ce que tu veux faire, OK ? Tu fais ce que tu veux faire, comme tu veux le faire, c'est tout. Tu n'as pas besoin de me demander. »

Bien heureusement, Liomi, lui, avait recommencé à prendre modèle sur son père. Lorsque Neni s'enferma dans la chambre en prétextant vouloir terminer son travail en paix, Jende se rendit dans le salon, où lui et le petit garçon jouèrent à la bagarre par terre en se faisant des chatouilles, riant si fort qu'ils manquaient d'air.

Le lendemain, Jende appela son frère Moto pour lui demander de commencer à chercher des hommes pour labourer la terre à Bimbia et y planter plantains, *egusi* et patates douces. Il lui demanda aussi de chercher pour lui une maison en briques de quatre pièces avec un garage, ainsi qu'une bonne et une voiture qu'il conduirait en attendant de recevoir la Hyundai d'occasion qu'il avait achetée aux enchères dans le New Jersey et faisait venir par cargo. Trois jours plus tard, il reçut un texto de son frère lui parlant d'une maison à louer à Coconut Island, ainsi que d'une voiture, une Mitsubishi Pajero de 1998. La maison serait meublée, et la bonne embauchée à leur arrivée.

« Regarde-toi, dit Fatou à Neni lorsque cette dernière lui parla de la maison et de la bonne. Tu vas partir du petit deux-pièces pour aller vivre dans un manoir ! Ousmane, pourquoi il ne fait pas ça pour moi aussi ?.

— Tu n'as qu'à lui demander de te ramener au pays, rétorqua Neni.

— Ousmane, il ne veut pas retourner au pays », répondit Fatou. Puis elle marqua une pause, regardant la valise vide ouverte par terre, dans le salon. « Si seulement je pouvais rentrer, moi. Si seulement je pouvais aller dans mon village, je construirais une maison pour moi près de celle de mon père et de ma mère. Là, je peux vivre tranquille et mourir tranquille. Si seulement je pouvais rentrer *très bientôt**. »

Neni vit les yeux de Fatou, d'ordinaire si pétillants, s'assombrir à ces mots, et sut que son amie était sérieuse ; pour la première fois de l'après-midi, elle ne parlait pas pour plaisanter. Ses parents lui manquaient, surtout maintenant qu'ils étaient âgés de quatre-vingts ans ; ils avaient besoin d'elle et de ses deux frères pour prendre soin d'eux. Fatou et ses frères s'inquiétaient à leur sujet, mais que pouvaient-ils faire de si loin ? L'un de ses frères était en France, l'autre dans l'Oklahoma. Ses parents dépendaient à présent d'autres membres éloignés de la famille, à qui Fatou et ses frères envoyaient de l'argent plusieurs fois dans l'année. Ses parents devaient vivre comme des gens qui n'avaient jamais eu d'enfants, ce dont Fatou avait honte chaque fois qu'elle recevait un coup de téléphone d'un proche au pays lui annonçant que son père ou sa mère était tombé malade et qu'elle devait envoyer l'argent nécessaire pour qu'ils soient emmenés à l'hôpital. Fatou envoyait toujours l'argent immédiatement, même lorsqu'elle avait des factures à payer. Que pouvait-elle faire d'autre ?

Après vingt-six ans passés en Amérique, Fatou aurait bien arrêté de tresser des cheveux pour gagner son pain, mais la décision n'était pas sienne. Et même si Ousmane avait voulu rentrer, ses enfants, eux, étaient des petits Américains qui n'avaient jamais vu le pays de leurs parents. Sur ses sept enfants, dont trois avaient plus de vingt ans et quatre étaient adolescents, aucun ne voulait entendre parler de l'Afrique de l'Ouest. Certains ne se considéraient même pas comme africains. Quand les gens leur demandaient leurs origines, ils répondaient souvent : « Oh, nous sommes de New York, des États-Unis. » Ils donnaient cette réponse avec fierté, croyant à leurs paroles, et avouaient seulement devant l'insistance des gens que, oui, en réalité, leurs parents étaient africains. Mais eux étaient américains, ajoutaient-ils toujours – ce qui blessait Fatou et la conduisait à se demander s'il était possible que ses enfants pensent valoir mieux qu'elle, parce qu'ils étaient américains et elle, africaine ?

58

Les Bakweris de Limbé croyaient que le mois
d'août était un mois maudit. Les pluies tombaient
trop fort et trop longtemps ; le niveau des rivières
montait trop haut et trop vite. Rares étaient les jours
secs, nombreuses les nuits fraîches. Ce mois était long,
un mois triste et hostile, c'était la raison pour laquelle,
dans la tribu, beaucoup s'abstenaient de se marier, de
construire des maisons ou de monter un business en
août. Tous attendaient la fin du mois et, avec elle,
la fin des malheurs.

Mais Jende Jonga, pourtant lui-même bakweri, ne
croyait aucunement aux malédictions.

Mois d'août ou pas, le moment était venu pour lui
de rentrer au pays. En marchant dans les rues de New
York lors de ses derniers jours en Amérique, il ne
ressentit pas la moindre tristesse ni le moindre regret.
La coupe était pleine. Jende ne voulait plus vivre dans
un appartement rempli de cafards à Harlem, dans un
quartier aux rues envahies de mauvais fast-foods qui
vendaient du poulet frit, de vieilles boutiques recon-
verties en églises, de funérariums devant lesquels traînaient constamment des jeunes en gros survêtement,

pleurant l'un des leurs et crachant par terre sans même s'en rendre compte. Jende ne voulait plus de ces cinq étages à monter à pied pour aller partager son lit avec sa fille, tandis que son fils dormait dans un lit minuscule à quelques centimètres de lui. Jende ne voulait plus sourire pour sauver les apparences tandis qu'il rangeait la vaisselle et essuyait des couverts ; il ne voulait plus prendre le métro au beau milieu de la nuit pour rentrer chez lui en sueur, empestant la friture, vidé de ses forces.

À ses yeux, passer une nouvelle année ainsi aurait été une malédiction. Ne pas vouloir admettre que le temps était venu de rentrer chez lui aurait été une malédiction. Ne pas se rendre compte qu'il serait heureux de dormir dans une chambre séparée de celle de ses enfants, d'aller rendre visite à sa mère quand bon lui semblerait, de retrouver ses amis dans un *boucarou* de Down Beach pour aller prendre un poisson grillé ou une bière face à l'océan, de rouler dans sa propre voiture ou de transpirer en plein mois de janvier aurait été une malédiction.

« Tu es vraiment sûr que l'Amérique ne va pas te manquer ? lui demandaient chaque fois ses collègues au restaurant. Pas même le football américain ? » Et chaque fois, Jende riait. « Pas même le football américain, répondait-il. Pas même le cheese-cake. »

Neni, quant à elle, ne parvenait pas à éprouver la moindre joie alors que la date de leur départ approchait. Ses larmes coulaient sans prévenir, dans le métro, chez Pathmark, à Central Park ou dans leur appartement, au beau milieu de ses tâches ménagères. Aucune excitation ne s'emparait d'elle à l'idée de retrouver sa famille ou ses vieilles amies, mais uniquement de l'appréhension, car elle ne pensait jamais pouvoir être aussi heureuse à Limbé qu'elle l'avait été ici. Neni avait peur d'être à présent trop différente de ses amies, ayant goûté à cette vie qui l'avait tellement transformée, en bien comme en mal, cette vie qui l'avait élevée mais l'avait aussi rabaissée, prenant des tours qu'elle n'aurait jamais imaginés.

Neni avait peut-être hâte de revoir sa mère et ses sœurs, mais elle redoutait de revoir son père, à qui elle avait parlé pour la dernière fois en mai, lorsqu'il l'avait appelée pour lui annoncer que son fils illégitime, qui vivait à Portor-Portor Quarters, était à l'hôpital et qu'il fallait de l'argent pour payer ses soins. Neni lui avait répondu qu'ils n'avaient pas d'argent à envoyer, sur quoi son père s'était mis à crier. « Comment tu peux dire que tu n'as pas d'argent quand ton frère meurt à l'hôpital ? lui avait-il dit. — Mais ce n'est pas mon frère », avait crié Neni en retour. Son père avait raccroché lorsqu'elle avait ajouté ces paroles ; elle n'avait pas pris la peine de le rappeler pour prendre des nouvelles du malade. Ce garçon-là n'était pas son frère, ne le serait jamais. Neni ne se souciait guère de le savoir mort ou vif.

Pensant à ses enfants, Neni oscillait entre joie et peine – joie en raison de toutes les belles choses que le Cameroun avait à leur offrir ; peine en raison de toutes les choses qu'il ne leur offrirait pas. Ils grandiraient dans une vaste maison à Limbé, apprendraient le français, sauraient danser le *makossa*. Ils vivraient aux côtés de grands-parents fous d'amour pour eux et de trop nombreux oncles, tantes et cousins. Ils revêtiraient leurs plus beaux habits pour Noël et pour le jour de l'an et paraderaient dans la ville avec leurs amis en riant, en mangeant gâteaux et *chin-chin*. Jamais ils n'auraient à se demander pourquoi leur mère faisait ses courses au *dollar store* et pourquoi leur père passait son temps à travailler. Liomi irait au lycée de Buéa avec les enfants de l'élite, et il aurait de bonnes chances de devenir avocat, comme Winston. Timba passerait son enfance à danser sous le clair de lune avec ses amies en chantant *Gombe gombe mukele mukele* par les nuits étoilées. Elle apprendrait à chanter, *Iyo cow oh, njama njama cow oh, your mami go for Ngaoundéré for saka belle cow, oh, oh chei !* Elle fréquenterait le Saker Baptist College, prestigieux pensionnat pour filles, enfermée huit mois de l'année derrière un portail en fer, cachée à la vue des garçons, pour étudier aux côtés de jeunes filles destinées à devenir médecins ou ingénieurs.

À Limbé, Liomi et Timba allaient avoir beaucoup de choses que l'Amérique ne leur aurait pas données, mais plus nombreuses encore seraient celles qu'ils perdraient.

Ils perdraient la chance de grandir sur une terre merveilleuse, peuplée de rêveurs. Ils perdraient l'occasion de s'émerveiller des extraordinaires inventions et succès que l'Amérique permettait à des hommes et des femmes comme eux et de prendre modèle sur ceux qui avaient réussi. Liomi et Timba se verraient privés des libertés, des droits et des privilèges que le Cameroun ne pouvait offrir à ses enfants. Ils perdraient d'innombrables avantages en quittant New York, car même si d'autres grandes villes, d'autres mégapoles existaient dans le monde, il y avait à vivre là-bas un plaisir tout particulier, teinté d'audace et d'aventure, un plaisir que seule une ville comme New York pouvait donner à un enfant.

59

Betty organisa en leur honneur une fête d'adieu dans le Bronx. La plupart des amis qui les accompagnaient depuis leur arrivée, présents aussi à la naissance de Timba et à la mort de Pa Jonga, se joignirent à eux. Winston et Maami étaient là également, ainsi qu'Olu et Tunde, le professeur de Neni – qui passa rapidement, accompagné de son petit ami asiatique, beau comme lui, pour lui dire au revoir –, et Fatou et Ousmane, que Neni repéra aussitôt avec ses jambes comme des balais ; lorsqu'elle les imagina, cachées sous le jean trop grand, le premier véritable sourire de la soirée apparut sur ses lèvres.

Tout le monde apporta quelque chose à manger : plantains frites, soupe aigre de verdure, ragoût d'*egusi*, pieds de veau aux haricots, *poulet** DG, tilapia grillé, *atiéké*, *moi moi*, *soya*, riz *jollof*, poulet au curry, purée de patates douces. Winston apporta les boissons, ainsi que son *laptop* avec des enceintes.

Dans le salon à peine meublé de Betty, tous mangèrent et dansèrent au son de Petit-Pays et Koffi Olomidé, de Brenda Fassie et Papa Wemba. Puis se fit entendre le tube de Meiway, *200 % Zoblazo*.

Trompettes et claviers résonnèrent, invitant tous les convives à danser. Le rythme du morceau – féroce, puissant, affirmé – les fit tous se lever. Ceux qui mangeaient posèrent leur assiette. Ceux qui buvaient posèrent leur bouteille. *Ting, ting, ting, ding, ding.* Neni s'avança au centre du *dance floor*, balançant les hanches sans pouvoir s'en empêcher tant la musique était bonne ; ses pieds ne tenaient pas en place, malgré le malheur qu'elle vivait. Tout le monde était debout, entassé au centre du petit salon. Les bras se levaient, les femmes faisaient rouler leur derrière, de plus en plus fort, de plus en plus vite. Derrière elles, un bras autour de leur taille, les hommes ondulaient des hanches de tous côtés : en haut, en bas, à gauche, à droite, en avant, en arrière. Partout, derrières et hanches bougeaient à l'unisson, serrés les uns contre les autres, tandis que la musique montait. Puis arriva le refrain, et tous se mirent à sauter, à lever le poing en l'air en chantant aussi fort qu'ils le pouvaient : « *Blazo, blazo, zoblazo, on a gagné ! On a gagné !** » Lorsque l'un des amis de Jende, un non-Africain, demanda ce que signifiaient ces paroles, Jende lui répondit sans même prendre sa respiration.

La Judson Memorial Church leur fit également ses adieux.

Natasha demanda à Neni si Jende et elle pouvaient passer la voir le deuxième dimanche d'août. Jende accepta – curieux de visiter une église américaine et de voir si les fidèles américains interprétaient la Bible comme les Camerounais.

Ce matin-là Natasha lut le chapitre 18 de la Genèse, qui racontait l'histoire de visiteurs éreintés venus trouver Abraham, lequel, ignorant qu'ils étaient des anges, les traita avec bonté. Dans son prêche, la pasteur exhorta les fidèles à traiter ainsi les étrangers dans leur pays, déplorant que ces étrangers, éreintés eux aussi, soient assimilés à des clandestins. « Rappelez-vous ces immigrés accueillis à Ellis Island avec un déjeuner ! » dit-elle par-dessus une vague d'applaudissements. « Et avec un petit bilan de santé ! » plaisanta un homme, depuis le fond de l'église. Toute la congrégation rit. Natasha sourit en regardant ses fidèles échanger des commentaires à voix basse. « Comme cela est triste, déplora-t-elle en secouant la tête. Comme cela est triste de traiter nos amis dans le besoin comme nous traitons nos ennemis. D'oublier que chacun de nous pourrait un jour devoir également chercher un toit. Voilà qui ne ressemble en rien à l'amour que nous enseigne la Bible, à l'amour que Jésus-Christ prêche lorsqu'il nous dit d'aimer notre prochain comme nous-mêmes. »

Avant d'achever son sermon, Natasha invita les Jonga à la rejoindre devant l'assemblée. « Voici la famille Jonga, dit-elle à la congrégation. Dans une semaine environ, ils retourneront dans leur pays d'origine, le Cameroun. Cette famille était venue en Amérique dans l'espoir d'y rester. Ils rentrent, car ils n'ont pas pu obtenir de papiers leur permettant de demeurer dans notre pays et d'y bâtir une vie meilleure pour eux et leurs enfants. Ils rentrent parce que nous, Américains, avons oublié comment accueillir chez nous les étrangers de tous horizons. » Elle marqua une pause, se retournant pour donner le temps aux fidèles de réfléchir à ces mots. Puis elle se tourna vers Neni et Jende, les prit dans ses bras et les remercia d'avoir partagé leur histoire avec eux. Père, mère, fils et fille retournèrent sur leur banc, suivis par les regards de toute l'assemblée.

À la fin du sermon, l'assistant pasteur, Amos, se leva et prit la parole. « Vous avez entendu les paroles de Natasha et fait la connaissance de la famille Jonga, annonça-t-il. Ils ne sont pas des étrangers. Ils sont nos voisins, et pourtant, ils ne peuvent bâtir leur foyer parmi nous. J'aimerais donc vous encourager à donner avec générosité, afin d'aider cette famille à construire un nouveau foyer dans leur pays. Et pendant que nous donnons, poursuivit-il, souvenons-nous que nombreux sont ceux qui vivent la même situation. Pire encore, nombreux sont ceux qui n'ont pas de pays en paix et chaleureux dans lequel retourner. Nombreux sont ceux qui ne peuvent compter sur d'autre terre d'accueil que l'Amérique. »

Neni et Jende échangèrent un regard en entendant Amos parler de dons, car Natasha n'avait jamais évoqué la question. À cette annonce, devant ce geste de bonté inattendu, les yeux de Neni s'embuèrent brièvement, songeant à ce pays qu'elle quittait et qui abritait un si grand nombre d'institutions prônant la tolérance et la compassion.

Le service terminé, une file de fidèles se forma devant eux, chacun les saluant. Une femme voulut savoir où se trouvait exactement le Cameroun et une autre si Jende avait besoin d'aide pour trouver un avocat et faire rouvrir son dossier. Il répondit à la première que le Cameroun était voisin du Nigeria. Et à la seconde que non, il n'avait pas besoin d'avocat, car l'affaire était close.

La plupart des fidèles souhaitaient simplement leur serrer la main, leur glisser un mot d'adieu ou leur dire combien ils étaient contents d'avoir entendu leur histoire. Une jeune fille raconta à Jende, la gorge nouée par l'émotion, qu'un ami de son père avait été expulsé au Guatemala alors même qu'il ne connaissait personne là-bas. Il était très triste à présent, ajouta la jeune fille. Jende lui donna l'accolade et lui répondit que, par chance, eux avaient au Cameroun une grande famille et de nombreux amis.

60

La réponse arriva deux heures après que Jende eut cliqué sur Envoyer. « Content d'avoir de vos nouvelles, Jende, avait écrit Clark. Je suis étonné d'apprendre que vous rentrez, mais je vous comprends. Un homme a parfois besoin de retrouver sa maison. Passez donc me dire au revoir à mon bureau. Demandez à ma secrétaire. »

Jende passa voir Clark dans le même costume noir qu'il avait porté lors de son premier jour comme chauffeur. Neni avait dit qu'il n'était pas nécessaire qu'il s'habille ainsi, mais Jende avait insisté. « Il n'y aura que des gens en costume, là-bas, lui avait-il rappelé. Pourquoi je devrais avoir l'air d'un bon à rien ? »

Lorsqu'il entra, Clark se leva pour l'accueillir.

« C'est très gentil à vous d'être passé me dire au revoir, lui dit-il avec un sourire, tout en lui tendant la main.

— C'est moi qui vous remercie de prendre le temps de me recevoir, monsieur », lui répondit Jende en entourant de ses deux mains celle de Clark.

Clark avait l'air sincèrement ravi de le voir, affichant le plus grand sourire que Jende avait jamais vu ; ses yeux brillaient comme jamais, son visage semblait plus jeune aussi. Jende se rendit compte que M. Edwards n'était pas simplement heureux de le voir, lui – son ancien patron paraissait maintenant heureux dans la vie.

« Je voulais vous dire mes condoléances pour Mme Edwards, monsieur, lui annonça Jende, une fois assis. J'étais présent à la cérémonie, mais je n'ai pas pu venir vous dire comme j'étais désolé. »

Clark hocha la tête. Jende parcourut du regard le nouveau bureau, qui n'avait ni le sofa ni la vue sur Central Park de l'ancien, mais qui donnait sur le Queens – un agréable panorama, quoique moins prestigieux.

« Comment va votre famille ? lui demanda Clark. Tout le monde est content de rentrer ?

— La famille va bien, monsieur, merci. Ma femme est fâchée, mais elle ne va pas rester fâchée pour toujours. Mon fils est content, car je lui ai parlé de toutes les choses que nous allons faire ensemble au pays. Et le bébé ne sait rien, ce qui est une bonne chose aussi.

— Et vous, vous êtes satisfait ?

— Je le suis, mais plus le jour du départ approche, plus je suis triste en pensant que je ne vais peut-être jamais revoir cette ville. New York est une ville merveilleuse. Cela va être dur de ne plus vivre ici.

— Oui. Moi aussi, je vais devoir apprendre à m'acclimater. Je m'en vais le mois prochain.

— Oh ? Vous aussi, vous partez, monsieur ? »
Clark hocha la tête.

« Mighty et moi, nous déménageons en Virginie.

— En Virginie ?

— J'ai trouvé un nouveau poste à Washington, DC. D'ailleurs, nous allons visiter des maisons ce week-end. J'espère trouver quelque chose près d'Arlington et de Falls Church.

— Falls Church ? Je me souviens, monsieur… Ce n'était pas la ville d'où venait Mme Edwards ?

— Vous avez une bonne mémoire. Et ma famille a vécu à Arlington avant de partir dans l'Illinois. Mes parents vont quitter la Californie, eux aussi, pour se rapprocher de nous.

— Ce sera très bien pour vous, monsieur.

— Il n'y a rien de plus important que la famille, répondit Clark. Mais ça, vous le savez déjà.

— Non, il n'y a rien de plus important que la famille, monsieur.

— J'ai aussi des cousins dans le coin, et la demi-sœur de Cindy habite là-bas. Elles n'étaient pas proches à la fin, mais sa demi-sœur est venue à l'enterrement et, depuis, Mighty et moi sommes restés en contact avec elle.

— C'est une bonne chose, monsieur.

— Oui, et nous avons passé un très bon moment quand nous sommes allés la voir le mois dernier. Mighty est très enthousiaste à l'idée de passer du temps avec ses cousins. C'est important pour lui de savoir qu'il a de la famille, maintenant que… maintenant que les choses ont changé.

— C'est très vrai, monsieur, dit Jende en acquiesçant. Très vrai. Et comment se porte Vince ?

— Bien ; je lui ai parlé ce matin. Il envisage d'ouvrir un centre de retraite spirituelle pour les hommes d'affaires américains de passage à Bombay, afin de leur apporter paix et tranquillité. » Clark eut un rire. « Drôle d'idée, mais après tout, pourquoi pas ?

— C'est un garçon très futé, monsieur », dit Jende.

Clark sourit, sans cacher sa fierté.

« Oui, même si c'est dur pour tout le monde de faire face à l'inconnu.

— Peut-être qu'il va finir à Limbé, dit Jende en riant.

— Peut-être ! répondit Clark en riant avec lui. Qui sait ? Je l'imagine d'ici, en train d'apprendre aux habitants de Limbé comment ne faire qu'un avec l'Univers et se libérer de leur ego, ou déambuler avec ses disciples en leur disant d'abandonner leurs illusions !

— Ou peut-être aussi, monsieur, renchérit Jende en riant encore plus fort à présent, peut-être qu'il pourra les emmener à la plage un soir et regarder avec eux le soleil se coucher. Je vois bien les pêcheurs retourner dans leurs pirogues au bout de la plage, pendant que Vince et ses disciples seront assis sur le sable, en tailleur pour chanter et faire leur méditation là.

— Complètement ! s'exclama Clark en donnant une tape sur la table. D'ailleurs, ça pourrait très bien arriver.

— Ma femme et moi, nous pourrions l'héberger jusqu'à ce qu'il trouve sa nouvelle destination.

— Oh, je suis sûr qu'il n'aura pas de mal à la trouver. Il m'a déjà dit que si son projet ne fonctionnait pas en Inde, il partirait sûrement en Bolivie – ne me demandez pas pourquoi.

— Peut-être parce que les gens sont très spirituels, là-bas ?

— Peut-être ! s'exclama Clark, et tous deux rirent en chœur.

— Votre fils est un jeune homme très particulier, monsieur, dit Jende quand leurs rires s'éteignirent.

— Oui, "particulier", c'est tout à fait le mot.

— S'il y avait dans le monde dix mille jeunes hommes de plus comme lui, ou même seulement mille, je jure, monsieur, il y aurait plus de bonheur ici-bas. »

Clark sourit.

Jende se tortilla sur son siège. Il appréciait ce moment avec son patron, mais la nouvelle secrétaire l'avait averti que Clark ne disposait que de trente minutes avant sa prochaine réunion. Il regarda sa montre. Le temps était bientôt écoulé. Il devait maintenant se dépêcher de délivrer le message qu'il était venu lui donner.

« Monsieur, commença-t-il, en toute vérité, je ne suis pas venu ici seulement pour vous dire au revoir, mais aussi pour vous remercier personnellement pour le travail que vous m'avez donné. Peut-être que vous ne comprenez pas comme ce travail a changé ma vie. Grâce à lui, j'ai pu économiser de l'argent, et je vais maintenant avoir une bonne vie en rentrant chez moi. Même si j'aurais aimé continuer à travailler pour vous et vivre en Amérique plus longtemps, je suis heureux de pouvoir rentrer chez moi aujourd'hui et de pouvoir vivre une vie meilleure que celle d'avant. Je vous suis très reconnaissant, monsieur. »

À son tour, Clark se tortilla sur son siège et s'essuya les yeux du plat de la main.

« Ça alors », lâcha-t-il.

De toute évidence, personne ne s'était jamais donné la peine de venir ainsi le trouver pour le remercier d'avoir simplement payé en échange d'un service. Le téléphone de son bureau sonna, mais il ne décrocha pas.

« J'entends tout ce que les gens disent sur Wall Street, monsieur, poursuivit Jende. J'entends dire que les employés de Wall Street sont de mauvaises gens.

Mais je ne suis pas d'accord avec eux. Car c'est vous, qui êtes un homme de Wall Street, qui m'avez donné un travail et qui m'avez aidé à m'occuper de ma famille. Vous avez été bon avec moi. Je pense que vous êtes un homme bon, monsieur Edwards, et c'est pourquoi je suis venu vous remercier. »

Clark Edwards regarda son ancien chauffeur ; selon toute apparence, il réfléchissait à la meilleure façon d'exprimer la surprise qu'il éprouvait à entendre cette déclaration.

« Je suis sincèrement touché, Jende, lui dit-il. Sincèrement. Et je vous remercie, moi aussi. J'ai passé de très bons moments avec vous. Et même quelques moments mémorables, à vrai dire. Je ne vous l'ai peut-être jamais exprimé, mais j'espère que vous savez à quel point j'ai apprécié votre dévouement et votre loyauté.

— Merci, monsieur.

— Et je suis désolé, Jende...

— Non, ma parole, monsieur Edwards, ne soyez pas désolé. Désolé pour quoi, eh ?

— D'avoir dû mettre un terme à notre collaboration. Je ne sais pas comment le dire, mais... c'était dommage, vraiment. »

Jende secoua la tête.

« Chez nous, les gens disent que rien ne peut durer éternellement, monsieur Edwards. Que tous les bons moments ont une fin, comme les mauvais, qu'on le veuille ou non.

— Vous avez raison, répondit Clark. Mais je suis quand même content que nous nous quittions amis.

— Je suis content aussi, monsieur », répondit Jende en reculant sa chaise pour se lever.

Clark se leva également et les deux hommes se

serrèrent la main. En contrebas s'étiraient les rues de New York dans lesquelles ils avaient autrefois roulé.

« Saluez bien Neni de ma part, lui dit Clark.

— Je le ferai, monsieur. Et, s'il vous plaît, dites à Mighty que Neni l'embrasse très fort.

— Je le ferai aussi. Mighty vous adorait tous les deux, vous savez. Vous l'ignorez peut-être, mais vous avez eu une grande importance dans sa vie. Aujourd'hui encore, c'est "Jende" par-ci, "Neni" par-là.

— Nous aussi, nous avons beaucoup pensé à lui, surtout quand Mme Edwards est partie. Quelquefois, j'ai pensé vous appeler pour vous demander à le voir, mais… ma femme et moi avons rencontré tellement de problèmes que je n'ai pas eu le temps de faire tout ce que je voulais. Nous ne l'avons pas oublié. C'est un bon garçon.

— Oui. Et je suis content de le voir si enthousiaste à l'idée de partir en Virginie. S'il n'avait pas voulu y aller, je n'aurais pas pris le poste, même si je le convoitais depuis un certain temps.

— Barclays vous a muté à Washington, monsieur ?

— Non, je repars de zéro dans une tout autre société. Je vais présider un cabinet de lobbying. »

Jende leva la main pour se gratter la tête.

« Un lobby qui protège les intérêts des entreprises, précisa Clark. Mon travail sera de défendre les coopératives de crédit – une tâche importante par les temps qui courent. Un vrai défi pour moi.

— On dirait un travail très différent, monsieur.

— Très, oui. J'ai eu ma chance à Wall Street, mais il n'y a plus de place pour les gens comme moi là-bas, maintenant. Par ailleurs, avec tout ce qui s'est passé, je crois avoir besoin de changement.

— Je suis très content, monsieur, lui dit Jende en souriant. J'espère que le lobbying vous apportera du succès.

— Merci, répondit Clark en lui souriant en retour. Je l'espère, moi aussi.

» Au fait, lança Clark alors que Jende s'apprêtait à partir. J'ai oublié de vous demander : pourquoi partez-vous ? »

Jende n'eut pas besoin de temps pour réfléchir à la meilleure des réponses. Il se retourna vers Clark, marcha jusqu'au bureau, et lui dit la vérité.

« Ma demande d'asile a été refusée, monsieur.

— D'asile ? J'ignorais que vous étiez demandeur d'asile.

— Je ne vous l'ai jamais dit, monsieur. Cette affaire est restée entre mon avocat, ma femme et moi. Il n'était pas utile que je vous ennuie avec ça.

— Bien sûr, je comprends. Mais je suis surpris. Que voulez-vous dire par "refusée" ? Vous êtes expulsé, c'est ça ?

— Non, monsieur, je ne suis pas expulsé. Mais je ne pouvais pas avoir de *green card* sans obtenir l'asile, et pour ça, il m'aurait fallu passer encore beaucoup d'années à retourner au tribunal et dépenser beaucoup d'argent. Et même à ce moment-là, le juge aurait pu décider de ne pas me donner l'asile, et je me serais fait expulser. Ce n'est pas comme ça que je veux vivre ma vie, monsieur, surtout pas aussi pauvrement.

— Mais n'existait-il pas d'autre moyen d'obtenir une *green card* ? demanda Clark après avoir décroché son téléphone et dit à la personne qui l'appelait qu'il la rappellerait plus tard. Je sais à quel point vous teniez à ce que vos enfants grandissent ici.

— J'ai fait ce que j'ai pu, monsieur, mais…

— Je suis sûr qu'il doit exister un moyen de faire rester les gens travailleurs comme vous dans ce pays. »

Jende secoua la tête.

« Il y a des lois, monsieur.

— Écoutez, répondit Clark en se rasseyant. Le directeur adjoint des services de l'immigration est un très bon ami de Stanford. Si vous m'aviez parlé de votre situation, je l'aurais contacté pour qu'il vous conseille, ou au moins pour qu'il vous recommande un bon avocat. Je ne savais pas tout cela. »

Jende baissa les yeux et secoua la tête, un sourire plein de tristesse sur les lèvres.

« Il n'est peut-être pas trop tard, poursuivit Clark. Peut-être pourriez-vous reporter votre vol, me donner le temps de contacter mon ami afin de voir si je peux faire quelque chose pour vous ?

— Je pense que c'est trop tard, monsieur.

— Mais quel mal y a-t-il à essayer ?

— Le juge n'acceptera pas, monsieur, et même s'il…

— Vous êtes prêt à partir. »

Jende eut un sourire.

« En toute vérité, monsieur, dit-il, mon corps est encore ici, mais mon cœur est déjà rentré. Je suis venu en Amérique pour fuir la vie dure, oui, et je ne voulais pas rentrer. Mais quand je n'ai plus eu le choix, quand j'ai compris que je devais partir, je me suis senti heureux en pensant à chez moi, monsieur. L'Amérique va me manquer, mais je serai content de vivre à nouveau dans mon pays. Je me vois déjà en train d'aller sur la tombe de mon père pour lui montrer ma fille. Je me vois déjà marcher dans les rues de Limbé avec mes amis, boire avec eux et emmener mon fils au stade là-bas. Je n'ai plus peur de mon pays.

— Et vos enfants, alors ?

— Tout ira bien, monsieur. Nous avons déjà un passeport américain pour ma fille. Elle reviendra ici quand elle sera prête, et peut-être qu'un jour elle déposera une demande pour que son frère aussi obtienne la nationalité. Sinon, mon fils ira au Canada, et ma femme et moi, nous pourrons aller les voir dans les deux pays. »

Clark hocha la tête, puis il sourit.

Jende regarda de nouveau sa montre, prêt à partir, mais Clark lui demanda d'attendre une seconde. Il alla chercher son attaché-case, posé sur la chaise à droite de son bureau, et se rassit, le temps d'écrire quelque chose. Il s'approcha alors de Jende avec une enveloppe qu'il lui tendit.

« Prenez ça, lui dit-il. Et occupez-vous bien de votre famille.

— Oh, monsieur... oh, merci vraiment beaucoup, répondit Jende en prenant l'enveloppe entre ses deux mains, la tête baissée. Merci vraiment beaucoup, monsieur Edwards.

— Que cela reste entre nous. Bon voyage, Jende.

— Oh, monsieur, je me demandais juste, ajouta Jende devant la porte, avez-vous eu des nouvelles de Leah ? Ma femme et moi avons voulu l'inviter à notre fête d'adieu, mais sa ligne de téléphone était coupée.

— Oui, j'ai eu de ses nouvelles il y a quelques mois, répondit Clark. Elle m'avait envoyé son CV afin que je l'aide à trouver un poste ici, mais je ne crois pas qu'elle ait reçu de réponse des ressources humaines, à cause des baisses d'embauches, etc.

— Peut-être qu'elle est encore au chômage, dans ce cas ?

— Je le crains, oui. Le marché du travail est rude,

surtout pour les personnes de son âge. Je pense qu'elle a quitté New York pour une ville où la vie est moins chère. »

Jende secoua la tête, surpris. Leah ne lui avait pas fait part de son intention de déménager lorsqu'il lui avait parlé pour la dernière fois, à Noël. Tout semblait aller bien, mais peut-être que l'avenir s'annonçait autrement – pas de perspective d'emploi, moins d'économies, et encore des années à attendre avant de toucher sa retraite. Leah devait avoir peur, même si elle ne le montrait pas. Peut-être était-ce la raison pour laquelle elle avait semblé si heureuse d'aller voir le sapin du Rockefeller Center ; pour s'immerger dans cette atmosphère pleine d'espoir, pendant quelques heures au moins, et oublier ses problèmes.

« Si jamais vous voyez Leah, fit Jende, dites-lui s'il vous plaît que je lui dis au revoir et que je m'excuse de ne pas l'avoir fait en personne. Dites-lui que je suis rentré au Cameroun mais qu'un jour, peut-être, par la grâce de Dieu, je reviendrai en Amérique et que nous nous reverrons.

— Je tâcherai de me souvenir de tout ça.

— Je me sens mal, monsieur, quand je pense à elle, dit Jende.

— La situation économique s'améliore, répondit Clark en se tournant vers la porte.

— C'est ce qu'ils disent, monsieur, mais… J'espère que Leah ira bientôt mieux.

— J'en suis sûr », dit Clark, et les deux hommes arrivèrent sur le seuil de la porte où ils se souhaitèrent une bonne continuation, avant de se serrer la main pour la dernière fois.

61

Neni donna ses casseroles et ses ustensiles de cuisine à Betty, sa vaisselle et ses couverts à Fatou. Winston et Maami héritèrent des épices et du contenu du garde-manger : *garri*, huile de palme, écrevisses, *fufu*, *egusi*, purée de patates douces, poisson fumé. Olu vint récupérer les manuels de Neni ainsi que leur vieux PC – pour la nièce de son mari qui allait bientôt arriver du Nigeria afin de faire ses études à l'école d'infirmières de Hunter.

Natasha fut contente de recevoir les *kabas* neufs de Neni, trop encombrants pour être rapportés. La pasteure était ravie de pouvoir ajouter des vêtements colorés à sa garde-robe. Neni vendit sur Craigslist les éléments du coin cuisine, ainsi que l'armoire de la chambre, la télé, le micro-ondes et le petit lit de Liomi. Elle donna leurs vêtements d'hiver, leurs vieux vêtements d'été ainsi que leurs chaussures usées à Goodwill et demanda à Jende de descendre dans la rue leur vieux sofa pour qui en aurait besoin.

La veille de leur départ, leur appartement était vide, occupé seulement par leurs bagages entreposés dans un coin de la chambre. Tout ce qu'ils n'avaient pas donné avait été jeté, à l'exception du lit, qu'ils laissaient pour les nouveaux locataires.

Ceux-ci étaient arrivés accompagnés de M. Charles pour voir l'appartement et en avaient profité pour poser plus d'une dizaine de questions à Neni : n'était-il pas trop dur de monter tous les jours les cinq étages ? Qui étaient les voisins ? Y avait-il de bons traiteurs thaïs ou chinois ouverts tard dans le quartier ? Harlem était-il vraiment un quartier plus sûr à présent, comme tout le monde le disait ? C'était un jeune couple – vingt-cinq ans environ, mignons, joyeux, blancs, tous deux portant les cheveux longs –, qui avait quitté Detroit pour tenter de percer dans la musique. Quand Neni leur avait demandé quel genre de musique ils jouaient, ils avaient souri et répondu que leur style était difficile à définir, un mélange de techno, de hip-hop et de blues. Leur groupe s'appelait les Love Stucks.

Une soudaine bouffée de jalousie faillit envahir Neni, qu'elle ravala lorsque le couple lui proposa de prendre leur vieux lit pour deux fois le prix qu'un acheteur avait proposé sur Craigslist. Ils payèrent cash, immédiatement, puis échangèrent un baiser dans la chambre. En partant, elle entendit M. Charles leur rappeler de ne jamais évoquer leur petit arrangement, car s'il venait à perdre cette sous-location, tout le monde serait pénalisé. La jeune femme promit de ne pas dire un mot, incrédule d'avoir enfin trouvé un loyer à leur portée à New York.

Leur avion décollait dans moins de dix-huit heures. Neni se trouvait à présent seule dans le salon. Timba dormait dans la chambre ; Jende avait emmené Liomi manger un dernier *attiéké* avec de l'agneau grillé dans un restaurant de la 116ᵉ Rue. Après leur dîner, ils avaient prévu d'aller manger une dernière glace américaine sur la 115ᵉ Rue, et peut-être une part de cheesecake aussi.

Les bagages étaient faits, les habits de voyage sortis, les itinéraires imprimés ; tout était prêt. Assise par terre, le dos contre le mur, Neni regarda le salon. La pièce semblait plus petite et plus sombre et lui donnait la curieuse impression de se trouver dans une grotte lointaine, dans une forêt d'un pays qu'elle ne connaissait pas. Comme si elle était en train de rêver d'une maison qui n'avait jamais été la sienne.

Elle tourna la tête vers la fenêtre, cherchant ce qu'elle aurait pu oublier. Mais il n'y avait rien. Dire au revoir à quelqu'un ? Non, personne. Ses amies lui avaient proposé de venir passer cette dernière soirée avec elle pour se remémorer leurs souvenirs et rire ensemble, car qui savait quand et même si elles se reverraient ? Merci, avait répondu Neni, mais non. Elle avait fait ses adieux à Fatou la veille. Toutes deux s'étaient longuement étreintes, et Fatou lui avait dit : « Tu vas me faire pleurer comme un bébé, eh ? » Neni ne voulait maintenant plus faire d'adieux. Ni à Fatou, ni à Betty, ni à Olu, ni à Winston, ni à aucun autre ami.

Elle voulait maintenant se reposer, se réveiller, se doucher, préparer ses enfants, prendre ses bagages et partir d'ici.

62

Ils firent leurs adieux à New York City par l'une des journées les plus chaudes de l'année. C'était la fin du mois d'août, la même période environ que celle où Jende était arrivé cinq ans plus tôt. Ils embarquèrent sur leur vol Air Maroc, JFK-Douala, via Casablanca. Dans le taxi, sur le chemin de l'aéroport, Neni regarda le paysage en silence. Défilaient devant elle. L'Amérique. New York. Les ponts et les panneaux publicitaires montrant des gens souriants. Les gratte-ciel et les immeubles en briques. Défilaient rapidement. Trop rapidement. Pour disparaître à jamais.

Lui ne ressentit rien.

Il se força à ne rien ressentir.

Il resta assis à l'avant, l'argent qui l'aiderait à démarrer sa nouvelle vie entassé dans un sac à dos rouge JanSport, vingt et une liasses tenues par des élastiques marron. Chaque liasse contenait mille dollars de sa fortune : dix-huit mille provenaient de Cindy Edwards et de leurs économies ; mille quatre cents des dons de l'église ; deux mille de Clark Edwards.

« Pourquoi tu n'envoies pas tout ça par Western

Union ? Il te suffira de le récupérer quand tu seras là-bas, lui avait dit Winston.

— Jamais, avait répondu Jende. Tu veux que le gouvernement camerounais sache que je possède tout cet argent et vienne me le prendre ?

— Ah, toi et tes inquiétudes, avait ri Winston. Tu veux qu'ils fassent quoi ? Ils ne peuvent pas taxer un transfert d'argent.

— Tu crois ça, eh ? Attends que Biya décide de changer la loi, et le gouvernement commencera à prendre dix pour cent sur les transferts Western Union.

— Ah, Bo ! Le gouvernement ne ferait jamais une telle chose.

— Tu en sais quoi ?

— Je n'en sais rien. Mais, maintenant que tu le dis, je comprends que tu sois prudent. Il ne faut jamais faire confiance au gouvernement – je ne fais moi-même pas confiance au gouvernement américain, et je ne ferais sûrement pas confiance au gouvernement camerounais.

— Non, mais c'est notre gouvernement et c'est notre pays. Nous l'aimons, nous le détestons, mais c'est toujours notre pays. *How man go do*[1] ?

— C'est notre pays, approuva Winston. Jamais nous ne pourrons le renier. »

À 4 heures du matin, au lendemain de leur départ de New York, ils atterrirent au Cameroun. Comme ils l'avaient entendu dire, le pays n'avait pas changé. L'aéroport international de Douala était toujours moite de chaleur et bondé. Les agents des douanes, toujours aussi zélés, demandaient des bakchichs aux

---

1. Que veux-tu y faire. *(N.d.T)*

voyageurs épuisés qui manquaient d'énergie pour dire non à ce système corrompu. Des hommes et des femmes en habits colorés bouchaient toujours la sortie, criant le nom des êtres aimés qu'ils attendaient, en anglais, en français, en pidgin, et dans les deux cents autres langues vernaculaires du pays, disant : « Je suis là, nous sommes tous là ! » Des parents submergés de joie, et parfois même des familles tout entières attendaient toujours dans le terminal des arrivées afin d'accueillir fils et filles ayant traversé l'océan pour rentrer au pays et leur apporter la fierté, se faufilant et jouant des coudes dans la foule pour recevoir une embrassade bien méritée. De jeunes garçons en haillons rôdaient toujours sur le parking de l'aéroport, à la recherche de naïfs qui se laisseraient amadouer en les entendant dire qu'ils avaient faim, dormaient dehors et avaient besoin d'un dollar ou d'un euro. Le trajet de Douala à Limbé était toujours laborieux, rempli des insultes des conducteurs et des piétons, jeunes ou vieux, qui cherchaient à se frayer un chemin dans les rues poussiéreuses et congestionnées de Bonaberi.

Le frère de Jende, Moto, vint les chercher à l'aéroport avec un pick-up Ford qu'il avait emprunté, dans lequel ils effectuèrent les deux heures de route qui les séparaient de Limbé. La Ford était le seul véhicule que Moto avait trouvé pour transporter toute la famille plus les sept valises renfermant chaussures et vêtements. D'autres biens arriveraient plus tard par cargo : la Hyundai d'occasion ; quatre gros cartons de vêtements et de chaussures achetés en promotion ; trois cartons de boîtes de conserve ; deux valises contenant les jouets, jeux vidéo et livres de Liomi, un siège auto, une poussette et un berceau achetés sur Craigslist pour Timba. Il y aurait également les trois valises de vêtements que Cindy avait donnés à Neni, ainsi que tous ses accessoires achetés à Chinatown : faux sacs Chanel, Gucci et Versace, bijoux bon marché, lunettes de soleil et chaussures, postiches et tissages, crèmes, parfums et maquillage – tous achats destinés à prouver aux filles de petite vertu de Limbé que Neni ne jouait pas dans la même cour. Les vêtements de Cindy, quant à eux, seraient réservés pour les grandes occasions. Neni avait décidé de les porter aux mariages et aux anniversaires afin de montrer à ces filles que même si elle était rentrée au pays et vivait à présent parmi elles, elle n'était pas des leurs – elle était maintenant une femme de haut rang, portant des habits de marque, une femme avec laquelle aucune d'entre elles ne pouvait rivaliser.

Peu après 19 heures, alors que Neni et les enfants s'étaient endormis, le pick-up dépassa le panneau rouge et blanc de l'autoroute qui disait : « Bienvenue à Limbé, ville de l'amitié. » Le souvenir de ce panneau avait apporté du réconfort à Jende durant ses premiers jours en Amérique, un réconfort derrière lequel sommeillait l'espoir de franchir un jour ce panneau dans d'autres circonstances que celles dans lesquelles il l'avait laissé derrière lui.

« Bienvenue, eh », se dit-il à lui-même tandis que les lumières de sa ville natale apparaissaient au loin.

Moto lâcha une main du volant pour le gratifier d'une tape sur l'épaule.

« Qu'est-ce que tu dis, papa ? » lui demanda Liomi qui se réveillait, encore tout ensommeillé.

Jende se retourna et regarda son fils.

« Devine où nous sommes, lui murmura-t-il.

— Où ? demanda Liomi, luttant pour ouvrir les yeux.

— Devine », dit de nouveau Jende.

Le garçon ouvrit les yeux et déclara :

« À la maison ? »

Remerciements

L'auteur remercie son formidable agent, Susan Golomb, de lui avoir ouvert ces magnifiques portes, ainsi que ses anciens et actuels assistants (Krista Ingebretson, Scott Cohen et Soumeya Bendimerad Roberts) pour l'immense travail qu'ils ont accompli, et accomplissent encore, pour elle. Toute sa gratitude à David Ebershoff, un merveilleux éditeur, mais aussi un grand être humain ; et à Caitlin McKenna, sa vaillante assistante. L'auteur remercie son éditrice, Susan Kamil, de lui avoir offert cette enrichissante opportunité, ainsi que toute l'équipe de Susan chez Random House pour son dévouement et son enthousiasme. Un merci tout particulier à Molly Schulman, Hanna Pylväinen et Christopher Cervelloni pour leur lecture des premiers jets de ce roman, ainsi que pour leur sagesse et leurs encouragements. Enfin, l'auteur adresse sa reconnaissance éternelle à son (merveilleux !) mari et ses (beaux !) enfants ; son amour inconditionnel à sa mère ; son soutien sans faille à sa sœur et à son beau-frère ; et toute la gentillesse et la bienveillance possibles aux si nombreuses et bonnes personnes qui composent sa famille, ainsi qu'aux étrangers et aux connaissances dont les histoires et la générosité ont inspiré ce roman ; et à ses formidables amis, qui ont volé à son secours bien des fois et l'ont aidée à rire durant cette extraordinaire aventure.

Faites de nouvelles rencontres sur
pocket.fr

- Toute l'actualité des auteurs : rencontres, dédicaces, conférences...
- Les dernières parutions
- Des 1ers chapitres à télécharger
- Des jeux-concours sur les différentes collections du catalogue pour gagner des livres et des places de cinéma

Découvrez
des milliers de
livres numériques chez

12-21

→ *www.12-21editions.fr*

12-21 est l'éditeur numérique de Pocket

 |

Composition et mise en pages
Nord Compo à Villeneuve-d'Ascq

Achevé d'imprimer en en France par La
Nouvelle Imprimerie Laballery
58500 Clamecy (Nièvre)
N° d'impression : 107241
Dépôt légal : septembre 2017
Suite du premier tirage : juillet 2021
S27612/05
POCKET – 92, avenue de France – 75013 Paris